소환된 미래교육

포스트 코로나 시대의 학교를 바라보다

소환된 미래교육

포스트 코로나 시대의 학교를 바라보다

2020년 8월 7일 초판 1쇄 발행
2021년 1월 25일 초판 3쇄 발행

지은이 | 교육정책디자인연구소
　　　　　구소희 · 강은경 · 김성천 · 김영자 · 김인엽
　　　　　류광모 · 박세진 · 이문수 · 홍섭근 · 황유진

펴낸이 | 이형세

책임편집 | 윤정기

편집 | 정지현

디자인 | 권빛나

제작 | 제이오

펴낸곳 | 테크빌교육(주)

주소 | 서울시 강남구 언주로 551, 프라자빌딩 5층/8층

전화 | 02-3442-7783(333)

팩스 | 02-3442-7793

ISBN | 979-11-6346-093-0 03370

* 이 도서의 국립중앙도서관 출판예정도서목록(CIP)은 서지정보유통지원시스템 홈페이지
(http://seoji.nl.go.kr)와 국가자료공동목록시스템(http://www/nl/go/kr/kolisnet)에서 이용하실
수 있습니다. (CIP제어번호: CIP2020030238)

소환된 미래교육

포스트 코로나 시대의 학교를 바라보다

교육정책디자인연구소 지음

구소희 · 강은경 · 김성천 · 김영자 · 김인엽 · 류광모 · 박세진 · 이문수 · 홍섭근 · 황유진

테크빌교육

차례

미래교육을 위한 걸림돌, 과감하게 해소해야[1]

코로나19 사태의 변화

코로나19 사태는 우리에게 '익숙한 것을 낯설게', '낯선 것을 익숙하게' 보도록 만들었다. 또 정상과 비정상, 평범함과 특별함, 일상과 비일상의 경계와 구분을 모호하게 만들었다. 이렇듯 코로나19로 인해 우리는 익숙하지 않은 상황에 내몰렸지만, 어느새 빠르게 적응해 나가고 있다. 예컨대, 온라인 교육이나 원격 수업 등은 일부 교사의 활동 영역으로 인식했는데, 이제는 우리의 일상으로 자연스럽게 스며들었다. 화상 회의와

---

1 본 글은 2020년 7월 16일 인천광역시교육청 주관으로 개최된 토론회에서 도성훈 인천광역시교육감의 발제에 대한 토론문을 본 저서의 취지에 맞게 재구성하였다.

화상 수업을 좋든 싫든 받아들일 수밖에 없었고, 그 과정에서 경험이 축적되었다. 학교는 말로만 듣던 미래교육의 일부분을 온몸으로 확인했고, 이에 대한 경험과 담론이 우리 사회에 형성되었다.

이제 교육은 더 이상 교육만의 영역이 아니다. 코로나19 사태를 통해 자연과 사회, 인간이 연결되어 있음을 다시 한번 깨달았고, 그 가운데 교육은 종속변수이면서 독립변수이다. 교육은 사회의 영향을 받지만, 사회에 큰 영향을 미치기도 한다. 교육의 중심에는 인간이 있다. 미래는 주어지는 것이 아닌 만들어 가는 것이라는 전제도 가능한데, 그 전제가 맞다면 앞으로 어떤 인간을 길러 내야 하느냐가 교육의 중요한 과제가 될 것이다.

코로나19 사태는 학교의 본질에 대한 질문도 던졌다. 지식 습득을 가능케 하는 학습 대체재가 많아지면서 학교의 교육에 관한 독점적 기능은 약화된 면이 있다. 그럼에도 불구하고 사람과 사람의 상호작용을 통해 얻는 의미와 깊이를 담보한 학습은 여전히 학교가 가진 핵심 기능일 수밖에 없다. 학교가 멈추면서 노동시장·보건복지·경제·문화 등도 함께 멈춰 버리는 상황을 겪으면서 우리는 학교의 명시적·묵시적 기능을 확인하였다. 하지만 동시에 온라인 학습의 가능성 또한 확인되면서, 교사와 학교가 본연의 기능을 다하지 못할 때 언제든 대체될 처지에 놓일 것이라는 예측도 가능해진다.

안타깝지만 어두운 면도 드러났다. 학교 내 구성원의 갈등, 교육 불평등 심화, 현장을 중심에 놓지 않는 행정 체계 등 누적된 교육계의 약점이 고스란히 노출되거나 더욱 악화되었다. 특히 중앙정부의 통제와 지침에 의존하여 움직여야 하는 특수한 상황에서 교육자치와 학교자치의 공간은 더욱 축소되었다. 안전을 우려한 특수한 상황을 이해하지만, 책임지지 않기 위해서 판단을 끊임없이 유보하고, 공을 돌리는 상황은 교사들을 힘들게 했다. 교육 주체가 함께 논의하면서 능동적으로 길을 찾아 나갈 수도 있었을 텐데, 일단 지침을 기다려 보자는 수동적인 모습도 적지 않게 나타났다.

물론 긍정적인 면도 있다. 생명과 안전의 가치를 무엇보다 중시하는 흐름이 나타났는데, 세월호 참사 이후에 얻은 교훈이 내면화된 결과로 보인다. 등교와 입시, 학사 일정보다도 생명과 안전의 가치를 먼저 생각하고, 이후 나름의 후속 조치를 과감하게 실행한 모습도 과거와 달라진 행정 체계의 모습이다.

공동체성, 시민성, 혁신성, 지역성의 가치 복원을 위하여

코로나19 사태는 무엇보다 공동체에 대한 향수를 더욱 느끼게 만들었다. 특히 학교는 사람과 사람이 만나 상호작용을 하면서 구성원이 함께 성장하는 곳이다. 그렇기에 학생이 없는 학교는 그 존재 가치를 상실한다. 그동안 공동체의 중요성을 강조해 왔지만, 학교의 일상에서 그것이 얼마나 의미 있게 작동하고 있는가는 의문이었다. 그런데 코로나19 사태를 겪으며 우리는 학교의 존재 이유를 재발견할 수 있었다.

교사와 학생, 학부모의 노력으로 온라인 수업의 효과성이 조금씩 드러나고 있다. 기존의 대면 교육에서는 시공간의 한계에서 벗어나기 힘든 부분이 있었다. 수업을 듣다가 이해하지 못하고 넘어가면 학습 결손이 누적될 가능성이 컸는데, 온라인 수업은 반복 학습이 가능하고, 학생의 수준과 능력에 맞는 콘텐츠 접속도 가능하다는 점에서 개별 맞춤형 학습의 가능성을 제시하였다.

하지만 그것만으로는 충분하지 않다. 교사와 학생, 학생과 학생 간의 관계성이 온라인 교육에서도 매우 중요한 변수가 되기 때문이다. 서먹서먹한 상태일 때와 서로 친해진 상태일 때 온라인 수업 분위기와 참여도는 매우 달라질 수 있다. 단순히 지식을 전달하는 수업 내지는 학교 기제는 민간 온라인 학습 콘텐츠 업체를 통해서도 얼마든지 제공받을 수 있다. 그보다는 그동안 사람과 사람이 만나 의미 있는 상호작용을 하고, 이를 통해 교사와 학생, 나아가 지역사회의 성장을 촉진해 온 학교의 역할을 새삼 깨닫게 된 것이다. 현실적으로 온라인 교육을 외면할 수 없지만, 교육 주체의 상호작용을 통해서 어떤 이야기를 해도 수용될 수 있다는, 즉 '안전한 공간'이라는 인식이 형성된다면 온라인 교육의 효과는 더 커질 것이다. 지금까지 학교는 입시와 경쟁이라는 틀 안에서 효율적인 관리에 더 집중했고, 그 과정에서 사람의 가치를 놓쳤던 측면도 있다. 향후 학교는 잃어버렸던 공동체의 가치를 회복하고, 수많은 교육 대체재가 존재하는 현실에서 왜 존재해야 하는가에 대한 답을 찾아 나가야 할 것이다.

시민성은 우리가 놓치지 말아야 할 핵심 가치이다. 코로나19 사태에서도 우리의 높은 시민의식은 위기를 극복하는 원동력이 되었다. 학교는 민주주의에 관한 지식과 가치, 태도를 익히는 곳이다. 개인의 '사사성'을 넘어 '공공성'과 '공동체의 가치'를 학교 내에서 실현해야 한다. 문서상으로는 민주시민교육이라는 학교의 교육목표를 확인할 수 있지만, 민주주의가 온전히 작동하고 있는가에 대해서는 늘 의문이 제기되었다. 논의와 소통 구조가 사라진 채 지시와 명령을 중심으로 움직이는 학교에서 시민성이 싹트기는 어렵다.

이러한 상황에서 코로나19 사태는 교육자치의 공간을 축소시키고, 통제와 규율의 흐름 속에 학교자치의 딜레마 상황을 만들어 냈다. 위기 상황에 대응하는 학교장의 리더십이나 구성원의 의사결정 과정이 보여준 학교 문화, 학교자치 역량 등도 학교별로 차이가 드러났다. 물론 교육자치와 학교자치가 절대 선이고, 중앙집권 체제는 절대 악이라고 이원화하기는 어렵다. 자치는 구성원 간 상당한 신뢰를 전제로 한 개념인데, 전문성과 민주성이 결합될 때 성공할 수 있다. 그런데 지역 간, 학교 간 자치 역량의 편차 등이 발생할 수 있다는 점에서 자치가 학교의 모든 문제를 해결하는 만능 도깨비가 될 수는 없다.

무엇보다 자치는 상당한 책임을 요하며, 의사결정에 많은 논의를 필요로 한다. 누군가는 권력을 내려놓아야 한다. 이러한 과정은 '의미 있지만 피곤한 과정'이 될 수 있다. '편한 타율'을 원하는 이들은 중앙정부의 지침과 규율을 원할 수 있다(김성천 외, 2019). 학교 구성원이 숙의의 과정을 통해 자율과 자치의 공간을 어떻게 확보할 수 있는가도 여전히 어려운 과제이다. 결국 깨어 있는 시민, 혹은 덕성을 갖춘 시민이 그 역할을 이끌어야 한다.

학교는 기성세대의 지식과 가치, 태도를 전수하는 사회화의 기능을 넘어, 비판적 사고를 바탕으로 변화를 꿈꾸는 변혁적 기능을 지닌다. 우리 교육에 변화를 만들기 위해서는 학생과 현장을 중심에 놓고 다양한 정책을 펼쳐야 하는데, 우리 교육 체계를 보면 정치와 행정의 관점에서 교육이 설계되어 있다. 교사의 시각을 반영하는 것은 미미하고, 학생의 시각은 빠져 있다. 교육계가 교사, 학생, 학부모 등 교육 3주체의 이야기에 얼마나 귀를 기울이고, 그들의 이야기를 어떻게 반영하고 있으며, 어떤 변화를 만들어 내고 있는지 성찰이 필요하다.

혁신은 유행이 아니다. 혁신은 미래교육을 만들어 가는 성찰과 실천의 과정이다. 모두가 바뀌기를 기다리기보다는 나부터 변화를 시도하고, 당연하게 여기지는 관행과 경로의존성에 대해 도전하고, 질문을 던지는 과정이다. 비판을 넘어 공동체 안에서 더 나은 대안과 실천을 모색하는 과정이다. 그런 점에서 혁신은 '나부터', '지금 할 수 있는 일부터', '즉시' 시작해야 한다. 하지만 어느 순간 혁신에 대한 담론은 사라지고,

미래 담론으로 넘어가는 듯한 상황은 경계해야 한다. 오늘 우리에게 주어진 엄중한 과제를 해소하지 않은 상태에서 미래교육을 이야기하는 것은 허상일 수 있기 때문이다.

미래사회와 미래교육은 어느 날 갑자기 오는 것이 아닌, 오늘 실천의 과정을 통해 만들어 가는 것이다. 그런 점에서 코로나19 사태에서 드러난 학교의 민낯은 혁신교육의 기본기가 무너졌을 때 나타난 현상으로도 볼 수 있다. 예컨대, 학습공동체가 형성되지 않았고, 교사들의 자발성과 주체성이 약하고, 학교의 민주적 소통 원리가 취약하고, 학교의 비전과 방향에 대한 구성원 간 합의와 공유가 이루어지지 않았다면 코로나19 사태를 의미 있게 대응하지 못할 가능성이 크다.

일부 학교를 보면 내부에서 논의를 통해서 충분히 풀어 갈 수 있음에도 지침만 바라보고 있거나, 열심히 하려는 교사에게 "너만 튀지 마라!"는 식의 끌어내리는 모습이 있었다. 온라인 수업을 앞두고 최선의 콘텐츠를 제작하려는 교사들에게 입시를 염두에 둔 일부 학부모는 EBS 콘텐츠나 틀라는 요구를 하기도 했다. 지역 맘카페 등에서 교사들의 수업 수준에 대한 공유가 이루어지고, 수업의 질적 편차나 학생의 학습 관리 등에 한계가 나타나고 있다는 뼈아픈 지적을 받기도 했다.

혁신교육의 기본기는 여전히 중요하다. 코로나19 사태에 잘 대응한 학교를 보면 학습공동체가 활성화되어 있고, 학교의 비전과 철학에 대한 공유가 이루어져 있으며, 수업·교육과정·평가에 대한 개방 문화가 형성되어 있다. 교육 주체의 참여를 보장하는 학교민주주의가 작동하였고, 변혁적 리더십이 발현되고 있었다. 이러한 역량과 문화가 현장에 축적되지 않은 상태에서는 미래교육과 미래사회에 대한 담론은 허상에 불과하다(송기상·김성천, 2019).

미래교육의 핵심은 경직된 시스템에서 탈피하여 유연한 교육 시스템을 구축하는 것이고, 개개인의 고유성을 키우는 시스템의 형성과 작동이다. 과연 교육부와 교육청은 유연하게 대응하고, 그런 제도를 만들기 위해 노력하고 있는지 자문이 필요하다. 제기된 여러 학교의 문제 역시 우리가 인정해야 할 모습이고, 현장의 걸림돌을 하나하나 해소해 나가는 과정이 절실한 상황이 아닐까?

미래교육에서 놓치지 말아야할 핵심 담론 중 하나는 마을과 지역의 가치 복원이다. 그런데 코로나19 사태로 인해 지역과 마을의 협력이 어려워진 측면이 있다. 마을교육공동체가 활성화하려면 칸막이를 넘어 서로 만나야 하는데, 현재 상황은 대면 접촉이 조심스럽기 때문이다. 본래 지자체와 교육청 간에 제도적 장벽이 있었다. 분리론과 통합론을 둘러싼 갈등 국면에서 최근에 연계 협력을 통해 상호 발전하기 위해 노력하는 흐름이 나타나고 있는데, 혁신교육지구사업이나 마을교육공동체가 좋은 사례이다.

일부 지자체를 보면 전통적인 학력관 내지는 교육관을 바탕으로 명문대에 몇 명을 보낼 것인가에 관심을 기울이고 있다. 하지만 그러한 관점은 지역소멸 현상을 극복하는 데 도움을 주지 못한다. 공부를 잘하는 소수의 학생만 우대받을 가능성이 크고, 그렇게 명문대에 갔다고 해도 그들이 다시 지역으로 돌아와 기여할 확률은 높지 않다. 이를 극복하기 위해서는 지역과 마을에 대해서 배우고, 익히고, 실천하고, 살아가게 해야한다. 교육감 권한인 '지역사회학습장'을 활성화하여 학교 안팎으로 넘나들며 배우기를 적극적으로 시도해야 한다. 이를 위해서는 교육청과 교육지원청의 단위학교 지원 기능이 더욱 강화되어야 한다.

또한 지자체와 교육청, 학교, 시민사회의 거버넌스를 바탕으로 협력 방안을 모색해야 한다. 돌봄교실, 방과후학교, 자유학기제, 고교학점제 등도 평생교육의 관점에서 바라본다면, 현재의 운영 수준보다 그 질 제고가 가능할 것으로 보인다.

무엇보다 지역에 관해서, 지역을 통해서, 지역을 위해서 배우는 지역형 교육과정을 적극적으로 모색해야 한다. 교육청과 단위학교의 교육과정 권한을 보다 많이 가져오는 층위의 노력과 함께, 지역에 관해 제대로 배우는 과정과 과목 개설도 필요하다. 기존의 교육과정을 지역 자원과 연계하여 배움으로써 그 깊이를 더해야 한다. 이러한 맥락에서 보면 지역성의 가치는 더 이상 변방의 가치가 아닌 우리 교육의 핵심 가치이다.

미래교육과 미래사회를 논한다고 할 때, 새로운 기술과 방법의 도입에 대한 강박관념은 조금 버릴 필요가 있다. 사람과 교육, 사회를 어떻게 바라보고 해석할 것인가에 관한 본질과 철학, 가치는 여전히 중요하다. 에듀테크 역시 인간을 위한 도구인 것이지 그것 자체가 목적은 아니다. 현재의 상황은 새로움에 대한 수용의 '속도전'이 아닌, 중요한데 놓치고 있었던 본질을 어떻게 복원하고 회복시킬 것인가에 관한 '성찰의 장'을 요구하고 있다.

새로운 정책을 내놓기 이전에 기존에 약속했던 정책들이 얼마나 내실 있게 진행되고 있는가? 현장에서 반응을 얻지 못하는 정책을 과감하게 덜어낼 수 있는가? 양적 접근을 넘어 질적 접근으로, 투입 체제를 넘어 과정과 결과에 주목하는 체제를 어떻게 만들어 갈 것인가? '넘나들며 배우기'라는 시대정신을 우리 학교의 교육과정과 프로그램에 어떻게, 누가 접목시켜 나갈 것인가? 관료주의의 유물을 벗어던지고, 명실상부한 학습 조직과 지원 조직으로 교육청과 교육지원청을 어떻게 탈바꿈시킬 것인가? 변별력과 서열화를 목적으로 자행된 왜곡된 평가 체제를 어떻게 성장을 지원하는 평가로 전환할 것인가? 개인 차원의 노력을 넘어 학습공동체를 통한 교육 주체의 성장을 어떻게 도모할 것인가? 학교의 교육목표와 비전에 대한 구성원의 합의를 어떻게 형성하고, 공유하면서 실현해 나갈 것인가?

뼈아픈 질문에 대한 우리의 대답을 삶으로 보여 주는 과정이 미래교육의 핵심일 것이다.

1부
코로나19를 통해
바라본 학교

코로나19를 통해
교육계 민낯 들여다보기

미래사회를 논할 때마다 언급되던 학교 존폐는 이제 정리가 된 듯싶다. 코로나19는 학교가 우리 사회에 얼마나 필요한 것인지를 증명해 주었다. 진정한 21세기의 시작은 코로나19와 함께 시작되었다더니 요즘 학교에서 일어난 일들을 보면 그 말을 인정할 수밖에 없다. 코로나19는 오랫동안 변하지 않았던 학교를 단시간 내에 강제 진화하게 했고, 변화 가능성도 무한히 열어 주었다. 코로나19가 인간에게 유해한 것일지는 몰라도 코로나19가 가져온 사회 변화는 정말 놀랍기만 하다. 이 기회를 통해 학교는 우리 사회를 지탱하는 큰 축이었고, 먼 미래에도 존재할 것임도 알게 되었다. 하지만 그동안 학교를 학교답지 못하게 했던 것은 무엇인지, 우리가 원했던 학교의 역할은 무엇인지 더 분명하게 정리할 때가 되었다. 시대에 맞지 않는 권위적 행정, 낡은 생각, 본질을 흐리던 규칙, 우선순위를 망각케 하는 분주한 일정, 학생 성장을 등에 업고 교육을 지배하는 정치와 경제 논리 등은 포스트 코로나 시대에 남아 있어서는 안 될 것이다.

코로나19로 교육계는 지금까지 한 번도 경험해 보지 못한 일들을 해결해 나가고 있다. 코로나19가 교육계뿐 아니라 사회 깊숙이 숨겨져 있던 안일한 생각과 낡은 관행을 들추고 있는 이때, 우리 사회가 상식이 통하는 건강한 사회로 재정비되길 바란다.

교사 입장에서 코로나19 정국을 통해 느꼈던 교육행정의 모순과 그에 대한 생각을 담아 보고자 한다. 주로 이 기간 이슈화되었던 교육계 사건과 언론에서는 공개되지 않았던 교사들의 이야기를 소개하고자 한다. 코로나19 상황이 조속히 마무리되어 일상의 평화를 되찾길 바라며, 생명과 배움이 본질이 되어 다시 찾아온 포스트 코로나 시대의 학교를 기대해 본다.

뉴스에서 확인하는 교육부 지침

코로나19 발생 이후 네 차례의 교육부 개학 연기(휴업명령) 지침이 있었다.[1] 네 번의 개학 연기와 온라인 개학, 등교 개학 등 교육부의 중요 결

---

1 2020. 5. 15. 기준 개학 연기는 4차, 등교 연기는 5차가 진행되었다.

정은 언제나 뉴스로 먼저 보도되었고, 학교가 학부모보다 먼저 안 경우는 단 한 번도 없었다. 첫 개학 연기 단계별 대응 방안 발표를 시작으로 학교 현장의 교사들은 교육부 관련 중요 사항을 매번 공문이 아니라 언론 보도로 먼저 접했다. 업무지시를 뉴스로 전달받는 셈이다.

휴업명령				단계적 온라인 개학
1차	2차	3차	4차	
3. 2.~3. 6.(5일)	3. 9.~3. 20.(10일)	3. 23.~4. 3.(10일)	4. 6.~4. 8.(3일)	4. 9.~

출처 : 교육부 보도자료(2020. 3. 17.)

교육부의 이런 결정이 급박한 상황에 어쩔 수 없는 선택이었다고 판단하기 어려운 이유는, 지역 SNS(맘카페)에서 사교육 기관을 통해 얻은 정보라며 구체적인 일정이 배포되면, 결국 그 일정대로 교육부 발표가 났기 때문이다. 2월 중순 학교는 새 학기 준비를 위해 학사일정 및 교육과정, 평가 계획 작성 등으로 분주했다. 이 시기 대구에서 확진자가 급격히 증가했고, 더 확산된다면 정상적인 학사일정 운영이 어려운 상황이었다. 대책을 준비해야 하는데 가장 중요한 수업일수와 시수에 대한 자율권이 단위학교에는 없으니 교육부 지침이 시급히 필요했다. 하지만 그때까지 교육부는 봄방학을 염두에 둔 학사일정 조정 지침만 전달했을 뿐, 신학기 준비를 위한 어떤 조치도, 현장 의견을 수렴하는 절차도 없었다. 이런 상황에서 1차 개학 연기가 2월 23일 일요일 오후 갑자기 언론을 통해 발표된 것이다.

다음 날 당황한 학부모의 전화가 학교로 빗발쳤으나 학교도 뉴스 보도 외에 자료가 없었다. 학교가 의도적으로 준비를 안 한 것이 아님에도 언론으로 먼저 소식을 접한 학부모는 왜 빨리 연락하지 않았느냐며, 학교에 더 자세하고 확실한 일정과 대안을 요구했다. 학교도 2월 내내 비상 상황을 준비했건만 학부모와 함께 언론 보도로 소식을 접했으니 준비된 계획이 있을 수 없었다. 이 일은 공교육에 대한 신뢰를 떨어뜨리는 데 큰 영향을 끼쳤고, 외부에서 볼 때 학교는 무능한 기관이 되었다. 매번 교육부 정보가 맘카페 등의 SNS에 먼저 올라오는 것은 현장 교사들의 의견 수렴 없는 교육정책, 공교육보다 사교육과 더 소통하는 교육부에 대한 반증이었기에 학교는 큰 무력감을 느꼈다. 교육부는 3차 개학 연기 발표 후 교원 단체 포함 '신학기 개학 준비 추진단'을 구성하면서 교사의 목소리를 참고하겠다고 했으나 재택근무, 긴급돌봄, 온라인 및 등교 개학 등 중요한 교육부 지침은 매번 각 지역 맘카페에 정보가 다 알려진 뒤 언론 보도를 통해 전달되었다.

개학 및 등교는 가정과 학교에 중요한 사항이다. 일반적으로 빠른 정보가 필요한 이유는 빠른 대책을 세우기 위해서다. 전 국민이 교육부 지침을 기다렸던 이유, 학부모가 개학 및 등교에 관한 정보가 필요했던 이유는 대책을 세우기 위해서였다. 이쯤에서 교육부의 행정 감각이 아쉬운 이유는, 대책 없는 정보는 빨리 알아도 원성만 남기 때문이다. 또 대책이라고 제시했지만 현장과 괴리되었다면 그 대책은 신뢰를 얻지 못하고 도리어 불안만 부추긴다. 책임 있는 정책은 속도가 아닌 방향에 있다. 우왕좌왕하지 않도록 믿고 따라갈 수 있는 정책이라면 이 위기 상황에 누가 누구를 탓하겠는가. 코로나19를 계기로 우리 교육정책의 방향에 관한 논의가 더 활발히 이루어지길 바란다.

수업일수와 시수 결정 권한이 단위학교에 있었다면

크고 비탄력적인 조직과 작고 탄력적인 조직 중 위기에 유연하게 대처할 수 있는 조직은 어디일까? 코로나19 정국에서 학교에서 가장 필요했던 결정은 수업일수와 시수 감축에 대한 대책이었다. 코로나19가 장기화되면서 개학 연기 발표 때마다 학사일정과 교육 계획 수정은 계속되었다. 수업일수와 시수에 대한 구체적인 대안이 나와야 학사일정 편성이 가능하고, 그 후에 연간 계획 및 평가 계획 수립이 가능하다. 수업일수와 시수 문제는 모든 일정에 연쇄적으로 영향을 미치므로 학교 현장에서 가장 빨리 선결되어야 할 중요 사항이나 개학날이 다가오는데도 교육부는 어떤 대안도 제시하지 못한 상태였다. 물론 3주 이상 휴업 시 법정 수업일수(초·중·고 190일, 유치원 180일)를 10% 이내 감축을 허용할 수 있는 규정은 있으나 교육과정 고시에 근거한 수업시수 감축 근거를 찾지 못했기 때문에 온라인 개학이 정해지기 직전까지 해결책은 제시되지 못했다.

개학 문제를 빨리 알려야 학부모가 대책을 세울 텐데, 4차 개학 연기

동안 교육부의 단기간 계획은 소신껏 위기 상황에 대처한다기보다는 여론 눈치만 보는 것으로 비춰졌다. 사태가 심각한 만큼 전문가 의견을 고려하여 안전한 학교생활이 가능한 시기로 개학 연기를 결정했다면 학부모뿐만 아니라 학교 현장도 대책 마련 시간을 확보할 수 있었을 것이다. 또한 온라인 개학 전까지 수차례 수정을 거듭한 그 행정력으로 학부모에게 더 안정적인 대안을 제시하며 개학을 준비했을 것이다. 하지만 단기간 일시적 결정은 교육부가 학교 시스템을 모르거나 학사에 대한 전문 지식이 없는 것 아니냐는 우려의 목소리만 키웠다.

만약 수업일수와 시수 결정권이 학교에 있었다면 어땠을까? 사실 현재 수업일수와 시수 규정은 학생이 출석만 하면 졸업할 수 있다는 논리를 제공한다. 학생이 무엇을 배웠고, 학생에게 무엇이 남았는지 묻지도 따지지도 않고, 수업일수에 맞게 출석만 하면, 즉 자리에 앉아 있기만 했다면 졸업장을 준다. 학교 입장에서는 수업일수와 시수만 채우면 학교가 할 일을 다 한 것처럼 말이다. 이번 기회를 통해 수업일수와 시수 문제는 재고되어야 한다. 학생 선택 중심 교육과정, 교육과정 재구성이 중요한 이유는 학생들이 배우고 싶은 것을 교사가 제대로 가르치기 위해서다. 교육의 책무성이 수업시수만 채운다고 되는 것이 아닌데, 지금의 수업일수와 시수는 학교와 학생들에게 그런 면죄부를 제공하고 있는 셈이다. 이번 코로나19 정국을 통해 학교의 유연한 교육과정 운영과 자율성을 저해하는 요인을 점검할 필요가 있다. 교육부가 모든 것을 하지 않아도 더 잘 대처할 수 있는 시스템으로 교육체계를 전환해야 한다.

시대에 맞지 않는 교과서 배부 방식

코로나19가 확산되면서 2월부터 휴업이 진행되어 전국의 대다수 학생들이 교과서를 받지 못했다. 학교는 학생들에게 교과서를 배부해야 하는데, 코로나19 확산 예방도 고려해야 하는 모순적인 상황이 발생했다. 교육부는 교과서 배포 등의 이유로 학생들이 등교하는 일이 없도록 하라고 각 시·도 교육청에 안내했지만, 개학이 늦어지자 서울특별시교육청은 가정 내 학습이 필요하다며 보호자 또는 학생이 직접 교과서를 수령하도록 지침을 내렸다. 이에 학부모는 안전보다는 교과서 수령이 우선이냐는 민원을 넣었고, 그 후 교육부는 디지털교과서를 학습에 활용토록 안내했으나 이 또한 시기적으로 늦었다는 여론의 뭇매를 맞았다. 그 후 자발적으로 드라이브 스루(drive through) 방식으로 교과서를 배부하는 학교들이 언론을 통해 소개되면서 교육부는 3차 개학 연기 발표 후 교과서를 배부하도록 했다. 드라이브 스루로 하든, 택배 배송이든 결국 4월 초에야 학생들은 교과서를 받아 볼 수 있게 되었다.

10년 전부터 학교 안에서는 지금과 같은 교과서 배부 방식이 시대에 맞지 않는다며 개선 요구가 있었다. 만약 교과서 배부를 개인이 직접 배송받는 시스템으로 전환했다면 어땠을까? 코로나19로 가장 많이 성장한 산업이 온라인 유통 산업이다. 요즘 사교육 기관에서도 교재는 온라인으로 주문하고 하루만 기다리면 학생이 집에서 받아 볼 수 있다. 하지만 학교는 아직도 교과서 공급업체가 학교로 일괄 배송하면, 그걸 다시 인력을 동원해 분류하고(어떤 인력이 동원되는지는 말하지 않겠다), 학생들은 따로 가방을 준비해 분류된 무거운 교과서를 직접 집으로 가져간다. 이번 코로나19 상황에서도 이 방식대로 교과서가 배부되었다. 만약 교과서 배부 방식을 코로나19 사태 전에 바꿨다면 학생들은 2월에 교과서를 받고 가정학습을 준비할 수 있었을 것이다. 세상은 변했고, 그 편리함을 충분히 누릴 수 있음에도 교육행정은 변하지 않아 학생들과 학부모는 코로나19의 위험을 감수하며 학교에 나와 교과서를 가져가야 했다. 교육행정이 기존 방식에서 벗어나지 못했기 때문에 치러야 하는 비용이었다.

학교는 언제나 실험 중
— 시스템 구축 없이 온라인 수업 발표부터 먼저

3월 31일 오후 2시, 교육부는 2020학년 신학기를 온라인 개학으로 실시한다고 발표했다. 고3부터 4월 9일 이후 순차적으로 학사일정을 시작한다는 것이다. 그날 교육부 블로그 내용을 그대로 옮겨 본다.

교육부는 코로나19로 인해 학교의 정상적인 학사일정 운영과 대면 수업이 불가능해지는 상황에서 개학 연기를 통해 학생의 안전을 보호하면서 원격학습을 적극 활용하여 휴업 기간 동안 학습 공백을 방지하기 위해 노력하였다.

1~2차 휴업명령까지는 여름, 겨울방학을 조정하여 수업일을 우선 확보하였으며, 3차 휴업명령 때에는 수업일수(유치원 180일, 초·중·고 190일)를 감축하고, 줄어든 수업일에 비례하여 수업시수도 감축하도록 했다.

휴업 3주차까지 온라인 학급방을 통해 자율형 콘텐츠(e학습터, EBS 등)를 안내하는 등 자기주도적 학습 여건을 마련하고, 4주차 이후로는 교사 관리형 온라인 학습을 추진하였다.

휴업의 장기화에 대비하여 원격 수업[2]을 위한 지원을 강화하고, 정규수업으로 정착시키기 위한 제도 개선도 마쳤다. 학습 관리 시스템(LMS) 플랫폼 e학습터, EBS 온라인클래스 등 인프라를 확충하고, 쌍방향 화상수업 앱 등 민간 자원의 활용을 안내하였으며, EBS·KERIS 등 관계 기관과의 업무 협력 체계도 구축하였다. 원격학습을 통한 정규수업이 가능하도록 '원격 수업 운영 기준'을 마련하여 현장에 안내하고, 일반 학교의 원격 수업 성적 처리 기준을 신설하는 등 그동안 온라인 개학을 준비해 왔다.

기존의 교실 환경에서는 어려웠던 것들이 원격 수업을 통해 가능해졌으며, 특히 거꾸로 수업과 프로젝트 수업 등 온오프라인 융합 학습을 통해 미래형 학습모형 개발에도 기여할 수 있다.

출처 : 교육부(2020. 3. 17.) 초·중·고·특 신학기 온라인 개학(원격 수업)

---

2 교수·학습 활동이 서로 다른 시간 또는 공간에서 이루어지는 수업 형태로 쌍방향 실시간 수업, 단방향 콘텐츠 활용 수업, 과제형 수업으로 나뉘며, 교사에 따라 2가지 이상의 형태로 운영 가능한 수업이다.

학교 현장도 같은 생각을 했을까? 이 발표를 접한 학교는 무척 당혹스러웠다. 3월 한 달 동안 가정학습을 지원하면서 학생 참여를 독려했지만 온라인으로 개학을 할 만큼 원격 수업 운영이 가능한지 확신이 부족했기 때문이다. 다양한 방법으로 원격 수업을 진행해 본 학교일수록 이 문제에 대한 어려움을 잘 알고 있기에 교육부의 발표 내용을 신뢰하기 어려웠다. 역시나 교육부에서 제시했던 학습 플랫폼(EBS 온라인클래스, e학습터, 위두랑)은 온라인 개학 시작 전부터 자주 접속이 어렵고 불안했다.

이 발표로 학교 현장은 이전과는 새로운 차원의 준비를 해야 했다. 사실 교육부는 전국 초·중·고 550만 학생들이 원격 수업에 참여하는 온라인 개학을 발표하면서 사전에 학교가 사용하는 플랫폼 조사도 하지 않았다. 이뿐만 아니라 3주째 온라인 가정학습을 지원하다 보니 초·중·고 학생들 모두가 온라인으로 정규수업을 소화할 수 있는지 등 학교 현장에서 전달해야 할 사항이 많았으나, 교육부는 학교 현장의 이런 의견을 수렴한 적도 없으면서 다 준비된 것처럼 온라인 개학을 발표한 것이다.

3주차까지 학습은 강제가 아니었다. 하지만 온라인 개학은 학생 모두가 참여해야만 하는 정규수업이니 자율적으로 진행할 때와는 다른 차원의 문제였다. 교사들은 플랫폼 결정에서부터 수업 운영 방식, 학생 참여 독려 방안 등 세세한 사항들까지 어려움을 느끼고 있었다. 그러나 교육부는 준비가 잘되어 있다고 발표했다. 만약 온라인 개학 후 제대로 운영되지 않는다면 외부에는 교사들의 준비가 부족해서 이런 문제가 야기된 것처럼 비춰질 것이 분명했다. 이런 우려를 입증이나 하듯 교육부 브리핑에서 평생미래교육국장은 "교사들의 재택근무로 인해 스마트기기 보유 현황 조사가 늦어졌다."고 답변하여 한바탕 소동이 벌어지기도 했다. 교사들은 3월 내내 사회적 거리두기와 상관없이 출근 중이었지만 교육부는 이를 알지 못했다. 학교 현장을 모르는 교육부를 제대로 인증한 사례다.

그 후에도 학교와 소통 없는 교육부 행보는 계속되었다. 청와대 청원에 초등 저학년은 스마트 기기를 혼자 다루기 어렵고, 맞벌이 가정의 교육 불평등 문제가 심각하다는 여론이 대두되자, EBS PD가 저학년은 TV 방송으로 수업이 진행된다고 개인 SNS에 진행 상황을 알린 것이다. 이 결정이 잘못되었다는 뜻은 아니나, 민관의 신속한 협력에서 학교는 또 제외되었다. 수많은 초등 1·2학년 교사들이 수업 영상을 제작하는 등 온라인 수업을 준비하는 중이었는데, 교육부는 EBS와 논의를 마친 상태였고, 이 과정에서 교사들은 또 소외된 것이다.

온라인 개학은 '교육 불신'을 잘 보여 주었다. 학부모 사이에서는 '부모 개학'이란 쓴소리를 들었고, 학교 현장을 모르고 교사와 소통하지 않으려는 '불통 교육부' 문제도 야기되었다. 코로나19로 심화된 교육 불신을 해소하지 않으면 공교육 붕괴 현상은 더욱 가속화할 수 있다는 누군가의 우려는 일리가 있다.

코로나19가 보여 준 교육계 인권 감수성

코로나19는 어떤 사회가 좋은 사회이며, 이를 알아볼 수 있는 학교교육의 지점은 어느 부분인지 분명하게 보여 주었다. 존 롤스(John Rawls)는 저서 『정의론(A Theory of Justice)』(1971)에서 공정한 정의를 도출하는 방법으로 '무지의 베일'을 제시했다. 자연적·사회적 우연성을 배제하고 무지의 베일 가운데서 규칙을 정하자는 것이다. 그래야 규칙을 정하는 사람에게만 유리하게 규칙이 정해지지 않고, 가장 불리한 상황에 있는 최소 수혜자까지 배려한 규칙이 만들어질 수 있다. 이 주장에 따르면 공정한 사회는 최소 수혜자에게 우선적으로 최대의 이익을 보장하는 사회다. 이 말은 누구나 자신이 사회적으로 가장 약자의 위치에 있을 수 있음을 전제하고 사회의 규칙과 정책이 설계되어야 함을 말해 준다.

유엔아동권리위원회는 코로나19 팬데믹(Pandemic, 감염병 세계적 유행) 상황에서 전염병이 아동에게 미치는 중대한 신체·정서·심리적 영향을 고려해 국가의 아동인권 보호를 촉구하는 내용의 성명을 발표했고, 여기서 온라인 학습이 기존의 불평등을 가속화하거나 학생과 교사 간 소통을 대체하지 않도록 보장하라고 권고했다. 하지만 이번 온라인 수업에서 우리 교육은 특수·유치원·다문화 가정 같은 소수를 위한 배려와 보호가 부족했다. 정책 안에 소수인 이들의 루틴을 잘 이해하지 못하는 부분이 많았다. 발달장애아는 온라인 학습에 참여할 수도 없고, 대안으로 제시된 순회교육도 순회교사를 교사로 인식하지 못하기에 교육으로서의 실효성이 없었다. 발달장애아의 루틴을 이해했다면 코로나19 상황에서도 이들을 학교에서 교육할 수 있는 방안을 모색해 주어야 했다. 교육받을 권리는 누구에게나 보장되어야 하고, 우리는 누구나 사회적 약자가 될 수 있다. 이번 온라인 개학이 우리 교육에서 가장 어리고, 약하고, 보호받지 못하는 계층의 목소리를 담았는지 돌아봐야 한다.

코로나19는 행정기관의 교사에 대한 인식도 잘 보여 주었다. 사회 모든 구성원이 사회적 거리두기에 힘써야 했고, 교육부는 전국 시·도 교육청에 교사 재택근무 지침을 전달했다. 그런데 경기도교육청은 타시·도에는 없는 재택근무 신청서, 보안서약서, 업무보고서를 서면으로 요구했다. 「국가공무원 직무규정」과 「공무원 복무징계예규」에 근거해 서약서가 필요하다는 것이다. 그러나 확인 결과 경기도교육청의 복무지침은 과잉 해석된 것이었다. 「국가공무원 직무규정」에서는 일주일에 한 번 출근인 재택근무를 2~3일에 한 번으로 수정했고, 교원의 동태를 지속적으로 관리·파악하며, 근무 상황을 전화 또는 방문을 통해 확인할 수 있음도 추가했던 것이다. 심지어 공무원 인사혁신처에서도 서약서가 꼭 필요하지 않다고 했고, 교육부도 각 시·도 교육청에서 자율적으로 판단할 수 있다고 했으나 경기도교육청은 뜻을 굽히지 않았다. 경기도교육청의 서약서 사태는 혁신을 강조하지만 교원 정책에 있어서는 한결같은 통제와 길들이기, 교사 패싱을 일관하는 행정관료 중심의 교육청 사고를 잘 보여 주었다.

재택근무 보안서약서

소속 :   직급 :

성명 :   생년월일 :

1. 본인은 지정한 근무 장소에서 재택근무를 수행한다.
2. 본인은 재택근무 수행 중 근무 장소에 가족을 포함한 외부인 출입을 금지한다.
3. 본인은 재택근무 수행 중 근무 장소에 카메라, 캠코더 등 촬영 장치를 반입하지 아니한다.
4. 본인은 재택근무 수행 중 열람·작성·저장·출력한 문서는 철저히 관리하고, 이를 외부로 유출하지 아니한다.
5. 본인은 재택근무 수행과 관련된 문서 또는 정보를 수록한 USB 메모리, 광디스크 등 전자적 기록매체를 철저히 관리하고, 이를 외부로 유출하지 아니한다.
6. 본인은 재택근무 지원을 위하여 소속기관에서 지급한 컴퓨터에 재택근무 수행에 필요한 소프트웨어만 설치하며 사용한다.
7. 본인은 바이러스 감염이나 유포를 방지하기 위해서, 재택근무 수행용 컴퓨터에 백신 프로그램을 설치·운영하며, 백신 엔진을 최신 상태로 유지한다.
8. 본인은 재택근무 수행용 컴퓨터에 화면보호기능을 설정하고, 화면 복귀 시 반드시 비밀번호를 입력하도록 한다.
9. 본인은 재택근무 수행을 위하여 본인에게 부여된 ID, 비밀번호, 인증서가 외부로 유출되지 않도록 철저히 관리한다.
10. 본인에게 부여된 ID, 비밀번호, 인증서가 외부로 유출되었음을 인지한 경우 즉시 사용정지 신청을 하고, 이를 재발급받도록 한다.

출처 : 경기도교육청 코로나19 대응 관련 개학 연기에 따른 교원 복무 지침

요즘은 학교에서도 학생들에게 반성문을 받지 않는다. '양심의 자유' 침해 소지가 있기 때문이다. 경기도교육청은 17개 시·도 교육청 중 인권을 가장 강조하는 교육청이다. 경기도교육청 인권 감수성이 교사에게만 유난히 통하지 않는 것인지, 아니면 그간 말하던 인권은 다른 차원이었는지 모르겠다. 이 사건은 그 후 많은 언론에서 보도되었고, 사회적으로 논란거리가 되었다. 서울특별시교육청 등 대부분의 교육청은 처음부터 재택(원격)근무 보안서약서를 EVPN 서약서[3]로 대체했고, 전북·울산·부산광역시교육청은 논란이 된 후에 보안서약서를 EVPN으로 대체했다. 경기도교육청도 결국 보안서약서를 EVPN으로 대체했지만, 이미 학교 현장 교사 대부분이 이 서약서를 제출한 후였다.

인사혁신처에서 말하는 재택근무 보안서약서는 국가 기밀 사항을 다룰 때 필요했을 것이다. 심지어 기획재정부도 서약서는 서면이 아닌 시스템으로 받는다고 한다. 처음부터 상식적으로 생각하면 될 일을 경기도교육청은 교사에게 과하게 적용했다. 혁신과 자치는 이런 상황에서 불필요한 행정 낭비 줄이고 본질에 충실하자는 것 아니었을까? 위기 상황에 이와 같은 교육청의 태도는 '조직 몰입'을 저해한다. 조직 몰입(organizational commitment)이란 조직 구성원이 특정 조직에 대하여 애

---

3 원격 업무 지원 시스템(EVPN) : 교직원의 업무 편의 및 효율성을 지원하기 위해 사무실이 아닌 집이나 출장지에서 나이스, 에듀파인, 업무 관리 시스템 등에 접속하여 전자문서나 메일을 사용하여 업무를 처리할 수 있도록 지원하는 SSL VPN(Virtual Private Network) 기술 기반의 온라인 환경 업무 지원 서비스.

착을 가짐으로써, 그 조직에 남아 있고 싶어 하고, 조직을 위해서 더 노력하고, 조직의 가치와 목표를 기꺼이 수용하게 되는 심리적 상태를 의미한다. 위기 상황에는 조직 몰입을 높이고 위기를 헤쳐 나갈 수 있도록 협력을 촉진하는 전략이 필요하다.

코로나19 정국에서 각 시·도 교육청별 공문과 학교 관리자별 대처 방안을 보면 인권 감수성, 혁신 마인드, 관료 마인드, 전략의 부재가 보였다. 교사들은 공문 한 장으로도 혁신의 온도 차이를 느낀다. 코로나19는 10년의 경기혁신교육, 교육계에서 인권이 어떻게 보호되고 적용되는지 잘 보여 주었다. 코로나19 이후는 모두가 존중받는 교육과 교육계가 되길 기대해 본다.

온라인 개학 단상

온라인 개학을 발표하기 전 교육부는 '체계적인 원격 수업을 위한 운영 기준안'을 제시했다. 같은 날 저녁 급작스럽게 교사들 단체 채팅방에 정체불명의 구글 설문이 돌기 시작했다. 교육부에서 교사들의 의견을 묻기 위한 설문이라는데, 설문 문항 수 및 어수선한 문장에서 서두른 흔적이 보였다. 가짜 설문이라는 의견도 있었으나 확인 결과 이 설문은 교육부가 17개 시·도 교육청에 '신학기 개학에 대한 현장 의견'을 수렴하고자 작성한 교원 대상 설문조사였다.

설문은 일요일까지라면서 지역교육청 장학사들이 금요일 밤 늦게 각 학교 교무부장에게 문자를 발송했고, 교무부장은 교사 단체 채팅방 등 비상연락망 체계를 이용해 급하게 설문 URL을 배포했다. 이럴 땐 참으로 신속한 교육부다. 일요일까지라던 이 설문조사는 토요일 아침 언론 기관에 결과가 보도되었다. 많은 교사들이 긴급하게 교사 의견을 묻는 설문조사 의도가 무엇인지, 개학 시기가 설문조사의 대상이 될 수 있는지, 개학이 여론조사를 통해 결정되는 것이 옳은지 의문을 가졌다. 무엇보다 매번 중요 사항이 금요일 오후에 시행되는 이유는 현장 반발을 무마시키고자 하는 행동으로 보였다. 교육부는 이 급박한 설문조사로 현장 의견 수렴 과정을 마쳤고, 3월 31일 온라인 개학을 발표했다.

교육부는 온라인 개학 기간 동안 교사들이 원격 수업에 집중할 수 있도록 업무를 경감한다고 했다. 하지만 자료 제출 요구 공문은 여전했다. 그중 가장 모순적인 공문은 온라인 개학 직전 두 차례 시행된 '파일럿 테스트' 보고 공문이다. 서버 때문이라고 믿고 싶지만 그게 진짜 목적이라면 온라인 개학 결정(또는 발표) 전에 확인했어야 한다. 교육청은 서버나 트래픽 점검이 목적이라고 했다. 하지만 사실은 학생과 연락만 가능하다면 출석으로 인정하는, 실제 수업과는 거리가 먼 보여 주기식 테스트였다. 고등학교 3학년만 4월 9일 개학인데 4월 7일 전 학년, 전 학급, 전 학생에게 파일럿 테스트를 실시해야 했다. 파일럿 테스트는 1교시부터 7교시까지 학생과 연락이 가능한지에 대한 보고였으니 이 보고가 아무리 간단한 자료 집계라고 해도 원격 수업을 준비하는 교사들에게 무거운 짐이 되었던 것은 당연하다. 덕분에 학교 현장에서는 원격 수업을 준비하는 와중에 전혀 도움이 안 되는 점검표를 작성하고, 지역교육청 컨설팅도 준비해야 했다. 교육부는 한 번도 해 보지 않은 온라인 개학이 잘 준비되고 있다는 보고(보도) 자료가 필요했을 것이다. 약속했던 업무 경감을 위한 공문 감축은 교육청 메신저와 원격교육 '1만 커뮤니티'를 통해 업무 담당자에게 전달되는 중이다. 정보공시⁴가 연기되긴 했으나 학사일정을 확정할 수 없는 상황이라 어쩔 수 없는 조치이지 업무상 배려라고 보기 어렵다. 학교 현장과 교육을 위한 교육행정이 아쉬울 뿐이다.

미래교육 발목 잡는 행정 지원

코로나19 사태는 그동안 학교 안 불합리한 명분으로 시행되던 규제의 부적절성을 드러내 주었다. 학교는 언제부터 '정보보안 사고 사전 예방'이라는 명목으로 비업무 사이트 차단 정책을 시행하고 있다. 원칙적으로 학교에서는 카카오톡이나 네이버 밴드 등 비업무 사이트를 사용할

---

4 「교육관련기관의 정보공개에 관한 특례법」 및 「동법 시행령」 제정으로 인해 학교 정보를 적극적으로 알려 국민의 알 권리를 보장하고 학교교육에 대한 참여와 학교 운영의 투명성을 제고하며, 공시 정보의 신뢰도를 통해 학생 및 학부모 교육 수요자에게 정확하고 내실 있는 학교 정보 제공하는 것.

수 없다. 부득이하게 교육 목적으로 활용하고자 할 때는 관할 교육지원청에 사용 목적, 보안 등에 대한 허용 여부를 확인받은 후, 허용될 경우에 한하여 최소한의 기간만 사용할 수 있다.

비업무 사이트가 도박이나 사행성 목적의 사이트라면 차단하는 것이 당연하다. 하지만 일반인 대다수가 소통 목적으로 사용하는 카카오톡, 밴드, 이메일 등이라면 보안이 명분이 될 수 없다. 코로나19 이전에도 학생들과 학부모와의 원활한 소통이 필요했다. 하지만 이제서야 (코로나19 덕분에) 학교는 자유롭게 이메일, 네이버 밴드, 카카오톡 등을 사용할 수 있게 되었다. 물론 이 또한 학부모 상담 및 학급 운영에 필요한 경우에 학교 정보부장이나 담당자가 일괄 취합(사유 및 용도, 컴퓨터 IP 등)하여 신청해야 하지만 말이다. 특히 이메일 사용 규제는 학생 입장에서도 몹시 불편한 일이었다. 학교에서는 공직자 통합 이메일 이외에는 다른 이메일 사용이 불가능하니 학생들이 과제를 이메일로 제출하거나 자신의 자료를 학교에서 확인하고 싶어도 할 수가 없었다.

교사 커뮤니티 학습 자료는 카카오톡이나 네이버 밴드를 통해 공유되는 일이 많다. 이런 정책은 교사의 연구 활동에 대한 이해가 없거나, 아니면 통제만 중요하다는 인식에 기반한 현장을 지원하지 못한 정책이다. 그동안 불합리성이 있어도 교사들은 교육청 보안 지침이라는 이유 때문에 쉽게 이의를 제기하지 못했다. 그러나 코로나19 상황에서는 반대로 교육청이 교사들에게 업무를 지시할 수 없는 걸림돌이 되었고, 이런 판단으로 몇 년간 사용 불가이던 사이트가 하루아침에 사용할 수 있게 된 것이다. 이 정책은 학교와 교사들을 사회적으로 고립시키는 정책이다. 교사들이 온라인 수업, 미래교육에 적극적으로 대처하기 바란다면 정보보안 사고 사전 예방 명목으로 비업무 사이트를 차단할 것이 아니라 보안기술 향상을 위해 노력해야 할 것이다. 이런 시대착오적인 정책이 코로나19 종식 이후 되풀이되지 않길 바란다.

교육부가 했어야 하는 일

코로나19 정국 동안 보여 준 교육부의 엇박자, 뒷박자는 학교 현장과 소통하지 않은 필연적 결과이다. 교육부가 교육에 대한 통찰을 가지고 학교 현장에서 이루어지는 수업을 구체적으로 이해하고 있었다면 면피용 정책만 제시할 게 아니라, 이 정책이 성공하기 위해 필요한 사회적 도움을 요청했어야 한다. 지역교육청, 학교, 교사 차원에서 할 수 없는 문제들을 교육부가 나서서 해결했어야 한다.

코로나19 정국에서 교육부가 가장 고려해야 하는 것은 학생 안전이다. 온라인 개학에서 가장 고려할 것은 학생들의 학습 동기 부여와 태도 관리였고, 이는 동영상 수업, 쌍방향 수업만으로 해결할 수 없는 문제였다. 아직 얼굴도 보지 못한 담임교사가 전화로 관리한다고 이런 문제가 쉽게 해결되지 않는다는 것은 상식인데, 이 부분에 대한 고려와 대안이 부족했다. 교육부는 온라인 개학을 위해 학부모에게 지원을 요청하고, 학부모를 돕기 위한 사회적 합의가 도출될 수 있도록 해야 했다. 이와 관련하여 인상 깊은 청원이 있어 글쓴이의 동의를 얻어 요약하여 소개한다.

온라인 개학은 수업만 제공해서 될 일이 아니었다. 초등은 어떤 식으로든 온라인 수업을 하면 학부모 도움이 필요하다. 때문에 온라인 개학 전에 학부모에게 책임과 고통 분담에 대한 양해를 구했어야 한다. 먼저 온라인 개학을 하면 집에 있는 어른이 함께해야 한다는 인식 전환이 필요했다. 맞벌이 부모가 재택근무 중일 때는 일정 시간은 아이들 온라인 수업을 봐 주는 것이 당연하다는 사회적 논의도 이뤄지고, 또 많은 학부모가 그렇게 할 수 있도록 환경도 조성해 줬어야 한다. 그러나 교육부는 무조건 학부모는 빼고, 양해도 구하지 않고, 가장 손쉽게 접근할 수 있는 교사에게만 이 상황을 떠넘겼다.

정부 입장에서 미래를 책임질 아이들을 위해 함께하자는 성숙하고 설득력 있는 접근의 메시지가 필요했다. 학부모가 자녀 온라인 개학 지원이 가능하도록 사회(직장)에서도 지원해 달라고 말했어야 한다. 온라인 개학이 교사만 전전긍긍해서 해결될 게 아니라, 학부모와 학생도 함께해야 한다는 인식이 부족했다. 온라인 개학으로 학부모는 힘이 드는데 교육부 정책에는 학부모의 수고로움에 대한 인식과 배려가 없으니 교사도 부담이고, 학부모도 이 어려움을 교사와 학교, 교육부에 쏟아 놓게 되었다. 교육은 교사가 해야 하는데 왜 부모들을 이렇게 고생시키느냐는 사회적 분위기가 조성된 것이다.

교육부는 언제 개학하겠다며 여론 눈치만 보지 말고 큰 틀에서 사회적 지원을 요청해야 한다. 개학은 교육부가 결정할 사항이 아니라는 것을 이미 사람들은 알고 있다. 개학날은 질병관리본부 전문가가 정하는 것이니 교육부는 교육부 일을 해야 한다.

등교 개학일이 정해졌다.[5] 이번도 역시 '학교는 다 준비되었다, 마스크 지급 이루어졌다, 다양한 루트로 수업을 계획하고 있다' 등 학교 현장에서는 놀랄 만한 이야기를 교육부 수장이 먼저 언론에 발표했다. 더운 여름이 다가오는데 마스크는 꼭 착용해야 하고, 에어컨은 사용하지 못한다는 지침을 어느 기자가 지적하니 그제야 질병관리본부와 논의하고 창문은 3분의 1만 열라고 한다. 불안한 학부모가 아이들을 학교에 보낼 수 없다고 하니 '등교선택제'가 허용된다. 그리고 곧 온오프 블렌디드 러닝 계획이 배포되었다.

단계	일정	등교 대상		
		고등학교	중학교	초등학교
우선단계	5. 13.(수)	고3	–	–
1단계	5. 20.(수)	고2	중3	초1~2 + 유치원
2단계	5. 27.(수)	고1	중2	초3~4
3단계	6. 1.(월)	–	중1	초5~6

출처 : 교육부 보도자료, 유 · 초 · 중 · 고 · 특수학교 등교 수업 방안(2020. 5. 4.)

5　이후 이태원 관련 감염 확산에 따라 교육부는 고등학교 3학년의 등교 수업 시작일을 5월 13일(수)에서 5월 20일(수)로 일주일 연기하고, 그 외 학년의 등교 수업 일정도 일주일 순연한다고 밝혔다.

교육부 '선지름 후수습' 모습은 권한은 교육부, 책임은 학교 현장이라는 구조를 만들어 낸다. 교실 내에선 실현 불가능한 지침이라 학교 현장에서 책임지지 못할 일인데, 문제가 발생하면 결국 학교로, 교사에게로 책임이 미뤄지는 구조다. 사회가 복잡해지고 위험 요소가 많아진 만큼, 특히 지금처럼 팬데믹 상황에서 모두가 어렵고 책임도 증가하는 것은 어쩔 수 없다. 하지만 지금까지 전개된 과정은 교육부가 학교로 모든 책임을 전가하려는 태도다.

코로나19 정국에서 교육부가 일하는 방식을 보면 '하청사회'가 생각난다. 하청사회는 극소수의 갑만 더 많은 이익을 챙기고, 대다수 을은 더 많은 희생을 당하게끔 설계되어 있다(양정호, 2017). 그 2가지 핵심 장치가 지대추구행위(rent-seeking behavior)와 외주화(outsourcing)[6]인데, 교육부는 교육이라는 공공재를 직접 생산하지 않으면서 권한만 넓히려 하고, 학교는 교육 공공재를 생산하는 가장 아랫단계에서 모든 업무를 수행하고 책임을 떠안는 구조다. 교육부에게 학교는 시키면 시키는 대로 해야 하는 갑과 을 사이 아웃소싱 관계가 아닌지, 중요 정책 결정 시 교사는 일관되게 소외시키면서 온라인 개학 발표 때는 전국의 교사들이 현장에서 잘해 나갈 것이라고 믿는다니 현장 교사를 믿는다는 것인

---

6 지대추구행위는 재화나 서비스를 생산하지 않으면서 비생산적 방식으로 이익을 얻으려는 노력을 말하며, 더 넓게 보면 기득권을 통해 경쟁을 회피하면서 얻는 초과이익이다. 외주화는 원청업체 갑은 독점적 지대를 향유하며 압도적 우위에 서서 재화와 서비스의 일부 혹은 전부를 하청업체 을에게 의뢰하는 것이다. 갑이 우월한 지위를 이용하거나 남용하여 손해나 위험을 회피하고, 이를 을에게 떠넘기는 행태를 '불공정 하도급거래'라고 한다.

지 아니라는 것인지 누가 봐도 알 수 있는 상황이다.

아주대 김경일 교수는 "불안은 사실을 알려 달라는 감정이고, 분노는 진실을 말하라는 감정이다."라고 말했다. '사실'과 '진실'은 각기 다른 힘을 가지고 있는데, 사실을 알아야 될 때 진실로, 진실을 알려 달라고 할 때 사실관계로 넘어가려는 사람들이 있단다. 그래서 광장에 나갈 때의 분노는 그때 사실관계만 말해 준다고 사라지지 않는다는 것이다. 세월호의 진실을 알고 싶은 것이지 사실을 알고 싶은 게 아닌 것처럼 말이다.

코로나19 정국 속 대한민국 교육 문제를 관통하는 맥락이 여기에 있지 않을까 생각해 봤다. 정부와 질병관리본부는 투명하게 정보를 제공함으로써 코로나19로 인한 국민들의 불안을 잘 해결하고 안전하게 이끌어 왔다. 그러나 교육부가 등교를 강행하는 것은 불안을 덜었다고 해소될 일이 아닐 수도 있다. 코로나19 전염 위험이 희박하고 안전하기 때문에 우리 아이들이 등교해야 하는 것이 아니라, 진짜 원인은 다른 곳에 있기 때문이다. 우리 교육계의 가장 큰 작동 원리는 입시이고, 이 입시가 학생들의 안전까지도 담보로 하며 등교를 강행해야 하는 이유인데, 교육부는 코로나19 확진자가 줄고 있다는 이유를 제시하니 우리는 분노하는 것일 수 있다. 교육부의 임기응변적인 계속된 개학 연기, 등교연기에 불안했던 것이 아니다. 근본적인 대책이 나오지 못하는 이유가 우리 사회의 교육철학 부재, 또 노골적으로 말할 수는 없으나 지금 대한

민국 교육은 학생의 생명도 안전도 아닌 입시와 경제 논리에 빠져 있기 때문은 아닌지 말이다.

코로나19 이후 우리 사회는 이 혼란의 과정을 기억할 것이다. 이제껏 코로나19가 보여 준 교훈은 우리 사회의 취약한 곳을 들추고 정화하는 모습이었다. 코로나19는 우리가 가슴으로 생명과 배움의 가치를 깨달을 때까지 계속될 수도 있을 것 같다. 코로나19 이후 우리 사회가 더 지혜로워지길 바란다.

코로나19로 인해 부각된
학교 내 비정규직 문제와 교원의 자화상

학교는 지역사회의 중심에 자리 잡은 기관으로 여러 기관과 조직, 법령과 제도가 얽혀 있는 하나의 교육 생태계이다. 수많은 이해관계와 제도가 얽혀 있기에 그만큼 연구할 거리와 고민할 부분이 많은 곳이 학교이다. 그 근원에 대한 이해 없이 드러난 현상만으로 바라보면, 학교는 갈등과 혼란만 존재하는 곳이다. 사실 학교는 각종 교육정책의 혼란 속에 여러 가지 문제가 실타래처럼 얽혀 있는 곳이지만, 나름의 균형을 이루고 접점을 찾아가고 있다. 때문에 학교는 복잡성이론(Complexity Theory)이 현실 속에서 실현되고 있는 사회의 축소판으로 볼 수 있다.

코로나19 사태로 유·초·중·고교에서 학생 교육 문제 이외의 여러 가지 쟁점이 있다는 사실이 언론을 통해 알려졌다. 다수의 사람들은 학교가 단순히 학원처럼 교육이나 진학만을 담당하고, 근무자의 대부분이 교사라고 생각하는데, 현실과는 전혀 다르다. 학교에는 계약직 교사(시간강사, 기간제 교사), 사서, 영양사, 방과후학교 강사, 학교 당직기사, 교육공무직, 스포츠강사, 영어회화 전문강사 등 많은 비정규직이 존재한다. 그간 학교 안에서 심화되어 온 정규직과 비정규직의 갈등이 코로나19 사태를 맞이하여 두드러진 것인데, 촉발시킨 것은 모 교육감의 SNS상의 발언이었다.

해당 교육감은 학교에는 '일 안 해도 월급을 받는 그룹'과 '일 안 하면 월급을 받지 못하는 그룹' 있다는 표현을 써서 교사들을 분노하게 만들었고,[7] 이것이 정규직 교원과 비정규직인 교육공무직 간의 갈등을 터뜨렸다. 이 발언으로 인해 그동안 교육공무직에게 쌓였던 불만을 쏟아 내는 청원이 등장하는가 하면, 한편에서는 교사들에게 급여를 주지 말아야 한다는 청원이 올라오기도 하였다.[8] 교육부 장관이 교육공무직을 정규직화하려는 것을 막아야 한다는 청원이 10만 명을 넘어서기도 했으며,[9] 교육공무직의 책임과 평가에 대한 기준을 정립하자는 청원도 10만 명을 넘기기도 하였다.

학교에 왜 이토록 많은 비정규직이 양산되어 왔으며, 구성원 간의 갈등이 끊이지 않는 것일까? 이 장에서는 코로나19 사태를 계기로 불거

---

[7] 결과적으로 SNS상의 표현에 대해, 잘못된 표현임을 인정하고 공개사과를 하였다.
[8] 청와대 청원은 작성자가 누구인지 비공개이기에 본 글에서 추측만으로 작성자를 예측할 수 없다.
[9] 해당 내용은 사실이 아닌 것으로 밝혀졌다.

진 학교 내 여러 비정규직 문제와 쟁점을 뽑아 논의하고자 한다. 대표적인 학교 비정규직의 근원을 찾아보고, 현 시점에서 교원의 자화상, 특히 교육계에서 바라보는 시각과 외부에서 바라보는 시각의 차이에 관해서 그동안 고민했던 내용을 서술해 보려 한다. 유·초·중·고교의 비정규직 문제는 공립학교를 기준으로 삼았다. 특수한 상황이나 사립학교 상황을 일반화시키기 어렵기 때문에 주변에 흔히 볼 수 있는 공립 일반 학교의 상황을 중심으로 살펴보려 한다.

학교의 정규직과 비정규직

흔히 학교를 생각하면 '교사'를 떠올린다. 잘 모르는 이들은 교장·교감이 교사인지 교직원인지 헷갈릴 때가 많다. 교감과 교장은 모두 교원이며, 학교 내 다른 직원까지 포함하면 '교직원'이라는 명칭을 쓴다. 공립학교에는 정식 임용된 교사와 교육행정직 공무원을 제외하고는 대부분 비정규직이다. 최근 교육공무직이 무기계약직[10]으로 된 사례는 많으나 이들을 정규직이라고 보기는 어렵다.[11] 따라서 학교의 정규직을 제외하

---

[10] 교육공무직은 교육감이 고용하는 형태이며, 1년 이상 근무 시 무기계약직으로 된다. 전국적으로 12만 명의 학교 내 교육공무직이 있다.
[11] 일부에서는 '중규직'이라는 표현을 쓰기도 하나, 법적인 용어는 아니다. 무기계약직은 말 그대로 계약이 자동으로 정년(60세)까지 연장됨을 뜻한다.

면 전부 비정규직이라고 볼 수 있다. 보통 초등학교를 기준으로는 대략 30학급 이상, 중·고등학교는 대략 20학급 이상이면 큰 학교로 분류된다. 규모가 큰 학교는 정규직 교직원이 많다. 반면 6~10학급 이하의 작은 학교는 정규직보다 비정규직이 많은 경우도 있다. 사실 많은 기업에서도 비정규직이 정규직보다 많다. 우리 사회의 일자리가 대부분 비정규직이기에 그렇다. 비정규직과 관련한 노동 문제나 임금 격차 문제 등은 본 글에서는 제외하려 한다. 범주가 너무 확대되기 때문이다. 여기서는 학교 비정규직의 문제로만 논의를 제한하겠다.

계약직 교사(기간제 교사, 시간제 강사)

학교에서 정규직은 말 그대로 처음부터 정규직으로 들어온 교사, 교육행정직 두 그룹이다. 이 두 직종은 1970~80년대까지는 진입장벽이 높지 않았다. 산업화 시대로 경제 성장률이 높았으며, 당시 2, 30대였던 이들 중 다른 직종에 비해 상대적으로 임금이 높지 않은 공무원을 희망하는 이들은 많지 않았다. 그런데 IMF를 겪으면서 상황은 많이 역전되었다. '평생직장'이라는 말이 사라졌고, 공무원의 인기는 매년 상한가를 경신하였다. 교·사대의 입시 점수는 계속 높아져 결국 전교 순위권 안에 들어야 교대나 사대에 들어갈 수 있게 되었다. 교·사대를 졸업해도 비슷한 실력을 지닌 이들끼리 경쟁하여 임용고사라는 바늘구멍을 통과해야 공립학교 교사가 될 수 있다.

교육행정직 공무원도 크게 다르지 않다. 과거에는 5급 사무관 시험만 고시[12]로 여겨졌지만, 지금은 7급 공무원이나 9급 공무원 시험도 고시 수준으로 어렵게 공부해야 한다. 취업이 어렵다 보니 9급 공무원 시험에만 전국 30만 명의 청년층이 매달리고 있다고 한다. 직종별로, 또 국가직·지방직이냐에 따라 상이하지만 10~20대 1의 경쟁률은 기본이고, 많게는 30~50대 1에 육박하는 경쟁률을 가지고 있다. 9급 공무원은 과거에는 고등학교 졸업자가 많았지만, 현재는 서울 소재 대학 또는 수도권 소재 대학 이상의 학력은 기본이고, 소위 SKY급의 학력을 가진 이들도 드물지만 나타나고 있다.

교사나 교육행정직 모두 현재의 제도 내에서 온갖 노력을 다해 얻은 '정규직'이라는 값진 결과물이다. 개인적으로는 교원 임용고사 제도 개혁에 대해 연구하고 있는데, 두 제도의 임용 방식이 완벽하다고 보지 않지만, 현재 제도를 믿고 진입한 이들에게 잘잘못을 물을 수는 없다. 굉장히 어려운 관문을 통과해 얻은 것임은 부인할 수 없는 사실이다.

현재 학교 내 정규직 교사는 시·도 교육청 단위에서 각각의 상황에 맞는 공고를 내고, 교원 임용고사 체제를 통해 선발·배치된 이들이다.[13]

---

12 외무고시, 사법고시, 행정고시 등의 시험이 주로 난이도가 높은 고시로 여겨졌다. 현재는 행정고시 이외에 2개의 고시는 폐지되었다.
13 임용고사는 1991년부터 생겼다. 과거는 국·공립 대학교 졸업 후 의무발령제였지만 위헌 판결로 인해 임용고사 제도가 생겨났다.

이에 반해 비정규직 교사(계약직 교사)는 단위학교 내 상황에 따라 학교에서 계약된 형태이다. 이런 2가지 임용 체제가 학교 내에 존재한다. 법적으로 '교사'는 수업을 하는 이들을 지칭한다. 계약직 교사도 교사로 통칭되지만, 정식 명칭은 '기간제 교사'와 '시간제 강사'로 비정규직이다. 이 계약직 교사는 정규 교원이 개인 사정으로 인한 각종 휴직(군휴직·간병휴직·육아휴직·병휴직·유학휴직·고용휴직 등)이나 건강이나 신상의 이유로 연가·병가·특별휴가 등을 쓸 때 공백을 메우기 위해 계약 기간만큼 일하게 된다. 짧게는 1~2주 계약을 하기도 하고, 길게는 2~3년[14]까지 이어지기도 한다. 이들은 정규 교원이 복직하면 자리를 잃게 된다. 원칙상 계약 기간만큼 일하기로 서약하고 들어왔기 때문이다.

2017년 문재인 정부의 대선 공약인 '공공부문 비정규직 정규직화'에 따라 계약직인 기간제 교사의 정규직 전환을 검토하였지만 결국 제도화되지는 못했다. 많은 논란이 있었으나 기존 임용이라는 제도(교원 임용고사, 교육공무원 임용시험)가 가장 넘기 힘든 산이었다. 교원 임용고사는 무척 어려운 관문이다. 현재 이 제도가 유효하게 시행되고 있는데, 학교 단위로 계약하는 계약직 교사를 정규직으로 인정하는 순간 기존 교원 임용고사 제도는 의미를 잃게 된다. 미국처럼 단위학교 자체 계약 시스템으로 전환되는 것이다. 차라리 단위학교장이나 지역교육장에게

---

14 물론 계약은 '학기' 또는 '년' 단위로 연장하게 된다. 특수한 경우는 5년 이상 같은 학교에서 계속 기간제 교사를 하기도 한다. 하지만 이들은 전문직종에 해당하므로 무기계약직 대상은 아니다.

교원 임용제도를 위임한 뒤, 학교 노동시장 환경에 대한 시스템을 개선하는 방향을 정한 다음, 기존 계약직을 정규직으로 전환한다면 논리적으로 말이 될 수 있다.[15]

단순히 계약직 교사를 정규직화하는 것은 기존에 진입한 정규직 교원과의 형평성 차원에서 문제가 된다. 더군다나 학교는 매우 제한된 공간이고, 제한된 일자리만 있다. 앞서 언급했다시피 정규직 교원의 공백은 계속 생기긴 하지만 예측하긴 어려운 상황인데, 비정규직 교사를 무제한 정규직으로 전환한다면 학교는 운영되기 어려운 상황에 놓이게 될 것이다. 게다가 향후 학령인구 감소로 인해 폐교가 늘어날 것이고, 학교의 교원을 어떻게 재배치해야 하는지가 큰 화두가 될 수 있는 상황이다. 이는 신규 정규직 교원의 증원도 어렵다는 것을 뜻하기도 한다. 전국 10만 명이 넘는 기간제 교사를 정규직으로 흡수할 경우 이를 어떻게 감당해 낼 수 있을지 의문이다.

어느 순간부터 학교는 교육기관이 아닌 일자리 창출의 목표를 달성케 하는 대상이 되었다. 학교 내 다양한 구성원의 갈등은 그릇된 학교의 대상화에서 출발하였다. 개인적으로는 문재인 정부의 비정규직의 정규직화 공약을 원칙적으로 찬성한다. 다만 앞에서 언급한 대로 노동시장의 환경을 고려하지 않는다면 문제가 발생할 수 있다. 이는 학교뿐 아니라

---

15 미국은 단위학교 임용 시스템이 확립되어 있다. 현재 공무원 시스템에서 학교나 지역 단위 임용 시스템을 도입하면 공정성 시비에 휘말릴 수 있다. 지방직 공무원도 지자체가 자체 시험을 보긴 하지만 공정성을 위해 많은 에너지를 쏟고 있다.

공공기관에서도 여지없이 적용되는 원칙이다. 학교나 공공기관은 기업이 아니기에 여러 부서가 존재하기도 어렵고, 정규직이 복귀하면 대체 노동자의 활용도가 애매해진다. 비정규직의 노동 환경을 개선하는 것이 우선이지, 비정규직을 무리하게 정규직으로 전환한다면 선발 과정에서 그들끼리 경쟁하고, 결국 비정규직 다수가 상처를 입게 된다.

지금 이 순간에도 계약직 교사는 수많은 학교에서 여러 이유로 인해 불가피하게 발생하고 있다. 계약직 교사를 쓰지 않으면 되지 않느냐고 반문하면서 정규직이 누리는 권리를 '특혜'라고 비판하는 이들의 논리는 인간의 기본권을 인지하지 못해서 비롯된 것이라고 생각한다. 「헌법」이나 법률에는 노동자가 기본적으로 여가, 휴식, 개인적 상황에 따른 권리를 쓸 수 있도록 되어 있다. 연가, 병가, 각종 휴직은 권리에 해당되므로 이로 인해 공백이 발생하는 것에 대해 개입하기 어렵다. 오히려 정규직 교원은 학기 중 자신의 최소한의 권리인 연가, 조퇴 등을 자유롭게 사용하지 못하고 있는 상황이다. 방학에 대해 특혜 시비가 많은데, 차라리 방학이 없어지고 교사의 연가, 조퇴가 보장되어야 한다는 목소리가 높아지고 있다. 다만 과거 계약직 교사가 한 학기를 계약했는데, 방학 직전에 정규직 교원이 복직해 사실상 계약직 교사의 방학 중 급여를 빼앗는 행위와 같은 사례는 비판받아 마땅하다고 본다.[16]

---

16 또는 특별히 병가를 써야 할 상황이 아닌데, 진단서를 받아 와 방학 직전까지 병가를 이어서 쓰는 행위 등이 종종 있어 동료 교사들 사이에서도 비판이 있다.

이 같은 사례를 방지하기 위해서 교육부 지침상 최근에는 기간제 교사를 학기 단위 또는 일 년 단위로 계약토록 하는 추세이다. 기간제 교사의 처우도 과거 14호봉에만 한정되어 있던 것을 연금을 받지 않는 이들은 14호봉을 넘을 수 있도록 제도가 바뀌었으며, 2020년부터는 기간제 교사도 연차가 되면 1급 정교사 자격도 대상이 되고 있다.[17] 정규직 교원만 받았던 혜택인 교원성과급제도 받고 있는 상황이다. 과거보다 처우가 개선된 것은 분명하지만, 기간제 교사가 공무원인가 아닌가에 대해서는 아직도 법리 해석이 다양하고 의견이 분분하다.[18]

중등과 달리 초등에서는 교대의 독과점적인 위치로 인해 자격증 발급이 원활하지 않아 기간제 교사가 오히려 정규직 교원보다 실질적으로 우대받는 상황이 벌어지기도 한다. 임용고사가 어려워지는 추세와 임용 대기자들도 워라벨을 강조하는 추세라 젊은 층에서는 기간제 교사를 하려는 수요가 줄었다. 그래서 초등에서는 주로 명예퇴직한 이들이 기간제 교사를 하고 있다.

반면 중·고교 기간제 교사의 처우는 매우 열악한 것이 현실이다. 시·도 교육청마다 차이는 있지만, 중·고교에서 담임교사의 30~40%

---

[17] 기간제 교사들이 법적 소송을 제기하여, 대법원 판결을 통해 기간제 교사도 1급 정교사 자격증을 획득할 수 있는 길이 열렸다.

[18] 세월호 참사 때 희생된 한 기간제 교사의 부모가 소송을 제기해 현재 대법원 판결을 앞두고 있다. 문재인 대통령의 지시에 의해 시행령 개정으로 순국인정은 되었지만, 상위법상 법리 해석은 법조인 사이에서 다양하다. 현재 17개 시·도 교육청 모두 정규직 교원과 같은 복지포인트(복지급여비)는 지급되고 있다.

가 기간제 교사라는 통계는 이미 여러 차례 언론에 나온 바 있다. 담임 뿐 아니라 학교폭력 등 학교 내 3D 업무라 불리는 대부분의 기피 업무도 함께 맡고 있다. 물론 학교마다 상황은 다르지만, 일부 지역에서는 계약 문제부터 시작해 업무분장, 학년 배분 등에 있어 가장 열악한 환경에 놓여 있다. 특히 계약에 있어서 일부 학교는 20~30대 1, 많게는 50대 1의 경쟁 상황이 벌어지기도 한다. 수요와 공급의 원리에 따라, 많은 이들이 기간제 교사를 희망하지만 학교에서는 그중 선택해서 기간제 교사를 선발하기 때문에 발생하는 일이다.

일반화하기는 어렵지만 특정 계약직 자리를 이미 내정해 놓고, 공개 경쟁에서 다른 이들을 들러리 세우는 경우도 종종 있다.[19] 사실상 특정인의 합격을 내정해 놓고 형식적으로 면접이나 서류전형을 보는 경우인데, 이런 일을 방지하기 위한 대책은 필요하다. 지방에 사는 기간제 교사 희망자는 수도권 학교의 면접을 보려면 기차표, 버스표, 혹은 기름값을 지불하고 편도 4~5시간을 걸려서 오기도 한다. 더군다나 서울·경기를 제외한 많은 시·도 교육청에서는 기간제 교사나 교육공무직 채용 시 지원서 접수를 방문접수(인편접수)만 받고 있다. 구직자 입장에서는 내정자를 위해 두 번의 교통비를 지불하는 셈이다. 다행히도 국민권익위원회는 2020년 4월 교육청 기간제 교사 채용 시 방문접수 외에 이메일로도

---

19 모든 계약직 교사로 일반화하기는 어렵다. 기간제 교사 커뮤니티에서는 이러한 사례를 지속적으로 공유하며, 하소연하고 불안해 하고 있다. 일부지만 실제 일어나는 일들이다.

받을 것을 권고하였다. 계약직 교사의 대부분은 청년층인데, 사회생활의 첫 경험이 들러리였다는 것이 앞으로 교직생활을 할 때 트라우마가 되지를 않기 바랄 뿐이다. 이것은 단편적인 일일 뿐, 계약에서부터 계약 이후까지 계약직 교사의 설움은 이루 말할 수 없다.

단위학교에서 채용하다 보니 계약의 번거로움 등의 문제가 발생한다고 보아 대구광역시교육청, 세종특별자치시교육청에서는 임용고사 합격 후 대기자를 기간제 발령 형태로 본청에서 계약 관리한 사례도 있다. 인력풀 제공은 종종 있어 왔지만, 이런 시도로 인해 단위학교의 업무 부담도 줄어들 수 있고, 투명성 차원에서도 도입이 필요해 보인다.[20]

학교 내에서 기간제 교사에 대한 처우 개선은 분명 필요하다. 더군다나 이들은 교사 자격증을 가진 이들이다. 정규직 교원과의 차이는 교원 임용제도를 통과하지 못했다는 차이뿐이다.[21] 오랜 기간 관련 연구를 해 온 입장에서, 현재 교원 임용고사는 교사의 역량과는 일치하지 않는다고 본다. 또한 인성 영역은 제 역할을 하지 못해 검증 장치가 될 수 없다고 본다.[22]

---

20 다만 이런 형태의 도입은 임용고사 합격자에게만 혜택이 갈 수 있어, 인력풀을 시·도 교육청이나 지역교육청 차원에서 관리하는 방안도 검토했으면 한다.
21 공립학교를 기준으로 말한다. 교원 임용고사를 통과했다고 해서 교사의 역량을 갖추었음을 증명하는 것은 아니다. 한편으로 기간제 교사라고 정규직 교원이 될 자질이 부족하다고 볼 수도 없다.
22 교·사대에서 걸러지는 시스템 자체가 없고, 임용고사는 하루 만에 평가하므로 인성 영역을 평가하기 어렵다. 의사의 경우에도 비슷한 상황이 연출되어, 의대의 경우 환자와 소통 및 공감할 수 있는 의사 양성을 목표로 MMI라 불리는 다면인적성면접을 도입하고 있다.

기간제 교사라는 이유로 힘든 업무나 특정 기피 학년을 맡는 것은 분명 문제가 있다. 조금 확대해서 해석하자면 학교 내 약자인 계약직 노동자를 괴롭히는 행위로, 흔히 말해 갑질에 해당할 수 있다. 특히 힘들다는 이유로 담임 업무를 기간제 교사에게 떠넘기는 행위는 정규직 교원의 책무를 포기하는 것이다. 교원 스스로가 떳떳해지려면 지킬 것은 지키면서 요구하는 것이 좋다. 자신의 의무마저 포기하면서 권리를 주장한다면 어떤 기관이나 단체, 여론도 이를 용납하기 어려울 것이다. 기존 경력자나 업무의 최종 책임자인 교장·교감, 더 나아가서 부장급 교원이 계약직 교사를 대하는 행태는 결국 교원에게 부메랑이 되어서 돌아온다.

기간제 교사의 숫자는 2018년 기준 전국적으로 5만 명에 가깝다. 이들은 여론을 형성할 수 있으며, 교직에 대한 민낯을 언론에 그대로 알릴 수도 있는, 학교 조직을 가장 잘 알고 있는 내부자이기도 하다. 그렇다고 이들을 두려워하거나 거리감을 둘 필요는 없다. 단지 똑같은 조직 내 구성원이자 동료로서 대우하면 해결될 일이다. 기간제 교사도 정규직 교원의 과거이고 거울일 수 있다. 선배인 정규직 교원의 관행을 그대로 겪은 기간제 교사들이 추후 정규직이 되었을 때 어떤 역할을 하게 될지 우려스럽기도 하다. 정규직 교원이 계약·업무분장·학년 배분에 있어 기간제 교사들의 입장을 헤아리고 공정성의 기준에 맞추어 생각해 주었으면 한다.

학교 내 유령, 방과후학교 강사

코로나19 사태로 인해 교육공무직이 화두가 되었지만, 방과후학교 강사 이야기를 먼저 쓰려 한다. 어찌 보면 그들이 가장 소외된 계층이기 때문이다. 흔히 학교 내 비정규직 하면 교육공무직을 떠올리지만, 사실 방과후학교 강사의 숫자가 더 많다. 2015년 기준으로만 봐도 13만 명이 넘어섰다. 2020년 현재는 제대로 된 통계조차 없지만, 대략 15만 명 내외일 것으로 추산된다.

방과후학교는 노무현 정부 때 시작되었다. 방과후학교는 희망자를 대상으로 학교 정규수업 이후에 이루어지는 것으로, 외부 강사에 의해 운영되는 수업이다. 로봇과학, 한자, 교육마술, 음악줄넘기, 각종 악기, 방송댄스, 공예 등 수많은 영역이 존재한다.[23] 과거 정부에서 힘을 실어 줄 때는 큰 규모 초등학교를 기준으로 50여 강좌가 넘는 학교도 있었다. 수익자(학부모) 부담이 원칙이며, 일부 학교[24]에서는 시·도 교육청에서 예산의 일부를 지원해 주고 있다.

초반에는 대형 업체나 사설 학원이 들어와 기업형으로 운영되었는데, 각종 비리나 부작용이 발생하고 문제가 되어 지금은 개인 단위로 학교

---

23 기존에 인기를 끌던 수학, 영어 등은 「선행학습금지법」에 의해 거의 자취를 감추었으나 농어촌 지역에서는 예외적으로 실시되기도 한다.
24 특히 농어촌 산간지역 학교의 경우 시·도 교육청이나 지자체가 방과후학교 비용의 일부를 지원해 주고 있다.

와 계약하는 것이 일반적이다. 하지만 일부 시·도 교육청에서는 아직도 단체와 계약을 맺을 수 있도록 하는 등 시·도 교육청마다 규정이 다르다. 일부 시·도 교육청에서는 사회적 기업이나 협동조합 형태의 계약도 허락하고 있는 상황이다. 개인이 단위학교와 계약을 하지만 실제 개인을 관리하는 업체는 따로 있어 급여의 상당 부분인 10~50%가량을 수수료로 가져가고 있다. 학생 수와 강의 시간에 따라 다르지만, 몇 개의 학교를 돌아야 겨우 생계를 유지할 수 있는 상황이다.

방과후학교 강사들은 정규수업이 종료된 오후 1시에서 5시 사이에 어느 순간 들어왔다가 조용히 사라진다. 학교에서는 이들의 얼굴을 본 사람이 많지 않다. 심지어 교실을 빌려주는 교사도 누가 누구인지 모른다. 특정 시간이 되면 교실을 잠시 비워 주면 되기 때문이다. 학생들만이 이들을 마주하는 것이 일반적인 현실이다. 안타깝지만 이들은 스스로를 '학교 내 유령(또는 보따리장수)'이라 부르기도 한다.

배일훈 전국방과후학교강사연합회 사무국장에 따르면 방과후학교 강사는 학교 강사직종 중 유일하게 근로계약을 맺지 않는다고 한다. 영어회화 전문강사나 스포츠 및 예술 강사 등은 모두 근로계약을 맺지만, 방과후학교 강사는 특수고용 노동자 신분으로 학교장과 '방과후 프로그램 위수탁계약서'를 작성한다. 그러다 보니 그들은 「노동법」, 「근로기준법」을 적용받지 않고, 시·도 교육청의 「방과후학교 운영 가이드라인」(이하 가이드라인)과 학교장의 재량권만이 방과후학교 강사의 처우를 결정한다. 노동자의 기본적인 권리마저 보장받지 못하는 열악한 상황이다.

방과후학교의 정체성

방과후학교의 정체성은 아직까지 모호하다. 외국에서 운영되고 있는 방과후학교(Afterschool Program)에서 영감을 얻어 들어온 형태라고 보지만, 체계적이지 않고 미흡하다. 예를 들면, 캐나다의 경우에는 커뮤니티 센터에서 방과후학교를 운영한다. 학교는 장소만 제공할 뿐이고 커뮤니티 센터에 소속된 파견 인력이 학교에 상주하며 운영한다. 따라서 학교가 아닌 커뮤니티 센터에 등록하고 비용을 지불한다. 쉽게 얘기해서 지자체에서 책임지고 학교라는 장소를 대여해 운영하는 형태라 볼 수 있다.

반면 우리나라의 방과후학교는 학교에서 계약하여 운영하는 외주 강사로 구성된다. 따라서 이것에 대한 책임은 학교 내 담당 교원(정규직)에게 있다. 방과후학교가 정책적으로 성공적인가에 대해서는 많은 사람들이 회의적이다. 가장 큰 이유는 방과후학교의 질 문제이다. 도심 지역의 경우는 강사를 구하기 쉽고, 심지어 교육기부를 하겠다는 이들까지 있다. 반면 농어촌 지역의 경우는 거리상의 문제도 있고, 비용도 현실적이지 않아 오겠다는 이들이 드물다. 이러한 현실 때문에 초창기에는 정규직 교사가 방과후학교를 맡기도 하였으나, 겸직이라는 비판을 받아 현재는 거의 허용되고 있지 않다.[25]

방과후학교는 대부분의 학교 정책이 그러하듯 시작했으므로 폐기되

---

25 정규 교과 준비나 행정업무 등을 해야 하므로 실제 참여를 원하는 교사의 수도 많지 않다.

지 않고 지속되고 있다. 그 과정에서 학교 현장의 목소리는 정책적으로 반영되지 않았고, 방과후학교 강사들의 열악한 처우 개선은 시작부터 지금까지 이루어진 적이 없다. 이 정책이 시행된 지 20년이 지나고 있지만 방과후학교는 거의 방치된 정책이라는 느낌을 지울 수 없다.

특히 다양한 방과후학교 강좌가 운영되고 있는 초등학교에서 방과후학교는 계륵(鷄肋)처럼 인식되고 있다. 맞벌이 가정의 학부모에게는 안전한 공간에서 아이가 잠깐 머물 수 있는 곳으로 인식되지만, 학교의 현실은 좀 다르다. 방과후학교와 관련된 행정업무가 많기 때문에 업무분장을 할 때 손꼽히는 기피업무 중 하나이다. 방과후학교 지원 업무를 누가 할 것인지를 놓고 각 시·도 교육청마다 골치를 썩고 있기도 하다. 일부에서는 방과후학교 코디네이터(행정업무 지원인력)를 선발하여 무기계약직이 된 경우도 있고, 초단기 계약직을 썼다가 다시 교사에게 업무가 돌아간 경우도 있는 등 시·도 교육청별로 천차만별이다.

공통적인 것은 중앙정부나 교육부에서 책임을 회피하고 있다는 것이다. 물론 지자체도 별반 다르지 않다. 교원 단체나 시·도교육감협의회 측에서는 방과후학교 자체를 지자체에서 맡도록 요구하고 있지만 상당히 요원한 상황이다.[26] 과거 2010년 경기도교육청의 혁신교육지구 등에

---

26 혁신교육지구 사업의 성공을 참고해야 한다. 방과후학교만 제대로 해도 학부모 유권자를 설득할 수 있어 선거에 유리한 상황이라는 것을 모르는 지자체가 상당수이다. 일부 지자체에서 노력은 하고 있으나 산으로 가는 경우를 종종 볼 수 있다. 관련 법도 거의 존재하지 않아 법·제도 등 바꿔야 할 지점이 많다.

서 교육청과 지자체 협력 사업으로 인력 사업을 펼쳐 긍정적인 평가를 받은 적이 있다. 제동이 걸린 것은 계약직으로 고용된 이들의 무기계약직 요구였다. 지자체에서는 방과후학교로 인한 고용 부담을 지지 않으려 하여 결국에 인력 사업은 대부분 폐기되었다. 결국 어떤 단위에서 인력 사업의 고용주가 될 것인가를 놓고 지자체와 교육청, 교육부가 업무 떠넘기기를 하는 상태이다. 정책적으로 이런 일들을 종종 목격하게 된다. 고래 싸움에 새우 등 터진다고, 결과적으로 가장 힘이 없는 단위학교에서 맡게 되는 경우가 많다.

방과후학교를 다시 그려 본다면

방과후학교나 방과후학교 강사의 문제는 외주에 의존하는 구조 때문이다. 교육자치가 이루어지고 있는데, 자치를 하지 않고 외주를 주는 방식이 시스템에 맞지 않았던 것이다. 방과후학교를 지자체에서 담당하면 좋겠지만 그럴 생각도 없고, 법제화되지도 않을 것이다. 법제화되지 않는 이유는 이해관계 때문이다. 이럴 바에 차라리 정규직 교원이 방과후학교를 맡을 수 있는 방안을 모색하고, 지역에 따른 몇 가지 모델을 만들어 봐야 하지 않을까 싶다.

개인적인 생각이지만, 방과후학교와 정규 교육을 분리할 수 있는 기회는 오지 않을 것 같다. 차라리 방과후학교를 교육자치에 포함하여 내

실화할 수 있는 방안을 고민해 보자. 학교 내 정규직 교원이 직영하는 체제가 된다면 훨씬 더 효율적일 것이라고 본다. 다만 전제는 방과후학교를 전담하는 교원이 생겨야 한다는 것이다. 이원화하여 방과후학교에 파견하는 방안이 있을 수 있고, 행정업무를 아예 교원이 담당하는 방안이 있을 수 있다.[27] 정답은 없지만, 현재 구조보다는 훨씬 진일보할 것으로 생각된다.

중앙정부의 손바닥 뒤집는 교육정책과 단위학교 책임경영제의 허상

중앙정부 및 교육부는 단위학교 책임경영제라는 명칭[28]을 사용하면서 학교장의 판단으로 많은 것들을 하도록 요구하고 있다. 정책 도입은 중앙정부에서 해놓고 관리는 학교장(단위학교)에게 떠넘기는 경우가 많다. 인력 사업의 경우도 크게 다르지 않다. 방과후학교도 마찬가지며, 또 한 가지 예가 영어회화 전문강사이다. 이명박 정부 초기에 영어회화의 중요성을 강조하며 학교로 들어온 이들의 무기계약과 관련한 대법원 판결이 남아 있지만, 현재 17개 시·도 교육청에서는 학교 단위의 계

---

27 소방·경찰처럼 행정만을 담당하는 가칭 '행정교사제'에 대한 논의는 여러 곳에서 시작되고 있다.
28 유사한 명칭이 지속적으로 바뀌었다.

약·갱신을 하고 있는 상황이다. 초창기에는 시행령을 개정하면서까지 도입했으나,[29] 현재는 단위학교에서 계약토록 해서 사실상 정책을 고사시키려 하고 있다.

영어회화 전문강사에 대한 의견은 극명하게 엇갈린다. 예비 교사나 교원 단체는 정규직 교원이 아니라서 자격을 갖추지 못했다는 점, 급작스럽게 도입된 정책의 부작용이 많다는 점을 이유로 폐기를 주장하고 있다. 반면 영어회화 전문강사 측은 노동자의 권리를 내세워 정책 유지나 무기계약을 주장하고 있다.

이명박 정부 때의 판단은 영어 잘하는 많은 유학생들의 일자리를 창출할 수 있는 공간이 학교라고 본 것이다. 대통령직 인수위 시절부터 '어륀지(orange) 인수위원회'[30]라 불릴 정도로 영어 교육을 강조했다. 공립학교 교사들의 영어 교육에 대한 불신도 작동했을 것이다. 이러한 요구가 결합하여 기가 막히게 탄생한 정책이 '영어회화 전문강사'이다.

영어회화 전문강사 입장에서 보면 제도를 믿고 들어왔을 뿐인데, 정부가 손바닥 뒤집듯 정책을 바꾸니 혼란스럽고, 노동자로서 기본권을 찾고 싶어 투쟁의 길을 택했을 것이라 본다. 그렇지만 학교 현장에서는 물과 기름처럼 작동하고 있다. 이들을 교육부에서 관리하기 어렵다고 판단해서 시·도 교육청으로 넘겼고, 시·도 교육청은 단위학교로 넘겼

---

29 초창기에는 4년, 그 뒤로 개정해서 4년 더 할 수 있도록 했으나 지금까지 유지되고 있다.
30 인수위원장이 계속 특정 단어를 고집해 여러 차례 언론에 기사화되었다.

다. 이것이 허울 좋은 단위학교 책임경영제의 실상이다.

 최근 단위학교 책임경영제를 학교자치라는 개념과 동의어로 오해하는 이들이 많고, 같은 의미라고 해석하는 논문도 다수 나오고 있는 상황이다. 둘의 차이를 설명하자면, 단위학교 책임경영제는 중앙정부에서 기준을 바꾸어 가면서 까다로운 일을 학교 측에 떠넘길 때 했던 표현이고, 후자인 학교자치는 법제화되지 않았지만 학교 스스로 모든 것을 판단할 수 있는 권리라고 본다.[31] 언제인지 모르지만 학교자치가 법제화된다면 이 모든 갈등이 종료될 수 있을 것이라는 기대도 해 본다.

 아무튼 결국 영어회화 전문강사는 도입되었고, 도입된 지 10년이 훌쩍 지났지만 학교 현장에서는 여전히 이로 인한 갈등과 분열이 생기고 있다. 영어회화 전문강사는 학교에서 정착하지 못했고, 단위학교에서는 이들의 애매한 위치로 인해서 구성원끼리 자의적인 해석을 하고, 대부분의 영어회화 전문강사는 제도의 경직성과 구성원으로부터 환영받지 못하는 분위기에 마음의 상처를 입고 학교를 떠났다.

 교사들은 여전히 영어회화 전문강사에 대한 부정적 인식을 가지고 있다. 따지고 보면 이 제도를 영어회화 전문강사가 만들어 달라고 요구하지도 않았고, 그들은 교육부의 공고에 따라 제도 내에 안착했을 뿐이다. 이것은 잘못된 정책으로 인해 결국 학교 구성원이 고통을 겪게 됨을 보

---

31 더욱 세분화하여 표현하자면, 자율-자생-자치의 순이라 생각한다. 교육부나 중앙정부는 자율을 말하고, 시·도 교육청은 자치를 말하고 있다. 이상과 현실의 차이에 가깝다.

여 주는 단적인 사례라 할 수 있다.

단위학교 책임경영제는 허상에 불과하다. 한 번도 실현된 적이 없고, 앞으로도 교육부가 존재하는 한 그럴 것이다. 이번 코로나19 사태의 온라인 개학에서 보듯 교육부의 판단만을 바라봐야 하는 상황에서 단위학교 책임경영제든, 학교자치든 교사들은 아무것도 믿지 않을 것이다. 교사들은 교육부나 중앙정부가 하는 정책 대부분을 신뢰하지 않는다. 이러한 정책으로 인해 일차적으로는 학교 현장의 교원이 고통을 받고, 최종적으로는 학생들에게 영향을 준다. 이러한 제도를 만든 관료들은 전시행정을 계기로 승진하는 등 승승장구했을지 모르겠으나, 학교 현장은 10년이 넘게 구성원 간 다툼이 이어지고 있다. 대체 누가, 어디서부터, 무엇을 잘못한 것인지 묻는다면 답은 학교에 있지 않다.

뜨거운 감자, 교육공무직

개인적으로 노동운동을 지지한다. 인간으로서 최소한의 삶의 질을 보장받기 위한 작은 몸부림을 거대 권력이 짓밟는 행위에 대한 강한 거부감이 있다. 아쉽게도 코로나19 사태로 인해 교육공무직과 교원은 서로를 향해 공격하며 돌아올 수 없는 강을 건넌 것처럼 보인다. 무엇이 문제인지 살펴보자.

교육공무직은 무기계약직인 학교 내 비정규직 인력에 대한 통칭이다. 주로 조리종사원[32]과 행정실무사 등이 포함된다. 코로나19 사태에서 개학이 연기되어 조리종사원이 급여를 받지 못하자 지원책을 마련해 줄 것을 정부에 요구했다. 이에 교육부는 이들이 학교에 출근해 대체업무(청소 등)를 할 것을 지시하였고, 일부 시·도 교육청에서는 온라인 개학 상황에서 학교장의 판단하에 교직원의 급식 업무에 지원하는 것이 가능하다고 유권해석을 내리기도 했다.

　　이 건에 대하여 교원과 교육공무직의 의견은 갈렸고, 서로 대립했다. 교사 커뮤니티를 중심으로 교원들은 교육공무직이 급여를 더 받기 위한 꼼수를 펼친다고 하였고, 이들이 정규직이 되기 위한 시행령 개정 작업이 이루어지고 있다고 왜곡된 정보를 흘려 이에 반대하는 청원에 13만 명이 넘게 동의하기도 했다. 사실관계가 틀렸다고 판단되어 청원을 올린 이가 취하를 결정했지만, 이미 13만 명이 넘는 교원은 교육공무직을 사실상 공공의 적으로 간주하고 힐난했다.

　　여기서 문제가 된 것이 과거 현 교육부 장관의 입법 발의이다. 2016년 11월 28일에 유은혜 국회의원 외 75인은 「교육공무직원의 채용 및 처우에 관한 법률안」을 입법 발의하였다.[33] 해당 법안의 제안 이유에서는 회계에서 보수를 지급받고 있는 학교 비정규직(학교회계직원)은 현재 약

32　여담이지만, 21대 총선에서 모 당의 비례 1번이 학교 조리종사원(급식노동자)인데 당선되지는 못하였다. 상징성은 꽤 큰 것으로 생각된다.
33　의안번호 3899. 2016. 12. 19 철회되어 공식적으로 폐기되었다.

14만 명(2016. 4. 1. 기준)으로, 공공 부문 비정규직의 33%가 학교 비정규직이라고 밝히고 있다. 채용 시부터 무기계약으로 채용했어야 하나 기간제로 채용하고 있고, 상시 지속적 업무임에도 불구하고 무기계약 전환 대상에서 제외되는 직종과 인원수도 상당하며, 시·도 차원에서 교육공무직 조례가 통과되어 운용되는데도 불구하고 고용불안이 반복되고 있음을 말하고 있다. 학교 내에서는 주 15시간 초단시간으로 무기계약을 피하려는 악습도 반복되고 있으며, 간접고용과 강사직종 무기계약 전환 제외, 예산 및 사업 축소를 이유로 상시 지속 업무자임에도 무기계약 전환 제외 등의 문제도 계속되고 있다는 실태를 이유로 해당 법안을 제출하였다.

결정적으로 보수 면에서 동일노동 동일임금 원칙이 적용되지 않고 있다. 최근 장기근무 가산금 인상, 명절 상여금, 정기 상여금, 급식비 등의 수당 항목이 신설되는 처우 개선이 국회·교육부·교육청 및 관련 단체의 노력으로 부분적으로 이루어지는 변화가 있었다. 근본적으로 전국적으로 14만 명에 달하는 학교 비정규직에 공통적으로 적용되는 임금 체계가 없어 시·도별로 수당 지급 여부, 수당 금액, 총 임금액의 차이가 큰 상황이다. 이에 해당 문제가 매년 반복되고, 각 시·도별 갈등이 커지고 있다.

무엇보다 동일노동을 하고 있음에도 근속연수가 길어질수록 정규직과의 임금 격차가 커지는 문제가 해소되지 않고 있다. 가령, 동일노동을 하는 학교 급식실 공무원 조리원과 비정규직 조리원의 임금 차이는 1년

차 68%에서 10년 차 53%, 20년 차 46% 수준으로 낮아졌다. 전체 평균은 정규직의 60% 수준에 불과한 상황이다. 이러한 이유로 임금 차별에 대한 근본적인 문제 해결을 위해 호봉을 인정하는 보수표를 만들어 단일한 보수 기준 체계를 확립해야 하며, 이에 대한 법률적 근거가 필요하다고 인식하였던 것이다(법안 발의 제안 이유 요약). 해당 법률의 주요 내용은 다음과 같다.

「교육공무직원의 채용 및 처우에 관한 법률안」 주요 내용

가. 이 법은 교육공무직원의 채용과 처우 개선에 필요한 사항을 규정함으로써 교육공무직원에 대한 불합리한 차별을 시정하고 처우를 개선하여 학교교육의 질을 높이는 데 이바지함을 목적으로 함(안 제1조).

나. "교육공무직원"이란 교원 또는 공무원이 아닌 사람으로 학교(「초·중등교육법」상 학교와 「유아교육법」상 국공립 유치원)와 교육행정기관에서 상시·지속적 업무에 종사하는 자를 말함. "상시·지속적 업무"란 객관적으로 일시적 업무가 아니고 학기 중 계속되는 업무를 말함(안 2조).

다. 국립학교, 교육부 및 그 소속기관에 근무하는 교육공무직원의 채용은 교육부 장관이, 공립학교와 시·도 교육관서에 근무하는 교육공무직원의 채용은 교육감이, 사립학교에 근무하는 교육공무직원의 채용은 학교법인 또는 사립학교 경영자가 하도록 함(안 제5조).

라. 교육공무직원의 근무상한 연령은 60세 이상으로 함(안 제8조).

마. 교육공무직원의 보수는 학교의 교원 및 공무원인 행정직원에 준하여 대통령령으로 정하되, 근속 기간을 고려하여 정함. 교육공무직원이 방학 기간 중에 근무하지 아니하는 경우에는 대통령령으로 정하는 생활안정대책을 마련하여야 함(안 제10조).

이 법률안이 폐기된 결정적 이유는 부칙에 있었다. 부칙 2조 1의 4항에서 "사용자는 제1항에 따른 교육공무직원 중에서 「초·중등교육법」

제21조 제2항과 「유아교육법」 제22조 제2항에 의해 교사의 자격을 갖춘 직원은 「초·중등교육법」, 「유아교육법」, 「학교급식법」, 「학교도서관진흥법」 등 관계 법령을 준수하여 교사로 채용하도록 노력하여야 한다."는 내용이 포함되어 있었다. 이는 교육공무직 중 교사 자격증이 있다면 별도의 임용고사 절차 없이 교사로 채용하는 것으로 해석될 수 있는 문구이다.[34] 때문에 많은 교원 단체와 예비 교사들이 반발하였고, 결국 해당 법안은 폐기되었다. 이 문구가 실수로 들어갔는지, 고도의 전략으로 인해 들어갔는지는 모르겠다. 다만 본질에 충실한 법안이었으면 통과되었을 수도 있지 않았을까 하는 생각이 든다.

　노동에 대한 공정한 임금 지급은 꼭 필요하다. 학교는 사회의 축소판이다. 학교에서 먼저 공정임금제를 도입하는 것이 나쁘다고 보지 않는다. 법안의 제안 내용을 보며, 학교 공간 안에서 비정규직이 얼마나 활용되어 왔는지에 대해 되돌아볼 필요가 있다. 그들이 정규직 절차를 통과하지 못했다는 이유로 노동 자체의 의미를 인정받지 못하고 초단기 계약으로 소모품처럼 취급되거나, 노동에 대한 정당한 대가가 지급되지 않는 경우가 많았다. 이것을 정규직 교원은 대수롭지 않게 여겼다. 결정적인 것은 무의식중에, 시험에 통과하지 못한 이들은 그런 대우를 받아도 된다고 인식하는 것이다. 교사의 성과급 폐지, 교원능력개발평가 폐지에 대한 여론은 싸늘하다. 오히려 강화하라고 요구하고 있다. 그러한

34　이는 「초·중등교육법」, 「유아교육법」의 법령과도 위배되는 내용이다.

경험을 겪고 있는 교사 집단이 비정규직의 임금 인상 요구 자체를 폄훼하고 있는 것은 아닌지 생각해 볼 필요가 있다. 교사도 기본적으로 노동자이다. 노동자의 기본 권리인 교사의 정치 참여를 요구하는 것은 시대의 흐름에 맞는 당연한 권리라 생각하지 않는가? 노동운동에 대한 교사들의 무지인지 외면인지 씁쓸하다.

코로나19 사태로 인해 앞으로 우리나라는 마이너스 경제성장률을 기록하고, 양질의 정규직 일자리는 거의 사라지게 될 가능성이 크다. 기업도 대부분 비정규직 일자리를 만들고 있는 상황에서, 학교에서조차 정규직만 우대받는 시스템을 고착화하는 것은 아닌지 우리 스스로 반성해 볼 필요가 있다. 특정 기업 노조는 '귀족 노조'라 비판받는데, 그 이유 중 하나는 정규직만 우대하는 경향 때문이다. 학교 내에서도 그런 일은 없는지 생각해 보아야 한다.

아쉽게도 위 법률안은 그동안 교육공무직에 대해 편견을 갖고 있던 교사들이 더욱 부정적인 인식을 갖게 하는 계기가 되었다. 오죽하면 현재 교육부 장관을 빗대어 '교육공무직의 어머니'라는 표현까지 나오고 있는 상황이다. 일반적인 교사의 시각에서 문제 삼는 것들은 다음과 같은 내용이 주를 이룬다.

첫째, 정당한 절차를 거치지 않고 공무원이 되려 한다는 것이다. 최종적으로는 공무원연금 혜택을 노리는 것이라는 말까지 나온다. 어려운 절차를 거쳐 공무원이 된 교사들과 달리 알음알음해서 학교에 들어오고 공무원까지 욕심을 낸다는 것인데, 이에 대해서는 이렇게 답하고 싶다.

　모든 직종과 직업은 초창기에는 제도화되지 못하는 측면이 있다. 알음알음해서 들어왔더라도 현재 정당한 노동을 한다면 그에 대한 대우를 해야 하는 것이 맞다. 또한 현재 신규 공무원은 국민연금과의 통합을 원하는 이들이 늘고 있다. 공무원연금의 혜택이 그만큼 줄었기 때문이다. 그들도 이 사실을 모르지 않을 것이다. 그러니 공무원연금 혜택을 노린다는 이야기는 사실과는 거리가 있다.

　둘째, 교육공무직은 무기계약직이 쉽게 되었고,[35] 능력을 검증받지 못하였으니 공개경쟁 채용을 해서 다시 들어오면 인정해 주겠다는 것이다. 똑같은 논리로 교사 중에도 역량이 떨어지는 이들이 있으니 시험을 보고 다시 들어오라고 한다면 과연 현재의 교원 임용고사를 통과할 경력직 교사가 얼마나 될까? 여러 차례 연구했지만, 임용고사 자체가 교사 역량을 검증하는 시험이 되기는 어렵다. 예를 들면, 조리종사원은 학생들을 위해 급식을 잘 만들면 되는 일이다. 난이도 높은 시험을 통과하지 못하더라도 각자의 업무에서 충실하게 일하면 그만이다. 지나간 과정이 공정하지 못한 것은 정당한 과정을 거친 이의 입장에서 화가 날 만한 이유가 된다. 하지만 그 이유로 현재의 일을 충실히 하고 있는 사람에게 다시 시험을 보고 들어오라는 소리 또한 뭔가 개운하지 않다.

35　공식적인 채용 절차 없이 들어온 이들이 상당수 있다.

셋째, 교육공무직의 급여가 지속적으로 인상되고 있는 만큼, 그에 걸맞은 업무와 책임을 다하라는 요구이다. 교사들의 요구 중 이 내용은 주목할 필요가 있다. 교사들이 힘들어 하는 이유 중 하나는, 학교 구성원 서로가 거절하는 궂은일은 결국 교사가 하게 되는 경우가 많아서이다. 교육공무직 중 행정실무사는 학교 행정보조인력으로 채용된 이들이다. 그런데 여러 가지 일을 행정보조의 일이 아니라고 거절하며 고유의 업무를 달라고 요구하고 있다. 특히 상장 출력이나 차 심부름[36]이라도 시키면, 이것은 행정보조의 영역이 아니라고 해석하여 민주노총 측에 갑질 신고를 하는 경우도 허다하다.

사실 행정보조의 영역은 명확한 지침이나 규정으로 해석하기 어렵다. 어떤 경우에는 풀칠이 행정보조일 수도 있고, 청소나 허드렛일이 행정보조일 수도 있다. 이것도 안 되고, 저것도 안 된다고 하니 학교에서는 행정실무사를 모셔 두어야 한다는 푸념이 나오고 있다.[37] 이들의 책임하에 전적으로 맡는 업무 또한 없다. 급여는 지속적으로 인상되고 처우도 개선되고 있는데, 일은 맡기지 못하는 상황이니 고까운 시선이 따르는 것은 어떻게 보면 당연하다. 심지어 이들의 파업에 교육공무직이 파

---

36 관련 공문이 시·도 교육청 차원에서 지속적으로 내려오고 있다. 취지는 동의하나 결국 교사들이 이 일을 하고 있다. 정규직이 할 수 있는 일을 비정규직이 못한다는 것은 이해되지 않는다. 누군가의 고유 업무가 되지 않아야 한다는 것은 동의하나, '행정보조'의 업무가 무엇인지 생각해 볼 일이다.

37 일반화시키는 것은 아니다. 대부분은 묵묵히 자신의 일을 하는 분이 많다. 소수가 전체의 이미지를 훼손하고 있는 것이 아쉽다.

업을 해도 아무런 업무 공백이 없다는 일부 교사의 목소리도 있었다.

넷째, 교육공무직에 대한 징계와 평가제 도입 요구이다. 이 역시 개선이 필요하다. 무기계약직도 직원이다. 교육감이 고용하는 시스템으로 전환되었으므로 교육청에서 무기계약직 직원에 대한 역량 강화 프로그램을 도입하고, 거기에 맞는 직무 역량을 강화해야 한다. 교육공무직에게도 평가 기준을 제시하고, 역량 강화를 위한 시스템을 투입한 후 평가와 책임에 대한 제도를 도입하는 것이 필요하다.

교육공무직이 학교와 상생하려면

교육공무직이 학교와 상생하려면 제 역할을 충실히 하여 학교 구성원에게 인정받아야 한다. 물론 학교 구성원도 스스로도 인지 못할 정도로 은연중에 갖고 있는 정규직이라는 우월감에서 벗어나야 한다. 같은 노동자로서 서로의 고충을 이해할 수 있는 소통의 자리도 빈번하게 마련되어야 한다. 이는 단위학교 차원에서 할 수 있는 일인데 대부분 하지 않고 있다. 겨우 몇몇 시·도의 단위학교에서 진행되는 것이 학교장과 비정규직의 간담회 정도이다. 사람이 있는 조직은 결국 갈등이 발생하기 마련이고, 그 갈등을 풀어 가면서 건강한 조직 문화가 형성된다.

교육공무직이 학교 내에서 여러 불이익을 받아 왔던 사실도 인정해야 한다. 다만, 현재 구조에서 교육공무직의 투쟁 방식이 지나치게 이익집단화되어 있다는 것도 간과해서는 안 된다. 특정 사례를 일반화해서 일부 교원의 갑질을 마치 대부분의 학교에서 일어나는 것처럼 말하고, 행정실무사는 보조역할을 할 수 없고 고유 업무를 달라고 하는 논리 등은 교사들을 설득시키기 어려운 일이다. 현재 구조상 일부 교원이 갑질하는 특정 사례를 가지고 오히려 노조가 학교를 상대로 갑질하는 상황이 빈번하게 발생하고 있다. 교원 역시 노조 가입[38]을 할 수 있지만, 아직까지 전략적으로는 미흡하다는 생각이 든다. 학교 구조상 행정실무사가 못한다고 하면 누군가가 해야 하는데, 그 누군가가 빈번하게 교사가 된다면 행정실무사의 존재 이유가 없어지는 것이다.

이제는 유권자도 매우 똑똑하다. 각종 이익집단이 목적과는 다르게 투명하지 않다고 보면 언제든지 철퇴를 가하기도 한다. 물론 여론이 꼭 정답은 아니지만, 여론에 의해 정책 방향이 결정될 수 있다. '윤창호법', '민식이법', '김영란법'은 여론이 법을 만든 대표적인 경우다. 특히 2018년부터 교육계를 뜨겁게 달아오르게 했던 한국유치원총연합회 사태는 '유치원 3법(일명 박용진 3법)'을 만드는 계기가 되었다. 여론이 들고 일어나면 이익집단이 어떻게 될 수 있는지 극명하게 보여 준 사례이다.

교육공무직의 고충은 있을 수 있다. 그러나 본질을 외면하고 아무것

---

38 전교조는 노동운동을 지지하는 단체라 교사나 교육공무직 중 어떤 편도 들지 않는다. 갈등 조정을 한다고는 하지만 이론에 불과하다. 지역 교사 노조는 현재 신생 단체라 아직 전략적인 정책을 만들어 내지 못하고 있는 실정이다.

도 할 수 없다는 식으로 자신들의 존재 이유를 부정하기 시작하면 문제가 발생한다. 특히 직장 동료인 교사들을 적으로 돌리면서까지 자신들의 이익을 취하려 한다면 분명 부메랑이 되어 돌아올 것이라 본다. 이익집단의 이기적인 행태의 말로에 대해서는 역사가 증명하고 있다. 한쪽면만 바라보면 답이 나오지 않는다. 서로의 고충을 이해하고, 이제부터라도 상생의 길을 고민했으면 한다.

여러 위기의 상황에도 불구하고 학교는 지속되어야 한다

코로나19 사태를 계기로 학교의 민낯이 그대로 드러났다. 사실 코로나19 사태 이전에도 학교의 위기는 지속되었다. 그동안 여러 정책이 무분별하게 쏟아지면서 학교의 정책 피로도는 극에 달했다. 특히 학교 구성원을 힘들게 한 건, 구성원이 합의하지 않은 학교 내 새로운 인력이 어느 날 갑자기 생겨나고 사라지는 일의 반복이었다. 학교 구성원의 의견과는 상관없이 때로는 여론에 의해 만들어지기도 했고, 그 여론에 의해 사라지기도 했다. 특히 교원은 그 중심에서 철저하게 배척되었다.

학교의 다양한 구성원은 교원이 만든 제도가 아니다. 그럼에도 불구하고 새로운 제도를 만들게 되었을 때 정규직 교원 역시 잘못된 관행과 비정규직에 대한 오해와 불신, 편견을 많이 가지고 있음을 깨닫게 된다. 교원은 가짜뉴스와 진실을 구분할 수 있는 집단인가를 스스로 되물을 필요가 있다. 교원 단체나 교원 커뮤니티의 순기능과 역기능이 있다. 이것을 제대로 활용할 때는 무기가 되지만, 그렇지 않은 경우 역작용이 일어난다. 교육공무직 청와대 민원의 경우 가짜뉴스에 선동되어 13만 명이나 동의하여 현 수준을 극명하게 보여 주었다. 이러한 일들이 반복된다면 교원 조직의 무능을 국민들이 인식하게 될 것이다. 학교 내에는 태생이 다른 조직이 수없이 많다. 서로에 대한 이해를 위해서 우리는 어떤 노력을 해 왔을까? 조직 내에서 정규직은 그래도 힘을 가진 자라 여겨진다. 소수자이자 약자인 비정규직에게 아량을 베풀 수 있는 집단이 되었으면 하는 바람이다.

중앙정부나 교육부의 필요에 의해 손바닥 뒤집듯 정책이 바뀌고, 비정규직을 지속적으로 양산하는 현 구조를 그대로 놔두기는 어렵다. 계속 방치한다면 학교는 망가지고 제 기능을 못할 것이다. 이미 시행된 정책에 대해서도 다시 고민해 볼 필요가 있다. 학교 내 방과후학교 강사와 기간제 교사 문제, 교육공무직에 대한 지속적인 연구과 정책이 이루어져야 한다.

이미 만든 제도를 갑자기 폐기하기는 현실적으로 어렵다. 일단 제도 내에 들어온 이들은 안고 가야 한다. 물론 제도가 시행되는 당시 상황에서 반대했겠지만, 결국 들어오게 되었다는 것은 교원 조직이 그만큼 힘(정치력·네트워크·여론 형성 기능)이 없어서라고 본다. 정치력을 가진 집단으로 인식되지 않고 있는 것이 현주소다.

코로나19 사태를 통해 학교 내 다양한 비정규직이 있고, 비정규직과 교원 사이에 갈등이 있다는 것을 전 국민에게 생중계하였다. 각자의 위치에서 서로를 비난하기 위한 청와대 청원으로 공격을 주고받았지만 얻은 것은 아무것도 없다. 학교와 공교육은 신뢰할 수 없는 집단이라는 오명만 남겼다. 여전히 우리는 서로에 대한 불신의 눈초리를 거두지 못한 채 같은 공간에서 부대끼며 살아가야 한다. 과연 이대로 얻을 수 있는 것은 무엇인가? 학교 내에서 알아서 해결하라고 말하는 중앙정부와 교육부에게 기대할 것은 없다. 상생할 수 있는 방안을 모색해야 할 시점이다. 이에 코로나19 정국 속에서 우리가 처한 현실을 직시하고, 학교 비정규직 정책에 대해 다음과 같은 제안을 해 본다.

첫째, 교육부 및 중앙정부에서 학교 비정규직의 임금 구조에 대해 학계, 시민 단체, 교원 단체, 시·도 교육청이 함께하는 단위를 구성하여 논의했으면 한다.

둘째, 비정규직에 대한 처우 개선은 필요하다는 공감대가 형성되었으면 한다. 시·도 교육청 차원에서 처우 개선과 비정규직에 대한 교원의 인식 개선을 위한 별도의 노력을 했으면 한다.

셋째, 비정규직의 역량 강화와 관련해 점검하고, 이들을 위한 역량 강화 프로그램(예를 들어 직무연수 등)을 만들 필요가 있다.

넷째, 비정규직에 대한 처우 개선 후, 무기계약직이 된 이들의 책무가 어디까지인지 중앙 단위에서 규정을 만들고, 이 책무에 맞는 동료평가기재를 만들어 활용해야 한다. 활용 시에는 전출·전보에 활용, 임금에 따른 성과급제 등을 적용할 수 있을 것이다. 교사도 교원능력개발평가[39]라는 평가기재가 존재한다. 무기계약도 정규직과 같은 형태로 정년까지 학교에서 근무하는 것을 감안한다면 꼭 필요한 절차라 생각한다.

코로나19 사태는 학교의 구조와 기능을 되돌아보는 상황을 만들었다. 학교가 힘든 것은 학교 내에 혼란스러운 제도가 갑자기 들이닥쳐서 구성원 간의 분란이 연출되기 때문이다. 이러한 분란을 막기 위한 지속적인 학습이 필요하다. 교원도 자중지란(自中之亂)하지 말고, 단위학교 내에서 학생들을 위해 교육공동체로서 노력하는 의연한 모습을 보여 줬으면 한다. 코로나19 사태를 통해 우리는 구성원의 다양성을 확인했고, 그들이 가진 생각이 나와 같지 않음을 확인했다. 어설픈 여론전이 아닌, 동료의 눈을 바라보고 설득할 때이다. 감정을 앞세우기보다는 사실관계와 대안을 가지고 논의 테이블을 만들어 보자. 누가 어떤 정책을 펼치든 학교의 주인은 학생이며, 학교는 여전히 지속될 것이다.

인간이 제도를 만들 뿐만 아니라, 인간 또한 제도에 의해 만들어진다.
— 클라우스 오페(Claus Offe)

---

39 물론 개선의 여지는 필요하다.

2부

코로나19가 불러온
온라인 교육

코로나19 이후
초등교육

'급할수록 돌아가라(The longest way round is the shortest way home).'는 격언은 표현만 조금 다를 뿐 동서양을 막론하고 다 쓰이는 표현이다. 그런데 코로나19의 확산이라는 초유의 사태는 우리를 천천히 돌아갈 수 없는 상황에 봉착하게 만들었다. 세월호 참사가 교육계의 변화와 개선을 가져왔듯이, 코로나19는 누구도 가 보지 않은 미래교육을 앞당겼다. 이는 누구도 부인할 수 없는 일이다. 미래의 교육을 위해 이제 교육계는 더 빠르게 움직이고, 더 빠르게 대처해야 한다. 시간이 없다.

초등 교사의 6가지 단상

4차 산업혁명에 따른 공존과 융합의 미래사회, 디지털 시대의 학생 역량, 교육과정·교육 공간·교원의 역할 등에 관한 새로운 교육 패러다임은 꾸준히 논의되어 왔다. 그러나 코로나19로 인한 온라인 개학과 원격 수업은 지금까지 교육 전반에서 논의해 온 미래교육의 모습을 더욱 극명하게 하였다. "학교가 멈추니 학교가 보였다."는 어느 기자의 말처럼 코로나19 실험의 무대 위에 던져진 초등교육을 자세히 들여다보고 그 방향성을 새롭게 설계해 나가야 할 때이다. 포스트 코로나 시대의 교육적 해답을 찾기 위해 공교육의 방향을 점검하고, 교육정책이 적시적소에 올바르게 실행되기 위한 나침반이 필요하다. 이에 원격 수업을 준비하는 초등 교사의 6가지 단상[1]을 통해 포스트 코로나 시대에는 무엇이 달라질지 예견해 보고자 한다. 코로나19 정국에서 초등교육의 당면 과제를 하나하나 짚어 보자.

• 1학년 : 중소도시 학교 근무, 교육 경력 26년차 평교사

입학식도 없이 온라인 개학을 하는 상황이 당혹스럽다. 1학년 학기 초는 학교 적응 기간이고, '공교육에서의 사회화' 첫 출발 단계이다. 특히 1학년은 담

---

[1] 코로나19 관련 신문 기사, 교사연구회 소통 채널 등에 나온 의견을 토대로 필자가 수정하여 작성하였다.

임교사와의 관계 형성, 한글 교육, 읽기 교육의 적절한 투입이 이루어져야 하는 중요한 시기다. 상담 전화를 해 보니 몇몇 학생의 경우 유치원에서의 학습 장애가 계속 이어질까 걱정스럽다.

'1학년 학부모는 1학년 학생과 똑같다.'라는 말이 있을 정도로 아이를 초등학교에 입학시키는 신입생 학부모의 교육은 중요하다. 학교생활에 대한 안내, 학교 교육과정의 비전과 철학에 대한 안내가 절실하다.

오늘은 동 학년 선생님들과 내일 나갈 학습꾸러미[2]를 챙기느라 정신없는 시간을 보냈다. EBS 방송 학습 자료는 교과서 진도에 맞춰 편성되다 보니 교육과정 재구성 자체를 아예 시도조차 못하고 있다.

• 2학년 : 농촌지역 소규모 학교 근무, 교육 경력 10년차 특수교사

긴급돌봄[3]에서 일반학급 2학년 학생들이 EBS 방송을 열심히 시청하는 모습을 볼 수 있다. 그에 반해 특수학급 학생은 원격 수업에 대한 즉각적인 피드백, 대면을 통한 관계 형성을 하지 못해 아쉽다. 다양한 장애 양상을 띠는 특수학급 학생은 한 명, 한 명 개별화 교육을 해야만 한다. 그런데 현재 학교 상황에서 학부모의 교육적 요구를 해소해 줄 방안이 딱히 없다.

2학년 장애 학생은 1년간의 초등학교 경험이 있다. 경험치가 있는 만큼 통합

---

2 가정으로 제공되는 교과서, 학습지, 학습 자료 및 각종 준비물 등을 통칭.
3 코로나19에 따라 한시적으로 운영한 교육정책으로 맞벌이 가정, 한부모 가정, 저소득층 등 돌봄이 필요한 가정의 초등학교 1~6학년 학생을 대상으로 원격 수업을 지원하고, 중식을 제공하며 오후 7시까지 운영하고 있다.

학급[4]의 새로운 담임과 새로운 친구에 대한 기대가 높다. 일반학교에서의 통합학급은 장애 학생과 교사를 포함한 학급 구성원 모두가 상호작용할 수 있도록 기회를 부여하고, 협력적인 교실 분위기 속에서 장애를 떠나 인간 대 인간의 만남이 가능하게 만드는 곳이다. 그런데 그걸 못하고 있으니 답답하다.

• 3학년 : 50학급 이상 대규모 학교 근무, 교육 경력 12년차 교육과정부장 교사

1학기 단체 활동이 제한됨에 따라 생존수영에 대한 차시가 줄어들었다. 3학년은 또래 친구에 대한 관심이 더 많아지는 시기이면서, 자신의 집과 학교 주변에 대한 관심도 증가하는 시기이다. 사회적 관계가 좀 더 확장되면서 우리 고장에 대한 이해 학습을 위해 지역화 교재를 배운다. 일부 교과를 교과전담 수업으로 처음 배우는 시기라 기대가 많았을 3학년인데, 학생들이 많이 섭섭해 할 것 같다.

3학년 담임 입장에서 솔직히 온라인 개학 시기가 4학년과 달라 학년군[5] 협의를 제대로 하지 못해서 아쉬웠다. 연구부장으로서 교육과정 재구성에 대한 교사 역량을 키워 원격 수업에 접목하고 싶은데 시간이 많이 부족하다. 학교 내 학년별로 공동연구, 공동실천을 통한 원격 수업을 준비하는 학습공동체가 더욱 활발하게 운영되고 있는 것 같아 다행스럽다. 앞으로 대면 회의가 가능해지면 학교 선생님들께 교원 연수 분야와 내용을 추천받아 추진할 예정이다.

---

4   특수교육 대상 학생이 소속되어 있는 학급.
5   학년 간 상호 연계와 협력을 통해 학교 교육과정을 유연하게 편성·운영할 수 있도록 학년군을 설정, 2009 개정 교육과정에서부터 현 2015 개정 교육과정까지 적용하고 있다.

• 4학년 : 대도시 학교 근무, 교육 경력 8년차 평교사

중학년인 4학년은 공간 인식이 더 확장되는 시기다. 내 주변 공간에 대한 인식이 확대됨에 따라 체험과 실천 중심의 교육활동이 필요한데 원격 수업으로는 한계가 많아 아쉽다. 다행히 대부분의 학생들이 학부모의 도움을 받아 원격 수업은 무리 없이 하고 있다. 판단컨대 평상시에 우수한 온라인 콘텐츠를 이용하는 학생들이 많은 것 같다.

4학년은 창의적 체험학습과 예술 영역(체육·미술·음악)의 교과는 주제 통합 수업을 통해서 친밀한 또래문화 형성, 자기주도 역량을 기르기 위한 활동 등을 주로 했다. 그런데 e학습터[6]에 탑재된 국어·수학·사회·과학·영어 과목의 콘텐츠를 구성하고, 반 아이들의 학습 참여와 출석 체크를 하다 보면 다른 교과목과의 창의적 구안은 엄두가 안 난다. 교사 네트워크에서 공유한 자료의 도움을 받아 링크 주소를 연결해 학생들이 유튜브 영상을 볼 수 있게 하는 방법이 최선인 것 같다.

• 5학년 : 공단지역 학교 근무, 교육 경력 21년차 돌봄 담당 평교사

승진가산점은 필요가 없지만 우연히 맡게 된 돌봄이 올해는 긴급돌봄까지 추가되었다. 교과목 수가 많은 5학년 원격 수업 준비에 수업에 대한 피드백, 단체방을 통한 출석 체크까지 담임으로서 맡은 역할도 벅차다. 그런데 긴급돌봄 안내, 근무조 편성, 돌봄교실 코로나19 확산 방지 안전수칙 교육 등 신경 써야

---

6 초·중학교에서 이용한 온라인 학습 플랫폼.

할 일들이 산더미다. 우리 반 학생 중 사춘기가 시작된 아이들이 꽤 있는 것 같아 긴밀하게 관계를 형성하고 상담도 해야 하지만, 업무 신경 쓰느라 새로운 수업 준비는 엄두도 못 내는 상황이라 반 아이들에게 미안하다. 지식 중심의 수업, 단순 출석 체크만 하는 관리형 교사의 역할만 하니 솔직히 재미도 없다. 교사와 학생을 위해서는 차라리 대면 수업이 나은 것 같다.

게다가 학기 초 우리 반에 러시아 출신 다문화 학생이 전학을 왔는데 한국어를 전혀 하지 못해서 걱정이다. 얼굴이라도 보면 좀 나을 텐데, 지금으로서는 기본적인 소통도 안 되니 어떻게 안내해야 할지 당혹스럽다.

• 6학년 : 23학급 학교 근무, 교육 경력 5년차 정보부장 교사

6학년은 진로 체험을 통해 진로를 설계하는 단계다. 신체적인 것은 물론이고, 사고의 폭도 매우 넓어지는 폭풍 성장의 시기다. 학교에서는 최고 학년으로 학생은 학생자치회 및 학교 의사결정 참여 등 주도적인 학생 활동이 필요하고, 학부모는 진로와 중학교 입학 배정 등에 대한 학부모 교육이 필요한데 학교의 모든 활동이 멈췄다. 온라인상으로나마 가능한 활동이 무엇이 있을까 고민이 된다.

6학년은 전체적으로 Zoom을 통한 쌍방향 수업과 EBS 클래스팅, 네이버 밴드를 활용하자고 결정했다. 그런데 온라인 개학 첫날 한창 수업 중에 원격 수업 파일럿 테스트를 보고하라는 부장교사의 지시로 수업을 어떻게 마쳤는지 정신이 없었다. 원격 수업 중 학습 문의를 하는 학생 전화, Zoom 링크 아이디와 목소리가 안 들린다는 학부모 전화, EBS 사이트 접속 지연 등의 문제까지

씨름해야만 했다. 내일은 보육전담사와 원격학습 도우미[7] 선생님이 출근 전이라 8:30~9:00까지 일찍 등교하는 저학년 아이들을 맡다가 9시에 원격 수업을 준비해야 하는 상황이라 더 바쁠 것 같다.

초등학교 각 학년 교사들의 고민을 통해 무엇을 보았는가? 물론 앞서 이야기한 여러 교사의 단상이 모든 초등학교 현장을 대변할 수는 없다. 혹여 불편했을지 모를 마음을 접고, 이제 그 이면을 깊게 들여다보는 혜안이 필요하다.

의무교육 9년 중 6년을 책임지는 초등학교는 어느 학교급보다 나이, 사회적 배경, 경력 등이 다양한 교사가 존재한다. 또 다문화 학생, 특수 학급 학생, 정서 장애 학생, 집중력이 낮은 학생, 학습 속도가 느린 학생, 가정형편이 어려운 학생, 난독증 학생 등 다양한 상황의 학생들과 학부모, 다양한 지역사회[8]가 공존한다. 여기에 관리자, 교무/수업 담당교사, 급식/보건/상담 담당교사, 교육행정직, 일반행정직, 보조인력 등 다양한 인력도 상존한다. 병설유치원까지 포함하면 10대 이하 세대부터 60대에 이르는 세대를 아우른다. 너무나 넓은 스펙트럼 속에서 초등학교의 내외적 모습을 단순한 잣대로 단정 지을 수 없음은 자명하다.

포스트 코로나 시대에 초등교육의 학교급 특수성을 고려할 때 작은

---

7   원격학습이 이루어지는 장소에서 학생 관리, 학습과제 도움, 사이트 접속 등 직접적인 원격학습에 도움을 주도록 하는 긴급돌봄 지원 인력.
8   대도시, 중소도시, 농어촌 지역, 공단 지역, 도농복합 지역, 구도심 지역, 신시가지 지역 등.

사회로서의 역할을 제대로 할 수 있는 길은 무엇일지 6가지 질문을 던져 보고자 한다.

초등교육의 본질적 목적은 무엇인가

코로나19로 굳게 닫힌 학교는 4월 중순이 되어서야 온라인 공간에서 순차적으로 열렸다. 언론 기사의 헤드라인에서 학교가 존재하는 목적에 대한 철학적 사유를 찾기에는 무리수가 많지만, 코로나19가 아직 종식되지 못한 상황에서 작은 텍스트 속에서 큰 의미를 되뇌어 보는 시도는 필요하다. 우선 언론 기사를 통해 초등교육의 목적이 무엇인지 접근해 보자.

코로나19 여파 졸업·입학식 줄줄이 취소(KBS, 2020. 2. 3.)

"차라리 학교에 갔으면", 개학 연기에 학부모 고충(중도일보, 2020. 3. 11.)

학생 절반, 코로나19로 사교육 그만뒀다(에듀진, 2020. 3. 16.)

초등 교과서, 따라 하다 코로나19 걸린다(의협신문, 2020. 3. 25.)[9]

졸업식과 입학식, 학부모의 역할, 사교육, 교과서⋯⋯. 학생들에게 입

---

9 교과서에 '기침이나 재채기는 손을 가리고 합니다.'라는 내용이 있다. 질병관리본부는 감염병 예방을 위해 기침이나 재채기를 할 때 옷소매 윗부분으로 가리도록 권장한다.

학식과 졸업식은 어떤 의미일까? 학부모가 바라는 초등교육은 무엇일까? 왜 학부모는 사교육에 의존할까? 교과서는 정말 중요할까? 리터러시[10]는 단순히 문자 해독이 아닌 의미를 파악하는 것이 중요하다. 리터러시를 통한 문제 제기, 철학과 비전을 나누는 교육 현장의 일상화가 급하지만 돌아가는 길의 첫 번째 관문이다.

『2015 개정 교육과정 총론』에는 초등학교 교육목표에 대해 "초등학교 교육은 학생의 일상생활과 학습에 필요한 기본 습관 및 기초 능력을 기르고 바른 인성을 함양하는 데에 중점을 둔다."고 제시하고 있다. 국가 교육과정에 제시된 학교급별 교육목표는 「교육기본법」에 제시된 교육 이념, 이를 반영한 추구하는 인간상, 그리고 「초·중등교육법」에 규정된 학교급별 교육 목적을 바탕으로 국가·사회적 요구 및 국가 교육과정 개정 방향을 반영하여 설정된다. 이러한 학교급별 교육목표는 교과(또는 영역)별 목표를 설정하는 일반적인 지침이 되며, 단위학교에서 편성·운영되는 학교 교육과정의 총체적인 방향을 제시하는 역할을 한다(교육부, 1997b: 115).

따라서 초등학교 교육에 직·간접적으로 연결된 사회적 관계망은 초등학생이 학교 안에서 무엇을 배우고, 어떤 인간으로 성장해야 하는가,

---

10 리터러시(literacy)는 문자화된 기록물을 통해 지식과 정보를 획득하고 이해할 수 있는 능력을 말한다. 리터러시가 단지 언어를 읽고 쓰는 피상적인 의미만을 내포하는 개념은 아니다. 사회 혹은 문화권에서 통용되는 커뮤니케이션 코드로 복잡한 사회적 환경과 상황 속에서 그 본질을 이해할 수 있는 복잡한 개념으로 사회에서의 적응 및 대처하는 능력으로까지 그 개념이 확대되고 있다.

즉 학습(배움)의 본질에 대한 질문을 끊임없이 던져야 한다. 그럼 의외로 답은 간단하다. 초등교육은 따뜻한 만남, 소통과 공감, 관계의 사회화 과정이 선행되어야 한다. 코로나19처럼 위급한 상황에서 먼저 학생들의 상태를 살피고, 학부모의 의견을 듣고 교육적 요구와 합의의 지점을 나누는 관계 형성이 선행되어야 한다. 교사·학생·학부모 간 SNS 등을 통한 온라인 상담을 활성화하여 공교육의 학습 안전망이 확보되어야 한다. 그래야 적절한 교육적 투입과 정서적 지원, 학습에 대한 피드백을 줄 수 있다. 초등교육은 교육의 본질적 목적에 충실할 공감·나눔·소통의 시간이 필요하고, 작은 학교든 큰 학교든 신속하게 지원받을 수 있는 시스템이 필요하다.

그럼 교육부·교육청의 원격 수업 운영을 위한 단계별 교육 안내 상황을 주 단위로 제시해 보겠다.

- 3월 1주차(2020. 3. 3.) : 온라인 관계 형성 및 학생 자율형 온라인 학습 안내
- 3월 2주차(2020. 3. 6.) : 교사 관리형 전환 안내, 1차 점검 제출
- 3월 3주차(2020. 3. 16.) : 교사 관리형 온라인 학습 관리를 위한 학습 자료 안내[11]

---

11 온라인 학습 관리 사례 수록, 학교급별 프로젝트, 콘텐츠 융합, 주간 시간표, 국정교과서 PDF 활용 등.

- 3월 3주차(2020. 3. 19.) : 개학 추가 연기에 따른 (교사의) 학습 관리 점검
- 3월 4주차(2020. 3. 23.) : 비대면 원격 수업 지원 계획 알림
- 3월 5주차(2020. 3. 31.) : 초·중·고·특수학교 원격 수업 기준 및 지원 계획 안내
- 4월 1주차(2020. 4. 8.) : 초등 원격 수업 운영 및 출결, 평가, 기록 안내
- 4월 2주차(2020. 4. 10.) : 초등 원격 수업 운영 파일럿[12] 테스트 알림

여기에서 초등교육의 본질적 목적을 생각했을 때 놓치고 있는 것은 무엇이고, 시의적절했던 것은 무엇인지 되짚어 보자.

첫째, 학생 자율형 온라인 학습을 위한 온라인 관계 형성이 가능할까? 초등 1학년 학생 수준에서의 자율형은 방관이다. 방관을 전제로 하는데 제대로 된 관계 형성은 무리가 많다.

둘째, 학습 관리 점검보다는 학습 지원이 먼저다. 관리형 교사라는 전형으로 학생의 학습을 단순히 다루기 전에 교사에게 먼저 교육과정 구성의 자율성을 인정해 주면 어땠을까? 학교 현장은 덜 혼란스럽지 않았을까?

셋째, 초·중·고·특수학교 원격 수업 기준 및 지원 계획은 학급별 다

---

12 샘플 테스트, 예비조사, 사전실험이라는 말로, 수정·보완하기 위해 모의로 시행해 보는 것을 말한다.

양성과 특수성을 고려한 것일까? 특수학교 교사들의 비유적 표현에 의하면 '특수인 듯, 특수 아닌, 특수 같은' 내용이었다고 한다. 교육 현장의 다양성을 투영하는 작업이 필요하다.

넷째, 파일럿 테스트가 신속한 지원이 될 수 있는지 먼저 학교 현장에 물어보고 실시했으면 어땠을까 반문하고 싶다.

누구를 위한 교육이어야 하는가

첫 온라인 개학, 교사의 힘으로 만드는 새로운 도전(교육부 보도자료, 2020. 4. 6.)

초등생 94% "어른이 원격 수업 도와줘요", 온라인 개학은 학부모 개학[13](서울신문, 2020. 4. 26.)

선행학습 유발⋯ 초등 1년생 '학습꾸러미' 고난이도 지적 잇따라(동아일보, 2020. 5. 7.)

새로운 도전, 학부모 개학, 고난이도 학습꾸러미⋯⋯. 교사들은 누구를 위한 도전인지 생각해 보았는가? 원격 수업은 가정환경의 차이를 극복할 수 없을까? 「선행학습 금지법(공교육 정상화 촉진 및 선행교육 규제

---

13 서울신문, 초록우산어린이재단 설문, 초등학생 104명을 대상으로 하였다.

에 관한 특별법)」은 어디로? 이 질문의 중심은 당연히 학생이다. 공교육에서는 학생에게 집중하고, 학생을 지원하며, 학생을 교육하는 것이 핵심이어야 한다.

한양대 김창경 교수는 미래교육의 방향과 대안을 주제로 한 강연[14]에서 교육에서 학습으로, 커리큘럼에서 프로젝트로, 주입식 교육에서 평생교육으로, 집단교육에서 개개인 교육으로, 일방적 교육에서 자율적 학습으로 변화되어야 한다고 말했다.

코로나19 사태로 인한 원격 수업을 통해 오히려 대면 교육의 중요성이 강조되고 있다. 학생과 교사가 온전히 상호작용하면서 학생이 유의미한 학습을 경험하고, 학생들의 다양한 삶의 맥락을 중시하며 전인적 성장을 도모하는 교육이 더욱 부각된 것이다. 따라서 포스트 코로나 시대에는 비대면 교육과 대면 교육의 혼합 모형이 개발될 가능성이 높다. 또 원격 수업을 통해 부족했던 교사의 에듀테크형 수업 전문성을 개발하고, 이어서 노무현 정부 시절에 시도되었던 표준수업시수 법제화[15]나 교원 법정 정원 확보, 무학년제, 온라인 학점제, 평생교육 로드맵, 학제 개편 등에 대한 제안이 자연스럽게 제기될 가능성이 높다.

무엇보다 온전히 학생을 위한 교육에 집중하기 위한 조치가 필요하

---

14 EBS 〈미래강연Q〉, 4차 산업혁명 시대 어떻게 살 것인가?
15 표준수업시수란 교사가 자신의 역량을 최대한 동원하여 일주일간 최대로 할 수 있는 주당 수업시수이다. 여기서는 수업의 질을 향상시키기 위하여 교사 1인의 수업시수를 법제화하는 것을 말한다.

다. 학령인구의 감소 추세 속에 오히려 학생들의 다양성의 폭은 높아지고 있다. 그러므로 교육은 이제 학생의 개별적 특성을 고려해서 접근해야 한다. 온라인 교육에서도 주체적 설계자는 교사이지만, 배움의 주도자는 학생이 되도록 해야 한다. 코로나19 이전에도 활용되었던 ICT 활용 교육, CAL(Computer Assisted Learning), 거꾸로 교실,[16] 교사 유튜버 등 다양하게 존재하던 지원 체제와 인력 체제를 강화하고, 법령과 지침의 설계 및 수정도 불가피하다.

초등학생에게 어떠한 역량[17]이 필요한가

온라인 개학 본격화, 이참에 '자기주도학습' 습관 길러 볼까?(경향신문, 2020. 4. 16.)

사상 초유 '840만 명 원격 수업' 미래교육 초석될까(연합뉴스, 2020. 4. 26.)

언택트[18] 넘어선 온택트 문화 확산(경북일보, 2020. 5. 6.)

16　'플립러닝'이라고도 하며, 혼합형 학습의 한 형태로 정보기술을 활용하여 강의보다는 학생과의 상호작용을 중시하는 교수·학습 방법이다.

17　역량은 학습자가 맞닥뜨리는 삶의 맥락 안에서 자신을 실현코자 하는 의지와 힘의 총량을 말한다.

18　언택트(untact)는 콘택트(contact, 접촉하다)와 부정의 의미인 언(un-)을 합성한 말로 기술 발전을 통해 상대방의 접촉 없이 물건을 구매하는 등의 새로운 소비 경향을 의미한다. 언택트에 '연결'을 더한 '떨어져 있어도 연결은 그대로' 온택트(ontact) 문화가 확산되고 있다.

초등학교 때부터 앞으로 살아갈 먼 미래의 삶이 아닌, 현재의 삶을 살아가면서 만나게 될 문제들을 합리적으로 해결할 수 있는 힘부터 길러 주어야 한다. 간단히 말해 초등학생은 혼자 감당할 수 있는 문제와 감당할 수 없는 문제를 구분할 줄 알아야 한다. 혼자 감당할 수 없는 문제를 해결하려면 누구에게 도움을 요청하고, 무엇을 찾아봐야 하는지, 어떻게 적용하는지를 알아야 한다. 글을 읽고 의미를 파악하는 문해력부터 타인의 감정 이해 및 공감에 관한 의사소통 역량, 친구 사이나 학생자치회 임원 사이 혹은 학교 안팎의 관계에서 오는 갈등을 해결하는 힘을 관계성 교육을 통해 길러야 한다. 혼자 해결하기 힘든 문제는 수업을 통해 함께 해결하는 방법을 익혀 공동체 역량을 기를 수 있도록 해야 한다. 초등학생을 '되어 가는 시민(becoming citizen)'이 아닌 자신의 세계를 지닌 '실재하는 시민(being citizen)'으로 바라봐야 한다. 실재하는 시민의 관점에서 초등학생에게 필요한 역량을 길러 주어야 한다.

고령화 사회에서는 학교교육 자체가 완결되는 교육이 아니기 때문에 자연스럽게 평생학습과 자기주도적 학습을 강조할 수밖에 없다. 그래서 초등학교에서는 학생들이 배움에 대한 긍정적인 태도를 기르고, 지속적으로 학습 동기를 유지하면서 자기주도적 학습 능력을 함양할 수 있는 기초를 다져야 한다.

학교에서 배운 지식이 실천으로 이어지고, 실생활에 전이되는 교육이 되기 위해서는 개인별 맞춤형 교육과정을 설계할 수 있는 학교 교육과정의 자율성이 담보되어야 한다. 이를 통해 프로젝트와 토의·토론 중심의 학생 주도적 학습 기회가 많이 주어지고, 학습 과정과 성장 중심의 포트폴리오 평가도 확대되어야 한다.

평생교육 체제에 맞게 학교와 지역사회의 관계가 변화하고, 학교는 지역사회 센터로서의 역할이 부각될 것이다. 학교 안팎으로 학습의 장을 넓히기 위해서는 클라우드 기반 쌍방향 학습 관리 시스템과 행정 지원 시스템이 구축되어야 한다. 또 학교 시설 복합화로 학교를 지역사회에 개방·공유할 수 있는 학교 공간의 혁신도 더 활발히 논의될 것으로 보인다.

관리형 교사 vs. 설계형 교사, 누구를 선택할 것인가

코로나19로 교사들이 오픈한 '학교 가자' 하루 만에 10만 뷰 기록(중앙법률신문, 2020. 3. 5.)

엄마들 다 집에 있어야 하나… 초등 온라인 개학 학부모도 진땀(뉴스핌, 2020. 4. 16.)

대면 교육 중요성 더 커져… '인간 교사' 가치 상승(에듀프레스, 2020. 4. 29.)

사람들은 코로나19로 정지된 학교의 모습에서 아이러니하게도 학교의 존재 이유를 깨닫고 있다. 혹자는 미래교육에서는 교사의 역할이 축소될 것이라고 하지만, 많은 사람들이 오히려 교사의 주도적 역할이 강조될 것이라 예측한다. 비대면 원격 수업을 시행하면서 대면 교육의 중요성이 부각되고 있는 것이다.

교사가 배제된 교육은 학생을 중심에 놓고 생각하기가 쉽지 않다. 실례로 초등학교 1학년 교실에서는 한두 개의 문장으로도 두 시간 수업이 가능하다. 언뜻 쉬울 것 같겠지만 20~30여 명의 1학년 친구들과 1시간가량 있어 보면 생각이 달라질 것이다. 하지만 고경력 교사는 아이들의 호기심을 어떻게 유발하고, 몸동작을 어떻게 해야 서로 협력하면서도 다치지 않고 즐겁게 학습할 수 있는지를 알고 있다. 5년 차 미만의 저경력 교사에게는 선배 교사들의 이런 교육 노하우가 큰 도움이 된다. 반면에 2000년 처음 도입된 초등학교 내 컴퓨터 교육을 받은 90년생 교사들은 스마트 교육의 연결망을 누구보다 잘 알고 있어 어렵지 않게 창의적인 온라인 교육 자료를 만든다. 이처럼 학교는 혼자가 아닌 집단지성의 힘으로 움직이고 있는데, 창의 융합할 수 있는 능력이 더욱 빛을 발한 때가 바로 코로나19 원격 수업 시기였다. 이는 포스트 코로나 시대 초등 교사의 역할에 대해 고민해 보는 시기이기도 했다.

초등 교사는 단순히 교과 내용에 대한 학습을 돕는 자가 아닌, 지·덕·체를 포함한 전인적 성장을 돕는 촉진자·설계자·안내자이다. 초등학생의 수준과 능력, 요구에 적합한 교육을 하고, 수업과 평가, 환류에 이르기까지 교육과정의 주체적 설계자로서의 역할을 수행한다. 그래서 학생들이 살아가는 현재의 공유 문화, 학생을 둘러싼 사회문화적 특징,

미래 역량(공감 역량, 의사소통 역량) 등 외적 요인에서부터 내면의 동기, 관계와 흥미 일체를 교육과정에 녹여 내는 설계자다.

초등교육은 관계성과 사회성 발달의 기초를 키우는 단계이다. 초등 교사는 학생과의 다양한 신체적·정신적·지적 상호작용을 통해 신뢰 관계를 형성한다. 유아 단계를 거쳐 공교육 내에서 관계망을 확장하는 역할을 초등 교사가 한다. 화장실 사용부터 운동장 놀이, 급식 지도, 방과 후 활동, 학급 1인 1역, 학생자치회 활동에 이르기까지 학생들이 작은 사회에서 다양한 역할을 경험하도록 조력한다. 나아가 포스트 코로나 시대에는 온라인 관계망 확장자, 온라인 교육과정 설계자, 디지털 시민 교육자, 온오프라인 교육 공동 책임자가 되어야 한다.

초등 교사는 참으로 많은 역할을 수행하기에 혼자 힘으로는 그 역할을 모두 감당할 수 없다. 따라서 공동체성을 기반으로 함께 연구하고 설계하는 학습공동체가 활성화되어야 한다. 거기에 교육 주체가 함께하는 힘이 더해져야 한다. 에릭 리우(Eric Liu)와 닉 하나우어(Nick Hanauer)는 저서 『민주주의의 정원』에서 'Big What Small How', 즉 민주시민을 기르기 위해 상위의 기관은 큰 비전과 정책을 세우고, 그 주체적 실천은 교육 주체에게 맡겨야 한다고 말했다. 교사·학생·학부모·지역사회 등 교육 주체가 교육의 중요한 일원으로 참여하고, 학교와 연대하며 참여하는 의식이 필요하다.

코로나19로 인한 원격 수업이 시작되면서 온라인 시스템 활용 과정에서 원격교육이 가진 가능성과 한계점을 느끼고 있다. 온라인에 존재하는 기존의 다양한 콘텐츠를 재구성하여 제공하고, 온라인을 통해 상시 소통하는 스마로그형 교육[19]을 실시함으로써 대면 교육의 효과를 높일 수 있을 것이다. 반면 개별화 맞춤형 수업, 학습 동기 유발, 협력학습, 프로젝트 학습, 퍼실리테이션 능력 등 교사가 학생과 함께하며 펼칠 수 있는 다양한 교육도 존재한다. 학생들의 학습을 관리하는 관리형 교사로 남을 것인지, 학습을 넘어 교육의 안내자·촉진자·설계자가 될 것인지는 이제 선택의 문제가 아니다.

긴급돌봄, 누구의 몫인가

발달장애인 아들 키우던 어머니 극단적 선택, 돌봄의 사회화 필요(한겨레, 2020. 4. 18.)

초등생 절반, 개학 연기로 낮에 집에서 성인 보호자 없이 지내[20](연합뉴스, 2020. 5. 3.)

제도가 일단 만들어지고 나면 이는 조직 구성원에게 공식적으로든 비

---

19 스마로그(smalogue)는 smat와 analogue의 합성어로, 학생들이 매일 혹은 수업 중 교사를 만나는 상황에서 시간과 공간적 제약을 극복하기 위해 온라인 교육을 추가로 활용하는 방식을 말한다.

20 초록우산어린이재단, 초·중·고생 1천 명 설문조사, 초등학생 46.8%, 평일 낮 시간대 성인 보호자 없이 집에 머무른다고 응답하였다.

공식적으로든 영향을 미치는 통제 수단이 된다. 박근혜 정부의 대선 공약으로 등장한 '초등학교 돌봄교실' 정책을 대표적인 사례로 꼽을 수 있다. 당시 학부모가 자녀를 안심하고 양육할 수 있는 여건이 구축되지 못해서 생기는 여러 가지 심각한 가정적·사회적 문제를 줄이기 위해서 박근혜 정부는 '국민이 안심하고 자녀를 양육할 수 있게 한다.'는 국정 과제를 제시했다. 이를 추진하기 위한 주요 정책으로 '학교 내 돌봄 강화'가 제시되었다.

그 내용은 온종일 돌봄교실을 통하여 오후 5시까지 초등학생 돌봄 프로그램을 무료로 제공하는 것과 필요한 학생들에게는 밤 10시까지 돌봄 프로그램을 제공하는 것을 골자로 하고 있다. 이에 따라 교육부는 2014년부터 연차적으로 초등학교 1~2학년에서 돌봄 프로그램을 강화하고, 2015년에는 3~4학년을 대상으로, 2016년에는 5~6학년까지 확대해서 적용하겠다고 발표했다. 동시에 정책 시행에 따라 과중한 업무 부담에 시달리는 초등 돌봄 교사들의 사기를 높이기 위한 적절한 보상으로 승진 가산점과 수당을 지급하는 방안을 구상하게 된다. 당시 정부는 돌봄교실 정책 확대 시행을 위한 충분한 인프라 구축, 즉 시설 예산이나 구체적인 인력 충원 계획이 없는 상황에서 대선 공약을 이행하기 위한 무리한 정책 추진이라는 비판에 직면한다.

이렇게 시작된 돌봄교실은 코로나19로 긴급돌봄까지 추가되었다. 돌봄을 맡았던 사회적경제기업도 덩달아 모두 정지된 상황에서 장애 학생, 저소득층 학생, 한부모 가정의 학생 등은 더욱 열악한 환경에 놓였다. 그래서 돌봄교실이 코로나19 위급 상황에서 '긴급'이라는 형태로 들어온 것이다. 단순히 학생들을 데리고 있으면서 점심을 먹이고 온라인 수업을 듣게 지원하는 형태라면 굳이 학교여야 했을까?

학교는 교육의 본질적 목적을 추구하기에도 너무나 바쁘다. 따라서 사회적경제기업이나 마을공동체가 활성화되어 '돌봄의 사회화'가 이루어져야 한다. 코로나19로 '돌봄 재난'이라는 말이 나올 정도로 사회 안전망이 위태로워진 지금, 학생 돌봄을 무조건 학교의 책임으로 전가할 것이 아니라, 지자체 중심의 돌봄 네트워크를 만들어 지원하고, 사회적경제기업이 모여 취약계층에 돌봄·복지·의료 서비스를 제공하는 통합 돌봄 시스템이 구축되어야 한다. 그래야만 초등학교가 자율성과 책무성을 가지고 교육에만 전념할 수 있다.

교육 사각시대, 누가 책임져야 할 것인가

장애 학생 온라인 수업 어떡하라고…(한겨레신문, 2020. 4. 6.)
다음 주 초등 저학년까지 온라인 개학 '교육 양극화'(MBC, 2020. 4. 18.)
한국어도 서툰데 컴퓨터까지… 진땀 빼는 다문화 가정 학부모(KBS, 2020. 4. 11.)

코로나19 확산으로 사회적 돌봄 시스템이 일시적으로 정지하면서 돌봄은 물론이고, 교육 사각지대도 발생했다. 초등학교 저학년 온라인 개학(3차)이 시작되면서 접속 상태 등을 보도하는 언론 기사와 더불어 일선 학교가 온라인 개학을 대비해 교육 취약계층 및 저학년에게 맞춤형 학습꾸러미(방역물품, 식료품, 학습지 등)를 제공했다는 기사가 함께 언급되었다.

초등교육은 중·고등학교 학습의 기초가 된다. 따라서 이때 학습 격차를 줄여야 중·고등학교에서의 교육적 간극을 좁힐 수 있다. 그런데 포스트 코로나 시대에는 최첨단 온라인 시스템으로 무장한 사교육 시장의 확대로 교육 양극화 문제가 더 심화될 것이라는 예견이 있다. 입학이나 등교 초기에 보편적 학습 설계[21]를 통해 학생들의 학습 격차를 좁혀야 하는데, 코로나19가 장기화되면서 그 시기를 놓친 학생들이 늘고 있는 것이다. 그중 가정 형편이 어려운 학생들의 교육격차는 더 심화될 가능성이 높다.

극단적으로 표현해 가정 형편이 어려운 학생들은 공교육 안에서의 교육이 전부다. 따라서 공교육에서만큼은 취약계층 학생들이 소외되지 않도록 고른 교육 기회를 보장해 주어야 한다. 무상급식, 무상교육, 바우처 제도 등 긴급복지에 대한 부분은 사회적 영역에서 해결하더라도, 기본적인 생활 습관과 기초 학습 능력을 기르는 수업, 한글 교육 등은 조기에 투입해야 한다. 그러기 위해서 교육부나 교육청에서는 취약계층을

---

21 학습에 있어서 폭넓은 차이를 가지고 있는 학습자의 특성과 차이를 감안하여 학습자 개인이 학습목표를 성취할 수 있도록 융통성 있게 학습 경험을 제공하는 이론적 틀.

위한 학습 진단 프로그램, 수준별 교육 프로그램, 학생의 온라인 학습 참여 능력을 지원할 필요가 있다.

교사 집단만큼 학생에 대해 잘 아는 이들도 없을 것이다. 학생을 잘 아는 교사가 학생에게 적절한 교육을 할 수 있도록 양질의 교육 자료를 축적하고 쉽게 인출할 수 있는 온오프라인 공간이 필요하다. 그리고 교사 개인이 모든 학생의 학습 수준을 맞추기 힘든 환경, 학교와 지역의 특수성을 고려해서 지역사회가 함께 교육에 참여하는 시스템을 마련해야 한다.

예를 들어, 코로나19 상황에서 한글을 전혀 모르는 6학년 귀국 학생이 있다고 가정하자. 교사는 교무행정팀으로부터 학부모와 학생의 연락처를 받는다. 그리고 교육부나 교육청에서 제공한 전국단위, 지역단위의 다문화 온오프라인 학습꾸러미를 받는다. 다음으로는 온라인 교육 플랫폼을 통해 다양한 학습 자료를 학생 개인 수업방에 탑재하여 부족한 기초 한글 교육이 가능케 한다. 그런 뒤 지원을 통해 통역, 물품 지원, 학사 정보 등의 도움을 받는다. 교사는 학생 수준을 파악해서 학습을 설계한다. 이때 지역사회에 구축된 인력풀을 활용할 수 있고, 온라인 교육 플랫폼의 학습 자료를 새롭게 만들거나 재구성하여 학생에게 제공·평가하고 피드백을 줄 수 있다.

코로나19 위기를 통해 우리 교육은 동료성을 기반으로 한 학습공동체 공유 문화 위에서 새롭게 나아가고 있음을 깨닫는다. 그리고 단순히 지식의 습득을 넘어 남녀의 역할, 학력과 직업, 종교, 인종 등에 관한 편견을 갖지 않도록, 모든 학생이 학교에서 충실한 학습 경험을 누리고, 공정한 학습 기회를 얻을 수 있도록 수업을 디자인해야 한다. 특수교육 대상 학생을 위해 학생의 장애 특성 및 정도에 따라 교육과정을 조정하여 운영할 수 있도록 지원해야 한다. 특히 초등학교 장애 학생[22]은 통합 학급의 경험치가 중요하기 때문에 개별적으로 대면 수업을 할 수 있는 방안이 마련되어야 한다. 1교실 2교사제, 협력교사제 등 다양한 방안이 모색되어야 한다. 선(先)정책 후(後)소통으로 학교 현장의 외면과 학부모의 혼란을 가져올 것이 아니라, 선(先)소통 후(後)정책이 뒷받침되어야 할 것이다.

---

22 장애 학생에 대한 원격 수업 지침 : 학교는 장애 유형 및 정도를 고려한 원격 수업 운영을 위해 노력해야 하며, 필요한 경우 순회교육 등 지원 방안을 강구해야 한다. 장애 학생이 재학하거나 장애인 교원이 재직하는 단위학교에서는 원격 수업을 위한 플랫폼 및 학습 콘텐츠 선정 과정에서 장애인 등 정보 약자의 정보 접근권이 보장될 수 있도록 조치한다.

코로나19 이후
중등교육

온라인 교육 분투기

이제껏 없던 개념이 학교에 생겼다. 개학은 방학 동안 못 만난 얼굴들을 교실에서 만나는 것인 줄 알았더니, 교실이 아니어도 개학을 할 수 있단다. 코로나19가 안겨 준 새로운 세상이다. 중·고등학교에서의 온라인 수업은 초등학교와 많이 다르다. 우선 스마트 기기 사용이 쉽지 않은 초등학생에 비해 중·고등학생은 각종 스마트 기기에 능숙하고 온라인 강의 수강 경험도 많다.

중등교육에서는 그동안 열정 있는 교사들이 거꾸로 수업 등에 온라인 방법을 활용했지만, 학교 안에서 와이파이 및 스마트 기기 지원이 충분하지 않아 수업 운영이 쉽지는 않았다. 그렇게 오랫동안 변하지 않던 학교 시스템에서 온라인을 적용해야 하는 낯설고 긴급한 상황이니 교사들의 부담은 상당했다. 당장 온라인 수업을 한다고 하니 EBS에 준하는 영상과 콘텐츠를 준비해야 하나 싶은 두려움도 느꼈다. 투여된 자본과 준비 시간, 노력이 다른데 EBS와 비교 대상이 될 수 없음이 당연하다. 하지만 곧 "온라인 수업도 수업이니 중요한 것은 영상 제작 기술이 아니다. 우리가 할 수 있는 만큼 함께 해 보자!"는 교사들에 의해 전국 단위로 교사들의 배움과 준비가 일어났다. 코로나19 정국 동안 전국 모든 학교의 상황이 다르고, 아직도 진행 중이라 일반적인 결론을 내리기는 어렵다. 하지만 최근 경험을 중심으로 온라인 교육을 실행하고 있는 교사들의 이야기를 하고자 한다.

온라인 수업 운영이란 온라인 수업 환경에서 학습자가 제공된 학습 자료를 가지고 스스로 학습해 나갈 수 있도록 안내하고 지원하는 과정이다. 수업일수와 시수가 감축되면서 3월 3주차부터 학생 자율형에서 교사 관리형으로 전환되었다. 이전에는 학교 홈페이지에 과목별로 학습 자료를 게시하고 담임교사가 학생들의 건강 상태를 확인하는 차원이었다면, 3주차부터는 담당 교사가 학습 자료와 피드백을 제공하는 것이다.

온라인 수업을 준비하면서 가장 우선적으로 고려한 사항은 학생이었다. 학생 입장에서 쉽고 편리하게 학습할 수 있어야 한다는 것이 플랫폼 결정의 기준이었다. 필자가 근무하는 학교는 온라인 개학 결정 전에는 교사들이 자발적으로 EBS 온라인클래스를 개설해 학습 안내와 교과 영상 등을 탑재했지만, 막상 온라인 개학이 결정되니 수업 때마다 학생들이 로그인해야 하는 불편함과 서버가 불안하다는 점을 고려하여 구글 클래스룸으로 전환했다. Zoom 등도 이용해 쌍방향 수업도 진행해 봤으나 매번 이 방식을 사용하는 것은 효과적이지 않다는 결론을 얻었다. 플랫폼을 옮기는 일은, 경험해 본 교사는 알겠지만 쉽지 않은 결정이다. 현재 구축된 환경과 자료를 버리고 학생들에게 다시 안내하고 새로운 환경에 적응시켜야 하는 부담이 크기 때문이다. 그럼에도 불구하고 그때 선택은 탁월했다고 생각한다. 구글 클래스룸은 서버가 안정적이기 때문이다.

내비게이션 없는 길을 가는 듯하면서도 이 모든 과정이 안정적으로 진행될 수 있었던 가장 큰 이유는 전문 지식에 근거한 판단, 자유롭게 의견을 개진할 수 있는 학교 분위기, 합리적 근거를 수용하고 받아들이는 건강한 의사결정 구조가 있었기 때문이다. 특히 학교 내 수평적인 의사결정 구조와 합리적인 업무분장, 교사들의 자발성의 공이 컸다. 교무부는 학생·학부모 사전 안내(가정통신문 배부 등) 및 시간표 운영, 연구부(교육과정부)는 온라인 개학 원격교육 계획 수립, 혁신부는 교원 연수 및 기자재 신청, 교육정보부는 원격교육 플랫폼 선정·테스트 및 학생 원격 수업 준비 상황 점검을 담당했다.

가장 중요한 역할을 담당한 것은 각 학년부다. 학년부에서는 학생과 학부모 소통 체계를 구축하고, 교과서 및 학습꾸러미 배부 등을 진행했다. 또 온라인 수업을 운영하며 발견한 문제점과 학생들이 필요로 하는 사항을 빠르게 발견해 대안을 제시하곤 했다. 이런 점에서 코로나19 사태 동안 어느 학교에서든 학년 체제의 역할이 빛났다고 생각한다. 교육부·교육청 지침 없이도 출결 관리, 학습 상태 확인, 효과적인 학습 피드백 방법 등 자발적인 제안은 학년부에서 비롯되었고, 이를 기준으로 업무부서의 일도 진행되었다. 에듀테크에 익숙한 교사들은 자발적으로 연수를 맡아 동영상 제작 방법, 클래스룸 및 쌍방향 프로그램 사용 방법 등을 알려 주었다. 이 기간 동안 교사들이 경험한 협력의 짜릿함, 집단 효능감은 최고였다고 생각한다.

온라인 수업이 시작되면서 학년 교무실은 수업 진행 중 발견한 소소한 정보와 아직 만나지도 못한 학생들의 성향과 관심사를 동료 교사와 묻고 나누며 학생 과제에 피드백하는 진지한 수업 연구 분위기가 자연스럽게 조성되었다. 학년부에서 가장 고심한 부분은 '학생들을 어떻게 참여시킬 것인가'였는데, 학교에 전교생의 계정을 생성했고, 담임교사가 학생 아이디와 비밀번호를 개별적으로 전화하여 안내했다. 그 후 구글 클래스룸 가입 방법을 유인물과 학생용 영상으로 만들어 학급 단톡방과 메시지로 알리고, 학교 홈페이지에 탑재하는 등 정성스러운 작업이 계속되었다.

주 단위로 온라인 수업 풍경이 다른데, 첫째 주는 학생 적응을 위한 참여 독려가 주 관심사였다면, 둘째 주는 진지한 태도로 학습하는 학생들을 보며 온라인 수업이 진짜 되는구나, 하고 이 수업의 장점에 감격하는 모습이었다. 셋째 주는 동영상 제작이 어느 정도 익숙해져 학생 과제를 어느 정도까지 피드백해야 하는지에 대한 고민도 보였다. 학생 과제물을 답글로 피드백하다 보면 하루 종일 자리를 떠나지 못하다가 결국 밤에 수업 동영상을 찍게 되니 온종일 온라인 수업에 매달려야 했다. 넷째 주가 되니 학습의 지속성이 떨어지는 것이 느껴졌다. 이를 위해 교과 교사도 학생에게 개별적으로 전화 연락을 하는 상황이 되었다. 첫째 주는 학년부가 콜센터 같았다면, 넷째 주는 전 교무실의 콜센터화였다.

온라인 수업을 진행해 보니 학생들 얼굴 표정은 볼 수는 없지만, 과제 확인을 통해 학습자가 무엇을 이해하고, 어떤 점이 필요한지를 더 정확하게 알 수 있는 장점이 있었다. 등교 수업 중에는 생활지도나 부수적인 갈등으로 학생의 학습에 집중할 수 없었는데, 온라인 수업에서는 학생과 교사 간 학습적 상호작용이 더 구체적이고, 학생도 과제 수행 시 문장으로 자신의 생각을 정리해서 제출하니 학습 정도를 더 확실하게 확인할 수 있었다. 온라인 수업 초기에는 같은 시간 동시에 진행되는 쌍방향 수업이 더 효율적이라고 생각했을지 모르겠다. 그러나 경험상 같은 시간 동시에 학습했다고 학습 효과가 더 크진 않다.

또한 시간에 대해 좀 더 여유를 가지고 학습자를 지켜볼 수 있다는 점이 기존 등교 수업이 해 볼 수 없는 부분도 보완하고 있다는 생각이 들었다. 예를 들면, 평소 아무리 지도해도 아침에 일찍 일어나지 못하는 학생이 있었다. 가정에서도 등교를 도울 사람이 없어 애가 타던 학생인데, 온라인 수업은 이 학생에게 더 유리한 수업 형태였다. 등교 수업 시에는 매일 6교시에 등교해서 7교시까지만 참여해 학습 결손이 누적되었다면, 온라인 수업에서는 좀 늦더라도 수업에 다 참여하고 과제까지 제출하는 모습을 보면서 시간에 구애받지 않는 배움과 이를 인정하는 제도적 장치의 필요성을 느꼈다.

온라인 수업은 그동안 수업에 적용하던 시간과 공간에 대한 생각을 바꿔야만 하고, 이를 운영할 새로운 질서도 필요하다. 교사 입장에서 오랫동안 변하지 않았던 학교 시스템을 낯선 상황에서 해석하고 적용해야 하는 상황이 부담스럽지만, 다르게 생각하면 수업의 본질이 무엇인지 고민하는 계기가 되었다. 학생의 배움이 교실에서 자리만 지킨다고 저절로 채워지는 것이 아닌 것처럼, 온라인상에서도 클릭 한 번으로 수업을 인정해야 하는지, 진짜 배움이 일어났는지 과제를 통해 확인할 것인지, 이런 문제를 출결과 등교 개학 시 어떤 방법으로 평가에 녹여낼 수 있는지 등이 앞으로의 과제라고 생각한다.

온라인 수업이 두려운 교사들

교육부에서 온라인 수업 형태를 제시할 당시 학교는 웹캠, 마이크, 와이파이 등 최소한의 시설조차 갖추지 못한 상태였다. 그럼에도 불구하고 교사들 사이에서 가장 큰 우려는 초상권, 개인정보보호, 저작권 등의 문제였다. 실시간 화상 수업이든, 동영상 제작 활용 수업이든 학생 정보와 학습활동이 그대로 노출되기 때문이다. 학교폭력 상당수가 온라인으로 이뤄진다는 점을 생각하면 충분히 예상되는 문제다. 쌍방향 수업 시 화면 캡처 및 채팅을 통한 학교폭력이나 유출된 자료가 범죄에 이용될 수 있는 문제 등 우려가 많았다.

영상 자료 제작도 교사들은 수업에만 전념할 수 있도록 영상 편집 프로그램, 글자 폰트, 이미지, 음원 등과 관련된 저작권 문제가 해결되길 바랐지만 교육부·교육청의 지원은 안내자료 배포 수준에 머물러 학습 자료를 안심하고 제작할 수 있도록 지원했다기보다 문제가 발생하지 않도록 단속한 측면이 있다. 교육부·교육청의 이런 미온적인 태도는 온라인 수업에 적극적인 자세를 취하던 교사들도 소극적인 자세로 변하게 했고, 지침과 공문대로 처신하고 EBS 콘텐츠만 활용하라는 신호로 비춰지기도 했다.

물론 교사들의 디지털 리터러시(digital literacy)[23]도 문제가 되었다. 교사 안에서도 세대 간 격차가 있었고, 이를 적극적으로 해소하려는 교사가 있는가 하면 그렇지 않은 교사도 있었다. 그럼에도 불구하고 대부분의 교사들은 빠른 속도로 이를 극복했고, 안정적으로 온라인 수업을 준비했다. 그동안 EBS에서 제작된 풍부한 영상 콘텐츠도 이 위기 상황에

---

23 디지털 기기를 활용하여 원하는 작업을 실행하고 필요한 정보를 얻을 수 있는 지식과 능력을 말한다.

서 큰 힘이 되었다. 교사들이 저작권에서 자유로운 무료 프로그램을 활용하여 인트로(수업 초기 영상) 제작 방법과 영상을 공유하는 속도로 보건데, 저작권 문제만 해결된다면 앞으로 온라인 수업 영상의 질은 확실히 더 높아질 것이다. 앞으로 미래교육을 위해서라도 이 부분에 대한 사회적 합의가 적극적으로 진행되었으면 하는 바람이다.

온라인 수업을 준비하는 교사 간 갈등

열악한 환경에도 불구하고 개인 비용으로 웹캠, 마이크, 태블릿 펜 등을 구입하고 학생들을 위해 무엇이든 해 보자는 교사들도 있었지만, 모두 같은 목소리는 아니었다. 어느 교사 커뮤니티에는 할 수 없는 상황을 어떻게든 극복할 것이 아니라, 할 수 없음을 알려야 장기적으로 열악한 교육 환경이 개선될 것이라는 글이 올라와 교사들 사이에서 화제가 되기도 했다. 10년 넘은 컴퓨터, 와이파이 안 되는 환경, 태블릿 PC 하나 없는 학교 현장에서 교사가 못해서 안 하는 게 아니라, 할 수 없는 상황임을 보여 주어야 한다는 것이다. 학생들을 생각해 열악한 상황을 개인적으로 어떻게든 극복하면 그게 당연한 줄 알고 도리어 더 큰 책임을 전가하는 교육부에 대한 우려를 표명하며, 온라인 수업을 무조건 안 하자는 것이 아니라 지금 할 수 있는 상황에서 할 수 있는 만큼만 해야 장기적으로 근본적인 대책이 나온다는 것이다.

자발성과 창의성을 발휘한 교사에게 그동안 존경과 존중이 없었다는 점을 지적한 글이었다. 하지만 또 일부에서는 이 글을 두고 수업을 하향 평준화하자는 의미냐며 회의적인 목소리도 있었다. 위 글에 근거해서 어느 한 교사만 잘하면 다른 교사들에 대한 민원이 생길 수 있으니 튀지 말자는 주장도 있었다. 자발적으로 온라인 수업 플랫폼을 정하고 학습 자료를 제작하며 어려운 상황에서 학생들에게 최선을 다하려는 교사들의 의욕을 꺾는 동료 교사도 있었던 것이다.

어느 조직에서나 변화를 선도하는 그룹이 있고, 주저하는 그룹이 있다. 모두 각기 논리가 있겠지만, 교사의 경우는 학생의 학습 앞에 서면 선택의 여지가 없다. 갈등은 있었으나 이 갈등에서 새롭게 신세대 교사들의 활약이 두드러졌고, 학교 안 리더십의 문제도 다시 생각해 봐야 할 주제가 되었다. 코로나19 이후 학교 안 리더십은 이 기간 보여 준 역량과 자발성에 의해 크게 달라질 것이라 예상된다.

교사 집단지성 발휘 양상

코로나19 정국은 전국의 모든 교사에게 온라인 수업이라는 동일한 과제를 부여했다. 한 번도 경험하지 못했던 온라인 수업이야말로 초복합성(super complexity)을 가진 상황으로, 집단적인 작업을 통한 협력과 집단지성이 요구되었다. 교사들 사이에서 온라인 수업을 두고 갑론을박도 있었지만, 1차 개학 연기 때부터 각종 교사 커뮤니티에는 온라인 수업에 필요한 정보가 쏟아졌다.

전국의 교사들이 참여할 수 있는 업무별 오픈 채팅방도 개설되었다. 전국 단위로 연구부, 교무부, 정보부, 온라인 지원, 구글 클래스룸 지원 등 다양한 정보가 공유되면서 전국 학교의 상황과 교육청별 정책이 한자리에서 정리가 되었다. 또한 온라인 개학에 필요한 문제들이 다양한 지역과 경험을 가진 교사들에 의해 해결되어 갔다. 원격 수업 선도학교 사례, 각 플랫폼에 대한 장단점, 영상 제작·편집, 쌍방향 도구 사용법, 저작권 문제, 창의적 체험활동 자료, 학생과 소통할 수 있는 효과적인 방법, 학생용 안내 영상, 교사용 안내 영상까지 교사들의 집단지성이 매 순간 발휘되었다.

무에서 유를 창조하는 대한민국 교사들 덕분에 교육부는 미래교육 도약의 디딤돌로서 원격교육 정책을 추진하겠다고 한다. 누군가 대한민국 교사들은 우주선 만들어 달나라에 보낼 판이라더니, 진짜 우주선 부품을 하나씩 찾아 맞춰 가는 과정처럼 보였던 온라인 수업 한 달의 시간이었다. 이번에 경험한 이 협력의 손맛을 많은 교사들은 기억할 것이다. 코로나19 이후 학교에서의 협력을 어떻게 지원할 것인가에 대한 통찰이 미래교육의 중요한 성공 열쇠가 될 것이다.

온라인 수업 기술보다 철학이

온라인 개학 전부터 담임교사들은 학생 건강 관리 및 학습 과제 안내를 위해 연락을 취했으나 정규수업도 아닌 학습에 참여하는 학생은 많지 않았다. 이런 점이 온라인 개학 시 교사들이 가장 우려한 사항이었다. 고등학생의 경우 학생이 학습하겠다는 동기만 있다면 코로나19 상황은 정시 준비를 위한 절호의 기회가 될 수도 있다. 하지만 온라인 수업이 성공하기 위해서는 학생의 학습 동기, 자기주도적 학습 능력 및 자기 관리가 중요한데, 이는 학습의 양극화가 발생할 수 있다는 점도 시사한다.

이런 부분을 보완하기 위해서 우선적으로 학부모와의 충분한 소통이 필요하다. 또한 온라인 수업이 부담스러운 학생을 이해하고 기다려 주는 배려, 온라인이기 때문에 발생하는 소통의 한계 등을 이해해야 한다. 온라인 수업의 핵심은 플랫폼과 첨단기술이 아니라, 학생과 어떻게 소통하고 피드백할지, 교육과정은 어떻게 재구성할지가 더 중요하기 때문에 오프라인 방식을 온라인에 적용하려 해서도 안 된다. 출결과 시간표 운영으로 잡음도 있었지만, 모두 오프라인 수업과 온라인 수업의 특성을 알지 못하고 기존 방식을 똑같이 적용해야 한다는 강박의 결과다. 같은 시간대에 실시되는 쌍방향 수업이 아닌데도 수업 교환, 교사 출장에 따른 결보강을 적용하려고 했다. 학습 내용보다 출결에 더 초점이 맞춰진 온라인 수업, 학생이 수업을 얼마나 이해하고 참여하였는가보다는 출결 여부가 더 중요했던 것이다.

온라인 수업은 단편적으로 볼 때는 기술을 먼저 선점한 사람들이 성공적으로 잘 운영하는 것처럼 보일지 모른다. 하지만 그렇지 않다. 기술도 함께 배우고 공유했기 때문이었고, 그 전제는 함께하고자 하는 마음, 사람에 대한 존중과 협력이 있었기 때문이다. 온라인 수업이 장기간 성공적으로 운영되길 바란다면, 수업의 본질을 충실히 담을 수 있는 시스템 적용을 고민해야 한다. 소외되는 학생은 없는지, 혼자 학습하는 학생이 소화할 수 있는 범위의 학습 내용인지 등 온라인에서 더 많은 배려와 섬세한 수업 설계가 필요할 것이다.

입시 일정에서 자유로울 수 없는 학생 안전

고3 학생에게 3월 모의고사는 '대입 가늠자'로 여겨지는 중요한 시험이다. 이 시험이 다섯 차례 연기된 후 2020년 4월 24일 등교하여 전국연합학력평가를 치르기로 했지만 결국 무산됐다. 처음 교육부는 등교 시험 여부를 시·도 교육청이 협의해 결정하라고 했지만, 시험 직전에 재택 시험으로 변경했다. 이로 인해 학생들은 아침 일찍 학교에서 문제지를 받아와 집에서 시험에 응시하고, 오후 6시 이후 공개되는 정답을 보고 자율적으로 채점하게 되었다. 때문에 이 시험은 '가늠자'로서의 역할을 상실했다. 하지만 그날 학교는 이 시험을 위해 아침 일찍 문제지를 받으러 온 학생들의 발열을 확인하며 학생 간 대면을 최소화하기 위한 대책을 마련해야 했다. 또 시험에 응시하지 않는 학생들을 위해서 온라인 수업도 진행했다. 학생의 안전을 생각한다면 당연한 조치지만 이 과정 또한 순조롭지 않았다. 전북교육감은 개인 SNS에서 교육부가 처음에는 지역교육청에서 자율적으로 결정하라더니 전북교육청이 철저히 대비한 뒤 등교 시험 입장에 의사를 표하자 갑자기 '불가' 공문을 내렸다면서 '기만행정'이라고 비판했다. 코로나19 확진자가 적은 전북 입장에서는 등교 시험을 고려해 볼 만도 했을 것이다.

5월 11일 이태원 관련 감염 확산에도 불구하고 고3은 5월 20일 등교가 결정되었다. 수능과 입시 일정을 고려할 때 이 기간을 넘기면 많은 부분이 어려워지기 때문이다. 하지만 무엇보다 의문스러운 점은 코로나19 감염 우려로 등교 후에도 안전이 보장되지 않으며, 뚜렷한 대책도 없는 상황에서 입시가 학생의 안전보다 중요한 것인지, 언제쯤이면 우리 교육이 대입에서 자유로워질 수 있을지 하는 것이다. 오랫동안 한국 교육은 길을 찾지 못하고 학생들을 고달프게 했다. 코로나19 사태를 통해 사회 전반에 생명과 안전, 교육과 인간 존엄에 대한 숙의(熟議)가 이루어지길 바란다.

올해 고3은 우리 교육계에서 상징적인 학생들이다. 자유학기제 첫 세대이며, 선거권을 가진 첫 학생들이다. 당장 대입을 앞두고 있는 고3에게 지금 코로나19가 어떤 의미인지 묻고 싶다. 코로나19가 종식된 사회는 어떤 사회이길 바라는지도.

코로나19 이후
대학 교육

3월의 캠퍼스는 아직 쌀쌀하지만 새내기들의 설렘과 활기로 가득 채워졌고, 4월의 캠퍼스는 울긋불긋 핀 꽃들 사이로 쉴 새 없이 카메라 셔터를 눌러 대는 상춘객으로 붐볐다. 그리고 신록이 우거지는 5월의 캠퍼스는 중간고사 뒤의 여유와 함께 대동제(帶同祭)라 불리는 대학 축제 속에 젊음의 열정과 환호로 물들었다.

그러나 2020년 5월 현재 대학 캠퍼스는 마스크를 쓰고 종종걸음을 옮기는 교직원과 이따금 지나가는 자동차 소리만 들린다. 대학의 주인이라고 할 수 있는 학생들의 모습은 쉽사리 찾기가 힘들다. 코로나19는 한국전쟁 중에도 천막학교를 운영했을 정도의 교육열을 자랑하던 우리나라 학교의 문을 닫게 했다. 초등학교에서 대학까지 약 800만 명이 넘는 학생들은 사상 초유의 '온라인 개학'을 맞이했고, 5월 18일 현재까지 일부 대학 수업을 제외하고 온라인 수업은 계속되고 있다.

국내 대학은 코로나19의 확산에 따라 교육부 권고대로 3월 초가 아닌 3월 16일에 온라인 형태로 2020학년도 1학기 개강을 하였다. 애초 온라인 강의를 2~3주간 운영한 후 코로나19의 기세가 누그러지면 대면 강의로 전환하려는 계획이었으나 3월 말, 4월 초에 접어들어서도 감염증의 전파 속도가 쉽사리 안정화되지 않자 울산과학기술원(UNIST)을 시작으로 서울대·건국대·이화여대 등이 1학기 전체를 온라인 강의로 진행한다고 발표했다. 한국사립대학총장협의회에 따르면 5월 7일 기준으로 전국 193개 4년제 대학(국공립대 40개, 사립대 153개) 중 73개 대학(37.8%)이 코로나19 상황이 안정될 때까지 비대면 강의를 지속하기로 했으며, 62개 대학(32.1%)이 1학기 전체를 비대면 강의로 대체하여 국내 4년제 대학 중 135개 학교(69.9%)가 사실상 1학기 수업 전체를 온라인으로 진행하기로 하였다.[24]

코로나19가 전 세계적으로 확산되면서 세계보건기구(WHO)는 지난 3월 11일(스위스 현지 시간 11시)에 결국 '팬데믹'을 선언했다. 가장 최근에 발령되었던 팬데믹 선언은 2009년 신종 인플루엔자A(H1N1)로, 당시 214개국에서 환자가 발생하여 1만 8,500명이 사망한 것으로 알려져 있다. 이처럼 전 세계를 공포에 빠뜨린 코로나19는 지난 1월 20일에

---

24 다만 많은 대학에서 실험, 실습 등이 필수적인 의료, 예술계열 등의 수업에 대해서는 제한적으로 대면 강의를 허용하고 있다.

국내 첫 확진자가 발생하며 우리에게도 뉴스가 아닌 현실이 되었다. 이후 국내 확진자 수는 점차 증가하였고, 대구·경북 지역 특정 종교 단체에서 집단 감염이 발생한 2월 말에는 일별 신규 확진자가 909명에 이를 만큼 사회적 공포가 극에 달하였다. 다행히도 4월 중순부터는 일별 신규 확진자 수가 10여 명 내외로 줄어들었고, 5월에 접어들어서는 해외 유입을 제외한 지역 발생 건수가 '0'인 날이 늘고 있다.[25]

마이크로소프트(MS)의 창업자이자 빌&멜린다 게이츠 재단 이사장인 빌 게이츠는 한 토크쇼에 출연하여 "한국의 코로나19 대응을 미국의 본보기로 삼아야 한다."고 말했다. 그가 주목한 부분은 신속한 진단검사 부분이었으며, "한국은 검사, 격리 조치, 동선 추적 등이 유기적으로 운영되어 감염 대응에 성공했으며, 특히 코로나19 검사 결과가 24시간 이내에 나오는 점을 배워야 한다."고 언급했다. 3월 중순 이후 우리나라는 프랑스 마크롱 대통령, 캐나다 트뤼도 총리, 콜롬비아 두케 대통령 등 10개국 이상의 정상으로부터 앞다투어 코로나19 대응 협조 및 방역물품 지원을 요청받았다. 이처럼 대한민국이 코로나19에 대응을 잘하고 있다는 찬사가 이어지는 가운데, 필자는 문득 지난 2015년 5월 중동호흡기증후군(메르스) 사태 때 초기 대응에 실패하여 홍역을 치렀던 기억이 떠오른다. 당시 우리나라는 국내 메르스 치사율이 20.4%에 이를 정

---

25 지난 5월 6일에 서울 이태원 클럽 관련 확진자 발생 후 열흘 동안 200명 이상의 확진자가 추가로 발생하였다. 코로나19는 여전히 진행 중이다.

도로 심각한 상황을 겪었다. 하지만 메르스 종식 후 질병관리본부장을 차관급으로 격상시키고,[26] 감염병 법안 마련 및 업무의 효율화를 위한 직제개편 작업을 서두르는 등 메르스 때의 전철을 밟지 않기 위하여 철저한 준비를 해 왔고, 그 덕분에 코로나19 사태는 매뉴얼에 따라 차분히 대응하고 있다.

『총, 균, 쇠』의 저자로 유명한 세계적인 석학 제러드 다이아몬드(Jared Mason Diamond)는 "역사적으로 끊임없이 흥망성쇠를 경험한 인류는 위기의 순간 적응하는 존재만이 살아남을 수 있었다. 따라서 끝없이 변화하고 진화해야 한다."고 말했다. 우리가 살아가고 있는 이 세상은 점점 더 빠른 속도로 변화하고 있으며, 인류는 과학과 기술의 발전을 통해 시시각각 변화하는 외부 환경에 대응해 왔다. 우리는 인류의 역사와 경험을 통해 변화된 환경에 적극적·능동적으로 대응한 분야만이 발전과 혁신을 이루어 왔음을 목도하였다. 교육 분야 역시 변화의 흐름에서 예외일 수 없다. 특히 창의적·독창적 지식이 주도하는 글로벌 경쟁 사회에서 교육과 연구를 바탕으로 사회 발전과 인적자원 개발의 역할을 하는 고등교육의 중요성은 어느 때보다 강조되고 있다. 이 장에서는 코로나19 시대 우리나라 대학의 대응 모습과 함께, 변혁(變革)의 시대에 대학 교육이 추구해야 할 가치 및 나아가야 할 방향에 대해 살펴보려 한다.

---

26 추가적으로 문재인 대통령 취임 3주년 특별연설에는 질병관리본부를 '질병관리청'으로 승격하여 전문성과 독립성을 강화하겠다는 내용이 담겨 있었다.

코로나19 시대 대학의 개강

코로나19가 가져온 비대면 온라인 교육

3월 16일, 코로나19의 확산 속에 대학별로 2주 미뤄진 온라인 개강이 이루어졌다. 온라인 강의 첫날, 서울대·고려대·중앙대·한국외대 등 서울 주요 대학의 학교 서버가 다운되거나 접속 오류가 발생했다. 이는 각 대학별로 제공하는 온라인 수업 지원 시스템에 한꺼번에 많은 수강생이 몰리면서 벌어졌다. 온라인 화상 강의 도중에는 스피커를 통해 들려오는 물 마시는 소리, 재채기 소리, 개 짖는 소리 등으로 수업을 제대로 듣지 못하는 일이 빈번하게 발생했다. 서울의 한 대학에서는 수강생에게만 전달되는 강의 사이트 링크를 한 학생이 외부인에게 팔았다가 발각됐다. 한편 온라인 콘텐츠 사용에 익숙하지 않았던 일부 교수 및 강사들의 경우 약속된 시간에 강의를 시작하지 못하는 일도 속출했다. 대학에서 온라인 강의를 시작한 지 두 달이 지나가는 지금 시점에는 학생·교수·학교 모두 어느 정도 안정세를 찾아가는 모습이지만, 사상 처음으로 백퍼센트 온라인으로만 진행되는 강의 체제에 대학에서 발생하는 크고 작은 혼선은 연일 언론을 통해 보도되었다.

현재 대학에서 진행되고 있는 온라인 수업 방법은 크게 '영상 및 음성 녹화'와 '라이브 스트리밍 서비스' 2가지로 나눌 수 있다. 교수가 강의하는 모습을 촬영한 뒤 학생들에게 동영상을 제공하거나 파워포인트 등으로 작성된 강의 자료에 음성 설명을 추가하는 방식이 전자다. 동영상 강의는 중·고등학교 시절 이미 인터넷 강의를 경험한 학생들에게는 익숙한 방식으로, 원하는 시간에 반복하여 강의를 이용할 수 있다는 장점이 있다. 반면에 강의실에서 이루어지는 대면 수업과는 달리 쌍방향 소통이 어렵다는 단점이 있다.

학생들과 교수가 한 채널에 접속하여 수업을 진행하는 라이브 스트리밍 서비스를 위해서는 Zoom과 Webex 등의 플랫폼과 웹카메라, 마이크가 필수적이다. 교수는 대면 수업과 유사하게 강의를 진행할 수 있으며, 질문이 있는 학생은 마이크로 얘기하거나 실시간 채팅창에 질문 내용을 적을 수 있다. 학생의 질문은 교수와 다른 수강생 모두에게 실시간으로 전달된다. 물론 질문이 교수에게만 보이도록 설정할 수도 있다. 라이브 스트리밍 방식의 경우 교수가 학생들의 반응을 즉각적으로 파악할 수 있다는 장점이 있다. 또한 현장 강의에선 다른 학생들의 눈치를 보면서 질문을 망설이는 경우가 많은데, 온라인 강의에선 비공개로 질문할 수 있기 때문인지 질문이 증가한다는 긍정적인 반응도 있다. 다만, 교수 대부분이 스트리밍 방식의 강의가 처음인 데다, 평소 마이크와 캠을 사용할 일이 많지 않다 보니 웃지 못할 실수가 발생하기도 했다. 교수가 마이크를 켜지 않은 채로 수업을 한다든지, 모니터 화면을 '거울모드'로 설정해 영상이 뒤집힌 상태에서 칠판에 수업 내용을 적거나, 캠이 켜진 걸 모르고 수업 전 흡연을 해 그 장면이 학생들에게 송출되는 등 크고 작은 실수들이 연출되었다.

국내 대학의 온라인 강의 역사

코로나19로 인한 대학에서의 전면 비대면 강의는 처음이지만, 교육 현장에서 온라인 강의 자체는 새롭지 않은 플랫폼이다. 지난 1990년대 후반부터 초고속 인터넷망이 빠르게 보급되었고, 이 시기에 태어난 현재 대학생들[27]에게 인터넷 강의 형태의 온라인 교육은 중·고등학교를 거치며 이미 충분히 경험해 본 수업 방식이다. 단지 대학에서 온라인 교육이 전면적으로 행해지고 있다는 사실만이 다소 낯설 뿐이다.

온라인을 통한 비대면 수업은 교육 분야에 ICT가 도입된 2000년 초반에 본격적으로 시작되었다. 정부 주도로 1996년부터 본격적으로 추진한 교육정보화를 통해 2000년대 들어 사이버 가정학습, 이러닝(e-learning)이 보편화되기 시작하였다. 이 시기는 주로 온라인 플랫폼을 통해 수업 내용을 전달하는 형태였으며, 강좌에 필요한 강의 자료를 제공하거나 온라인 토론의 공간으로 주로 활용되었다. 이후 2000년대 중반부터 이러닝의 질적 성장에 집중하여 학습 관리 시스템(LMS, Learning Management System)과 콘텐츠 관리 시스템(CMS, Contents Management System)이 주목받기 시작했다. LMS는 교수·학습 과정에서 일어나는 다양한 활동을 교수자와 학습자가 편리하게 관리할 수 있도록 지원하는 시스템으로, 이러닝·온라인 교육·학습 분석학 등에 중추적인 역할

---

27 1990년대 중반 이후 출생한 사람들을 흔히 'Z세대'라고 부른다. 이들은 아날로그를 경험하지 못하고 태어난 순간부터 디지털 문화와 기기를 접하고 소비한 '디지털 원주민(digital native)'이다.

을 한다. 근래에는 소셜네트워크 기반 경쟁을 통한 동기 부여(소셜 및 게임화), 교사·학생·학부모·관리자 등 역할에 맞는 사용자 구분 및 관리(사용자 관리), 온라인상의 가상 클래스 개설 및 등록, 참여자 관리(가상 교실), 수업에 대한 교수자 및 학생들의 반응 수집 및 대응(설문 및 피드백 관리), 팀 기반 학습의 도구(소통 및 협업) 등 단순한 학습 관리 기능을 넘어 통합적인 역량 관리 시스템으로 진화하고 있다. 현재 블랙보드(Blackboard), 무들(Moodle), 에드모도(Edmodo) 등이 교육계에서 많이 활용되고 있는 시스템으로 알려져 있다.

온라인 강의에 대한 학생들의 반응

"이 정도 수준의 강의라면 대학이 등록금을 돌려줘야 한다고 생각한다."

"20년도 지난 예전 동영상 링크 하나 달랑 보내 주고 그게 한 주 수업이었다."

대학에서 온라인 강의가 시작되고 두 주를 보낸 학생들의 반응은 대체로 부정적이었다. 사전에 계획된 온라인 수업이 아닌 1~2주 만에 급하게 마련된 수업이다 보니 교수나 학교 모두 충분히 준비할 시간이 부족하였고, 특히 평소 IT 매체 운용에 익숙하지 않았던 교수들에게는 쉽지 않은 도전이었으리라 짐작이 된다. 이런 점을 감안하더라도 온라인 개강 초 학생들의 불만은 예상을 뛰어넘는 수준이었다. 전국 27개 대학 총학생회 연대 단체 전국대학학생회네트워크(전대넷)는 국내 203개 대학에 재학 중인 학생 2만 1,784명을 대상으로 2020학년도 1학기 온라인 강의에 대한 설문을 진행하였고, 전체의 6.8%만이 온라인 강의에 만족한다고 응답하였다.

　대학에서 이루어지고 있는 온라인 수업의 질에 대한 불만을 많은 대학생들이 행동으로 옮기고 있다. 전대넷의 설문조사를 살펴보면 '상반기 등록금 반환이 필요하다.'고 답한 응답자 비율이 99.2%에 달했다. 등록금 반환의 형태로는 '납부한 등록금의 반환·환급' 요구가 87.4%로 대다수였고, '학교별 현황에 따라 학생 형편에 맞는 장학금 지급'에는 11.0%만이 동의했다. 등록금 반환 규모로는 전체 등록금의 '절반' 55%, '20~30% 반환' 28.4%, '전액' 9.5%로 나타났다. 이렇듯 대학생들의 날선 반응은 코로나19로 인하여 '불필요한 월세·기숙사비 지출', '일자리 구직난', '불필요한 교통비 지출' 등 이중 삼중의 경제적 부담이 더해지는 반면 온라인 수업의 질이 만족스럽지 못하고, 학사운영 또한 원활치 않았기 때문으로 여겨진다.

　이공계 대학생·대학원생 766명, 교수·강사 395명 등 총 1,161명을 대상으로 국가 지정 5개 분야 전문 연구정보센터[28]가 공동으로 진행한 한 설문조사에서는 학생들과 교수진 모두 대체로 온라인 강의가 편리하지만, 강의 수준은 대면 강의와 비슷하거나 다소 좋지 않다는 반응이었다. 이 설문조사에서 눈에 띄는 점은, 가장 선호하는 온라인 강의 형

28　기계·로봇연구정보센터(MERRIC), 생물학연구정보센터(BRIC), 의과학연구정보센터(MedRIC), 전자정보연구정보센터(EIRIC), 한의약융합연구정보센터(KMCRIC)

태로 '녹화된 강의'가 55%로 가장 높은 응답을 보였으며, 가장 선호하지 않는 강의 형태로 '단순 수업 자료 업로드'가 44%였다는 점이다. 단순히 수업 자료만 제공하는 방식에 대한 선호도가 낮은 것은 쉽게 이해할 수 있으나, 대면 강의와 유사한 라이브 스트리밍 방식에 비해 동영상 강의에 대한 선호도가 높다는 점은 의외였다. 학생들과 교수들 모두 라이브 스트리밍 방식보다 상대적으로 익숙한 녹화 강의 방식의 선호도가 높았으며, 특히 학생들의 응답 비율이 높았다. 이는 많은 학생들이 시공간의 자유로움을 누릴 수 있고, 동영상 강의를 반복 청취할 수 있다는 점에서 동영상 강의를 긍정적으로 평가한 반면, 교수와의 온라인 대면을 편하지 않게 생각하는 경향이 많이 있기 때문이라 여겨진다. 온라인 공간에서 학생들과 마주하는 것에 대해 많은 교수들 역시 어색하다는 반응을 보였다.

여러 조사를 통해 온라인 강의에 대한 부정적인 반응이 표출되고 있지만, 일부 대학에서는 체계적으로 설계된 온라인 강의를 제공하여 학생들에게 호응을 얻고 있다. 광주과학기술원(GIST)이 학부생 739명을 대상으로 자체 시행한 조사에 따르면 '대학 측의 온라인 수강 지원'에 대하여 67.3%가 긍정적으로 답했으며, '교수들이 온라인 수업을 위해 노력하고 있느냐'는 질문에 92.3%가 '긍정' 답변을 했다.[29] 온라인 강의의 만

---

29   이 설문조사는 부정 수치부터 긍정 수치까지 총 7단계 척도로 구성되어 있으며, 편의상 1~3점은 부정, 4점은 중간, 5~7은 긍정 답변으로 구분했다.

족스러운 점으로 예습·복습 등이 시간·장소에 구애받지 않고 자유롭다는 점과 수업에서의 질의응답과 토론 등이 늘었다는 점을 들었다.

온라인 강의에 대한 교수(강사)의 반응

"1, 2월 방학 중에 새 학기 강의 준비는 이미 끝났죠. 문제는 온라인 강의에서 이 콘텐츠를 어떻게 구현하느냐인데, 저희가 전문 유튜버도 아니고 어려움이 많습니다."

"학교에서 주는 10장짜리 안내서만 보고 난생 처음 동영상을 만들고 있다. 동영상을 다 만들고 저장하는 과정에서 에러가 발생하여 처음부터 다시 만들기도 했다."

2월 말, 온라인 강의를 준비하라는 대학 측의 갑작스런 방침에 교수 사회 역시 술렁였다. 기존에 온라인 강의를 운영해 본 경험이 있거나 IT 매체 운용이 능한 교수들에게는 전면 온라인 강의가 큰 문제가 아닐 수 있으나, 디지털보다는 아날로그에 익숙한 대부분의 교수들에게는 쉽지 않은 도전이 되고 있다. 교수들이 어려움을 겪었던 이유 중 하나는 비대면 온라인 강의로의 결정이 개강 날짜에 너무 임박하여 이루어졌다는 점이다. 처음 비대면 온라인 강의가 결정되었을 때는 한시적으로 개강후 2주 시행 계획이었으나, 코로나19의 기세가 수그러들 기미가 보이지 않자 추가 3주 시행, 이후 1학기 전체 비대면 강의로 결정되는 등 임기응변식으로 진행되는 학기 운영 방침에 교수들 역시 갈피를 잡기 어려웠다. 또한 현실적으로 온라인 강의를 준비하는 데 요구되는 시간이 대면 강의에 비해 배 이상 많이 든다. 필자 역시 현재 3학점 동영상 수업 준비를 위해 보통 5~6시간 이상이 소요되는 경험을 하고 있다. 이런 와중에 강의의 질 저하로 수업권을 침해받는다며 학생들로부터 등록금 환불까지 요구받고 있으니 교수 사회 역시 힘겨운 봄학기를 보내고 있다.

그나마 독립된 연구실이 있고 도와줄 조교가 있는 교수들의 사정은 강사들에 비하면 나은 편이다. 강사들은 교수들에 비해 온라인 강의와 관련하여 학교의 지원을 받기 어려워 노트북, 마이크, 카메라 등을 급하게 자비로 구입하는 사례도 많이 발생하고 있다. 여러 학교에 출강하는 시간 강사는 상황이 더욱 열악하다. 이는 학교마다 요구하는 온라인 수업 방식 등이 다르고, 이용하는 플랫폼이 다르기 때문이다. 3~4개 대학에서 한 학기에 10개 가까이 강의하는 시간강사에게 아무런 인적·장비 지원도 없이 동영상을 제작해서 수업을 진행하라고 요구하는 것은 무리일 수밖에 없다.

온라인 강의 운영에 대한 정부 및 대학의 대응
「고등교육법」 제61조(휴업 및 휴교 명령) 제1항은 대학의 휴업 및 개강 연기와 관련하여 "교육부 장관은 재해 등의 긴급한 사유로 정상 수업이 불가능하다고 인정하면 학교의 장에게 휴업을 명할 수 있다."고 규정하고 있다. 또한 동법 제20조(학년도 등) 제1항은 "학교의 학년도(學年度)는 3월 1일부터 다음 연도 2월 말일까지로 한다. 다만, 학교 운영상 필요한 경우에는 학칙으로 다르게 정할 수 있다."고 규정하고 있다. 이에 따라 대학이 통상적인 개강일인 3월 초가 아닌 시기에 학년도를 시작하려면 사전에 학칙을 개정하여 운영할 수 있다.

교육부는 지난 2월 5일에 코로나19의 대학 내 유입을 차단하고, 학생 학습권 보호 및 불안감 해소를 위해 1학기 개강 연기를 각 대학에 권고하였다. 이후 2월 23일에 위기 경보가 '심각'으로 격상되자 3월 2일에 코로나19가 안정될 때까지 집합 수업을 지양하고 재택 수업을 실시하도록 하는 학사운영 권고안을 추가 발표하였다. 교육부 권고안에 따라 많은 대학들이 2~3주 간 개강을 연기하였고 1학기 수업일수를 15주로 조정하였다.[30] 또한 온라인 수업 운영과 관련하여 교육부의 권고안에 따라 2020학년도 1학기에 한하여 원격 수업 개설 제한(20% 이내)을 적용[31]받지 않고 전면 온라인 강의를 시행하고 있으며, 강좌의 형태 및 동영상 등 콘텐츠 재생 시간 기준(1시간당 25분 이상)을 대학이 자율적으로 정하고 있다.

코로나19 발생 초기 대학이 가장 골머리를 앓은 부분이 해외 유학생 관리이다. 이번 코로나19의 발현지가 중국 후베이성 우한이며, 2월 중

---

30 「고등교육법」 제20조 제2항에 따른 동법 시행령 제11조 제2항은 "학교의 수업일수는 매 학년도 30주 이상으로 정하도록" 규정하고 있다. 이에 따라 대학의 1학기 수업일수는 15주 이상으로 편성된다.

31 「고등교육법」 제22조 제2항과 동법 시행령 제14조의2에 따라 일반대학의 원격 수업 교과목은 총 교과목 학점 수의 100분의 20을 초과할 수 없다.

순까지 확진자 수가 8만 명에 육박하는 등 중국으로부터의 전염 가능성에 대한 우려가 큰 상황이었다. 특히 2019년 기준 국내 고등교육기관에 재학 중인 외국인 유학생 160,165명 중 중국인 유학생이 44.4%(71,067명)를 차지하고 있는 현실을 감안하면 방학 중 귀국하였던 학생들이 국내에 복귀할 경우 어떻게 관리해야 할지가 대학의 고심이었다. 교육부는 2월 중순, 중국에 체류 중인 유학생에게 2020학년도 1학기를 원격수업으로 참여하거나 휴학할 것을 적극적으로 권장하였고, 이미 입국했거나 입국 예정인 중국인 유학생에 대해서는 '입국 시', '입국 후 14일 등교 중지', '14일 후 등교 중지 종료' 등 3단계로 나눠 관리하였다.

대학은 소속 지자체와 교육청 등의 협조를 받아 중국인 학생들의 입국 시부터 현황 및 동선을 파악하고 공항에서부터 각 대학이나 기숙사까지 별도로 이동하는 방안을 마련하였다. 또한 중국에서 입국한 유학생의 학생증을 2주간 정지하는 등 학교 시설 출입을 제한하며 기숙사는 1인 1실 배정을 원칙으로 하여 매일 이들의 건강 상태와 외출 여부를 모니터링하기로 했다. 이러한 대학의 유학생 대응책은 많은 학교에서 1학기 전체를 온라인 수업으로 진행하면서 실제 활용되지는 못했다.

코로나19에 따른 해외 대학의 대처

지난 3월 6일, 미국 시애틀에 위치한 워싱턴대학교가 미국 대학 중 가장 먼저 학교를 폐쇄하고 온라인 수업으로 모든 강의를 대체한다고 밝혔다. 이후 우리에게도 잘 알려져 있는 하버드대학교, 프린스턴대학교 등 주요 대학이 하나둘씩 기숙사를 폐쇄하고 전체 강좌를 온라인 수업으로 전환했다. 3월 이후 미국 내에서 코로나19 전파가 급속하게 진행되면서 모든 학교에서 봄방학(spring break) 이후에도 모든 수업은 온라인으로 운영하고 학교는 여전히 폐쇄되어 있다. 미국 대입의 주요 요소 중 하나인 SAT도 3월과 5월 시험이 취소되었으며, 고등학교 재학 중 대학 학점을 미리 취득할 수 있는 AP(Advanced Placement) 시험의 경우도 5월부터 온라인으로 집에서 볼 수 있도록 간소화 절차를 준비 중이다.

코로나19의 상황이 심각한 유럽에서는 영국의 대학은 보건청 지침에 따라 온라인 수업으로 전환하였고, 프랑스 대학은 3월 중순부터 무기한 휴업에 들어간 상태이다. 또한 프랑스의 논술형 대학입학자격시험인 바칼로레아(baccalaureat, 6월 예정)를 취소하고 전국의 모든 시험을 연기하였다.

중국 역시 대부분의 대학에서 온라인으로 수업을 대체하였으며, 가오카오(高考)로 불리는 중국의 대학입학시험 중 3월에 예정되었던 영어 시험이 연기되었다.

최근 감염자 수가 증가하고 있는 일본에서도 온라인 수업이 주를 이루고 있으며, 일부 대학에서는 학생들에게 온라인 수업에 따른 통신비 및 태블릿 PC 구입을 보조하기 위한 지원금을 지급하기로 했다. 일본의 BBT대학교에서는 졸업생을 대신해 졸업 가운을 입고 등장한 로봇의 얼굴에 졸업생의 모습을 띄운 이색 로봇 졸업식이 열리기도 했다.

한편 영국, 미국 대학의 경우 해외 유학생의 지속적인 감소로 등록금 수입이 축소되고 있는 가운데 코로나19의 여파까지 겹치며 많은 대학이 재정 위기에 직면해 있다는 분석도 나오고 있다. 영국의 명문 사립대인 옥스포드대학교의 경우 전체 외국인 유학생 약 12만 명 중 약 4만 8천 명이 중국인 유학생인데, 상당수의 유학생이 등록을 포기함에 따라 약 3만 명의 교직원이 퇴직 위기에 놓였다는 보도가 나오고 있다. 미국의 경우에도 뉴욕대(1만 9,605명), 서던캘리포니아대(1만 6,340명), 노스이스턴대(1만 6,075명), 컬럼비아대(1만 5,897명), 일리노이 어바나 샴페인(1만 3,497명) 순으로 해외 유학생을 많이 유치하고 있으며, 이들 중 약 3분의 1이 중국에서 오고 있다.

5월에 접어든 현 시점에 코로나19의 발원지인 중국은 확연한 안정세이고, 유럽과 북미 등은 아직 진행 중이다. 따라서 미국, 영국을 비롯한 서구의 대학은 해외 유학생에게 온라인을 통해 안전하면서도 가장 효율적인 학습 경험을 제공하기 위하여 대책을 세우고 있다.

그러나 필자의 생각으로는 유학생이 미국, 영국 등의 유명 대학을 찾는 것은 학위를 취득하기 위한 목적도 있지만, 생활에서 그들의 문화를 느껴 보고 해당 대학 프로그램의 고유한 학풍을 경험하고픈 욕구도 중요한 부분이다. 따라서 그들에게 캠퍼스의 강의실이 아닌 온라인 플랫폼으로 가라고 하면 유학은 덜 매력적인 선택이 될 것이다.

포스트 코로나 시대, 대학 교육의 변화

온라인 교육의 질적 성장

필자의 자동차에는 처음부터 블루투스로 연결하여 운전 중 전화 통화를 할 수 있는 기능이 있었다. 하지만 블루투스 연결을 하려면 설명서도 찾아봐야 해서 귀찮기도 했고, 만약 전화가 온다면 스피커폰으로 통화하면 된다고 생각해서 오랫동안 사용하지 않은 기능이었다. 그러던 중 지난해부터 차를 몰고 지방을 다닐 일이 많아지고, 차에 머무는 시간이 늘면서 잊고 지내 왔던 블루투스 전화 통화 방법을 찾아 사용하기 시작했다. 첫 통화를 한 순간 '이것이 신세계구나!' 하는 감동이 왔다. 양손은 핸들에 놓고 안전운전을 할 수 있고, 통화 음성도 분명하게 잘 들렸다. 블루투스 전화 통화를 한번 맛보니 스피커폰 통화로 다시 돌아갈 수 없으리라는 생각이 들었다.

미래사회의 대학 교육이 온라인을 기반으로 진화할 것이라는 전망은 오래전부터 있었고, 온라인을 활용한 교육의 장점도 수없이 언급되어 왔다. 하지만 필자가 차에 있던 블루투스 전화 통화 기능을 사용하지 않았던 것처럼 우리나라의 대학과 교수들은 '온라인이 아니더라도 여태껏 대학 교육이 잘 이루어져 왔는데 굳이 온라인 방식을 사용할 필요가 있을까?' 하는 생각을 많이 해 왔다. 그러나 이제 우리는 온라인 교육 이전으로 돌아갈 수는 없다. 코로나19에 의해 반강제적으로 시작된 교육 형태이지만, 학생·교수·대학 모두 온라인 교육의 달콤함을 맛보았기 때문이다. 작은 전염성 바이러스 때문에 이처럼 전 세계가 급속하게 온라인 교육을 찾고, 이것이 교육 방식의 대세로 자리 잡을 것이라고는 그 누구도 예측하지 못했다.

시공간의 제약 없이 원하는 만큼 반복하여 학습할 수 있고, 대규모로 생산 가능하다는 경제성 등으로 온라인 강의는 2000년대 들어 다양한 형태로 소개되었다. 2012년 하버드대 · MIT · 스탠퍼드대가 공동으로 주창한 공개형 온라인 강좌(MOOC, Massive Open Online Course), 영국 개방대학교(Open University)의 퓨처런(Futurelearn), 2013년 조지아텍의 온라인 석사학위제도(Georgia Tech OMSCS), 유럽의 11개 원격 대학이 참여한 오픈업에드(OpenUpEd) 등이 차례로 등장하였다. 국내에서도 2015년 K-MOOC(Korea Massive Open Online Course) 플랫폼 구축을 바탕으로 많은 대학의 이러닝 콘텐츠를 온라인으로 공개 강의 서비스하고 있다. 이처럼 그동안 크게 주목받지 못하였던 MOOC 등의 공개 온라인 강의도 포스트 코로나 시대에는 온라인 학습과 대면 학습을 병행하여 교육 효과를 극대화할 수 있는 혼합형 학습으로 활용 폭이 크게 늘어날 것이다.

블룸(B. Bloom, 1956)의 교육목표 분류학에 의하면 인지적 교육목표는 지식 · 이해 · 적용 · 분석 · 종합 · 평가의 6단계로 구분할 수 있고, 이들은 위계적으로 조직되어 있다. 이중 비교적 하위 기능인 지식 · 이해 수준은 온라인 강의로도 충분히 도달 가능하고, 반복 학습 등으로 더 효과적일 수 있다. 반면에 개별 요소와 부분을 조합하여 하나의 전체를 새롭게 형성하는 종합과 아이디어·작품·해결책·자료의 가치 등을 판단하는 평가 등 상위 기능은 일방향의 수업이 아닌 쌍방향의 논의, 질의응답, 토론 등을 통해 배양할 수 있다. 따라서 사전에 온라인 콘텐츠를 통해 기본적인 지식을 습득한 후 대면 학습에서는 상호작용이나 심화학습을 통해 보다 고차원적인 능력을 향상시키는 것이 바람직하다.

온라인 학습 자료로 수업 준비를 하고, 오프라인 강의실에서는 토론과 실제 문제 해결에 집중할 수 있게 하는 플립러닝(flipped learning)도 이러한 혼합형 학습의 한 방식이다. 플립러닝은 학습자 경험에 교육과정의 초점을 맞추기 때문에 학생들이 능동적인 참여를 통해 지적인 성장을 추구하기에 유리하다. 이 대안적 교수·학습 방법은 미국을 비롯한 세계 주요 대학에서 점차 확산되고 있는 추세이다. 국내에서는 KAIST에서 약 10여 년 전부터 온라인 학습 관리 시스템(KLMS, KAIST Learning Management System)을 도입해 운영해 오고 있으며, 플립러닝을 핵심 학습법으로 활용하고 있다. 예를 들어, 교수가 동영상 강의를 온라인 학습 관리 시스템에 올려놓으면, 학생들은 수업 전에 시스템에 접속하여 스트리밍으로 동영상 학습을 한다. KAIST는 지난해까지 전체 수업의 9%를 이러한 방식으로 진행했다. 앞으로는 국내 다른 대학들도 2020학년도 1학기의 경험을 바탕으로 온라인과 오프라인 강의를 적절하게 활용하는 방식으로 진화할 것으로 전망한다.

대학 교육에서 온라인 강의의 성패는 교수자가 온라인 강의에 필요한 기술과 역량을 얼마나 갖추고 있느냐에 달려 있다. 이번 코로나19 사태로 인해 갑작스레 온라인 강의를 진행해야 했던 교수들의 고통은 아주 컸다. 대학에서 온라인 교육이 제대로 이루어지려면 IT기기 활용법과 프로그램 사용법을 익히는 것은 물론이거니와, 강의실과는 다른 환경에서 진행되는 온라인 강의에 필요한 사항 등을 정확히 알고 있어야 한다. 현재 국내 사이버대학 및 방송통신대학의 온라인 교육 콘텐츠는 정교한 제작 및 검수 과정을 거쳐 생산되고 있다. 이들 대학에서는 교수설계팀, 디자인팀, 영상팀, 프로그래밍팀 등 각 분야의 스텝이 모여 하나의 온라인 매체를 통한 전달력 높은 강의를 만들기 위해 머리를 맞대고 있다. 교육부 및 일반대학이 사이버대학 등이 그동안 축적해 온 온라인 교육 노하우를 적극적으로 활용할 필요가 있다.

효율적인 학사 운영 및 연구 중심 대학

현재 가장 적극적으로 온라인 수업을 도입한 대학으로는 2012년 설립된 미네르바 스쿨(Minerva School)을 들 수 있다. 미국의 벤처투자자 벤 넬슨(Ben Nelson)이 창립한 고등교육기관으로 기존 학교와는 그 특징을 달리한다. 강의실, 도서관은 물론 캠퍼스 자체가 없는 이 학교의 학생들은 4년 동안 세계 여러 도시에 흩어져서 공부한다. 미국·한국·독일·영국·인도·대만·아르헨티나 등 7개국을 직접 체험할 수 있는 기숙사 생활을 지원하고 있다.

이곳은 '실제적인 지식 습득'을 교육목표로 모든 수업을 자체 개발한 온라인 강의 플랫폼 '포럼'을 통해 플립러닝 방식으로 진행하고 있다. 학생들은 온라인 수업 플랫폼을 활용해 미리 올라온 학습 자료로 수업을 준비한 후 실시간 온라인 강의로 진행되는 토론 수업에 참여한다. 수업이 시작되면 교수와 모든 학생들이 서로의 얼굴을 보면서 활발한 상호작용 및 심화학습이 이루어진다.

미래학교로 점차 입소문을 타기 시작한 미네르바 스쿨은 2017학년도 학생 모집에 70개국 출신 2만 3천 명이 지원했고, 합격률은 고작 1.9%로 하버드대(4.6%)보다 들어가기 어려운 학교로 유명세를 치렀다. 현재 미네르바 스쿨의 1년 학비는 약 3만 달러(한화 약 3,700만 원)로 미국 주요 사립대의 3분의 2 정도 수준이다. 최고 수준의 교육을 제공하면서도 학비가 상대적으로 저렴한 이유는 넓은 캠퍼스 조성을 위한 비용이 들지 않기 때문이다.

미네르바 스쿨과 같은 형태로 온라인 강의 비중이 점차 높아진다면 대학은 유연한 학사 운영이 가능해진다. 지금과 같이 획일적으로 주당 3시간 15~16주 형태로 강의를 진행하지 않고, 온라인을 이용한 집중 강의 기간, 실습 기간 등으로 유연하게 학사일정을 구성할 수 있다. 이 같은 효율적인 학사 운영으로 학생들은 연구 및 인턴 활동 등을 지금보다 집중적으로 할 수 있으며, 교수들 역시 연구에 매진할 수 있는 시간 확보가 가능하다. 또한 대부분의 수업이 온라인으로 진행되고, 실험 및 실습 활동, 평가 등 필요에 따라 대면 수업이 이루어진다면 지금처럼 모든 단과대학 학생들이 동시에 캠퍼스에 모일 필요가 없다. 이는 대학이 넓은 부지의 캠퍼스에 많은 건물을 건축하고 유지하기 위한 비용을 절감할 수 있다는 이야기다. 비축된 예산은 학생들의 교육 향상 및 연구를 위한 투자 재원으로 사용 가능하다. 따라서 온라인 강의를 교육에 효율적으로 활용한다면 대학은 '교육의 질은 더 좋게, 비용은 더 저렴하게'라는 목표를 달성할 수 있으며, 장기적으로 연구 중심 대학으로 발돋움할 수 있다.

온라인 교육을 통한 국공립대 통합 네트워크

출산율 저하로 인하여 국내 학령인구는 2000년을 기점으로 급격하게 감소 중이다. 통계청 예측에 따르면 만 18세 인구가 2025년 44.8만 명, 2030년 46.4만 명, 2060년 23.7만 명으로 격감할 것으로 전망된다. 2018년 기준으로 전국 대학의 수는 국공립대 58개교, 사립대 372개교로 총 430개교이며, 학생 수는 국공립대 약 77만 5천 명, 사립대 약 260만 명으로 국공립대 학생 22.9%, 사립대 학생 77.1%를 기록했다.[32] 교육부는 지속적인 인구 감소로 3년 내 국내 대학 38개교가 폐교할 수 있다고 전망하고, 이러한 추세가 이어지면 2005년 출생자 44만 명이 대학에 진학하는 2024년경이면 대학 진학자는 약 23~24만 명으로 현재 7만 5천 명 정도의 국공립대 정원에서 약 30% 이상 수용 가능하다고 보고 있다. 이렇듯 우리나라 대학을 둘러싼 고등교육 생태계가 급격하게 변화하고 있다. 고등교육의 공공성 확보, 4차 산업혁명으로 대표되는

---

32 일반대학과 전문대학을 합친 수이다.

외부 환경 변화에 대응하기 위해 '국공립대 통합 네트워크'라는 정책적 제안이 꾸준히 제기되고 있다.

국공립대 통합 네트워크는 여러 국립대는 하나의 네트워크로 묶어 공동으로 운영하고, 사립대는 공영형 사립대로의 전환으로 대학 서열 구도를 해소하여 입시 경쟁 완화 및 초·중등교육의 정상화, 국내 대학의 공공성을 이루는 대학 체제 개편안을 말한다. 점점 더 벌어지고 있는 수도권과 지방의 격차 해소와 지방대학 우수 졸업생의 높은 수도권 유출을 막기 위해서는 특성화 전략 등을 활용하여 지방 거점 국립대를 대대적으로 지원·관리해야 한다는 목소리가 높다.

이러한 국공립대 통합 네트워크의 핵심 요소는 각 대학의 교육력이 일정 수준을 담보해야 한다는 점이다. 다시 말해 지방의 국공립대도 서울대와 비교하여 크게 떨어지지 않는 교육 환경, 강의의 질을 제공해야만 지역의 우수 학생들이 대학 진학을 위해 굳이 수도권에 갈 필요성을 느끼지 않게 된다. 이는 지방소멸을 막고 지역균형발전을 도모할 수 있는 한 가지 방법이기도 하다. 필자는 이 지점에서 온라인 강의가 중요한 역할을 할 수 있으리라 본다. 앞서 살펴봤던 혼합형 학습, 플립러닝 등의 교수·학습법을 국공립대 통합 네트워크 안에서 활용한다면 지역에 관계없이 동일한 교육 혜택을 받을 수 있다. 이와 함께 온라인 교육의 활성화를 통해 대학이 지역사회에서 평생교육기관으로서 시민의 평생학습 수요를 충족시키는 역할을 할 수 있으리라 기대한다.

국공립대 통합 네트워크 안

① 서울대학교를 포함한 기존의 국립대학들을 하나의 통합네트워크로 구성
② 대학의 공교육 체제로의 전환이라는 원칙에 따라 일정한 수준이 되는 사립대학들을 국공립대 통합 네트워크에 편입
③ 서울대학교는 따로 학부생을 모집하지 않는 대신 학부 강의를 통합 네트워크 학생들에게 개방
④ 학부 과정은 4년으로 하되 1기 과정(2년)에는 인문사회계열과 자연계열 두 계열만 두고, 2기 과정(2년)은 학부제로 운영
⑤ 법대, 사범대, 경영대, 의대(치대, 한의대, 수의대), 약대 등 전문직을 위한 학부 과정을 폐지하고 이 과정들을 전문대학원에 설치
⑥ 지역의 국립대학들은 현재의 거점 대학을 중심으로 학구별로 통합하고 몇 개의 캠퍼스로 조직
⑦ 대학원은 일반대학원과 전문대학원으로 구분하되 학문을 위한 일반대학원은 학구별 특성화 유도
⑧ 전문 직업을 위한 전문대학원은 학구별로 인구비율에 따라 입학 정원을 조정

우리는 여전히 코로나19와 싸우고 있다. "코로나19는 WHO와 G7·G20 국가 지도자들, 과학자들의 협력하에 '제2의 맨해튼 프로젝트 (Manhattan Project)'를 진행하지 않으면 종식시킬 수 없습니다." 세스 버클리(Seth Berkley) 세계백신면역연합(GAVI) 대표는 3월 말 국제학술지 『사이언스』에 이 같은 내용의 기고문을 실었다. 맨해튼 프로젝트는 제2차 세계대전 당시 미국 주도로 전 세계 13만 명에 달하는 과학자들이 협력하여 3년 만에 원자폭탄을 개발하고 일본의 항복을 이끌어 낸 글로벌 전략이다. 그만큼 코로나19를 종식시키기 위해서는 백신 개발에 있어 거대과학 방식의 세계적 협력이 필요함을 강조한 것이다.

14세기 중세 유럽 인구의 3분의 1을 줄여 봉건제도를 무너뜨리고 르

네상스의 문을 연 페스트(흑사병), 16세기 아즈텍을 서구의 침략에 속수무책으로 무너지게 만들고 대항해 시대를 연 천연두, 제1차 세계대전에서 사망한 군인(약 1천만 명) 수보다 두 배 이상의 사망자(약 2,500만 명)를 발생시켜 아이러니하게도 인류의 평화를 가져온 스페인 독감처럼 코로나19가 가져온 우리 사회 전반의 변화가 문명사적 전환의 기점이 될지는 불확실하다. 그렇다면 이번 위기가 대학 교육 현장에 가져올 변화와 그 속에서 찾을 수 있는 기회는 무엇일까? 그건 아마도 교육 혁신의 기회일 것이다.

지금도 모든 대학에서 두 달 이상을 온라인 강의로 수업을 진행하고 있으며, 최소한 이번 2020학년도 1학기 동안은 지금의 형태가 유지될 것이다. 우리는 지금 모든 대학에서 백퍼센트 온라인 강의 운영이라는 전대미문의 경험을 축적하고 있다. 이제 교육부는 온라인 수업 관련 규제를 현실성 있게 수정할 예정이며, 각 대학에서는 원활한 온라인 수업 진행을 위해 LMS에 온라인 수업을 강화한 학습 시스템을 확대하고 서버를 확장하는 등 시스템 구축에 적극 나서고 있다. 기존의 강의법을 고수한 채 새로운 방식에 주저하던 교수들은 혼합형 학습, 플립러닝, 프로젝트 기반 학습(PBL) 등 혁신적인 교수법을 몸소 경험하고 있다. 교수의 일방적인 강의에 수동적으로 학습하였던 학생들은 창의적 사고와 함께 자기주도적 학습 역량을 강화할 기회를 얻게 되었다.

지금 우리가 직면하고 있는 상황이 결코 바람직한 것은 아니다. 그럼에도 불구하고 이 위기를 기회로 만들어야 하는 것이 이 시대를 살아가고 있는 교육 주체에게 주어진 과제이다. 포스트 코로나 시대의 뉴노멀 (New Normal)[33]에 막연한 두려움을 갖기보다는 새로운 교육 변혁의 기회로 받아들여 한 단계 도약의 기회로 삼아야 할 것이다.

---

33 '시대 변화에 따라 새롭게 떠오르는 기준 또는 표준'을 뜻하는 말이다.

코로나19 이후
해외 대응 사례

유네스코(UNESCO)에 의하면 2020년 4월 기준 전 세계 188개국의 약 15억 명 이상으로 추산되는 학생들이 휴교령의 영향을 받았거나 받고 있다고 한다. 이는 전체 학습자의 91%에 달하는 인원이다. 인류는 신종 전염병의 확산을 막기 위해 학교를 오랫동안 닫게 되자 '온라인 수업'이라는 방법으로 학습을 지속하게 되었다. 기술은 어느 정도 갖추어져 있었으나 여러 가지 이유로 실현되지 못했던 미래교육이 코로나19로 인해 갑자기 교육계에 소환된 것이다.

이 장에서는 해외 여러 나라에서 교육 분야에 어떻게 대처하고 있는지 살펴보려고 한다. 교육은 어떤 방향을 향하고 있는지, 온라인 수업은 어떻게 진행하고 있는지, 이 과정에서 겪는 어려움은 어떻게 극복하고 있는지 살펴보며 우리에게 주는 시사점을 찾으려 한다.

다양한 해외 사례는 한국교육개발원[34]의 코로나19 관련 해외 국가 교육 분야 전반 대응 현황, 온라인 교육 대응 현황 리포트(2020. 4. 20), 한국교육과정평가원[35]의 국가별 COVID-19 대응 원격교육 방안 사례(2020. 4. 8), 원격교육 대처 방안 사례(2020. 5. 11.), 교육정책네트워크[36]의 해외 교육 동향 카테고리 내의 국가별 최신 정보를 기반으로 정리하였다. 조사 대상인 국가의 정보를 면밀히 살펴보고, 교육 분야 전반에 대응을 잘하고 있어 우리에게 중요한 시사점을 줄 수 있는 핀란드·캐나다·싱가포르·아일랜드의 사례를 정리해 보았다.

차이를 좁히기 위한 차별 교육 선진국, 핀란드

핀란드는 교육 강국으로 유명하다. '한 명도 낙오되지 않는 교육'을 실현하기 위해 학습에 어려움을 겪는 학생들에게 더 많은 지원을 해 주는, 이른바 '차이를 좁히기 위한 차별 교육'을 실시하고 있다. 평소 핀란드의 교육철학과 정책이 온라인 수업 기간에도 영향을 미치고 있었다. 온라인으로 수업을 지속하기 어려운 학습부진 학생과 취약계층의 학생은 등교하게 했다. 개학은 돌봄이 필요한 유치원과 초등학교부 시작했다.

---

34 http://www.kedi.re.kr/
35 http://www.kice.re.kr/
36 http://edpolicy.kedi.re.kr/

취약계층에 대한 교육적 지원이 부족하고, 입시를 이유로 고3 학생부터 등교케 한 우리와 대비되는 모습이다.

학습 지속

온라인 수업에서 미디어·디지털 기술·언어·과학·역사 등의 주제를 포함한 비디오·오디오·언론 기사 등과 시뮬레이션·학습 게임·가상현실 등 다양한 수업 콘텐츠가 제공되었다. 중등교육 웹사이트 개설, 디지털 교육 도구 개방, 다양한 학습 자료 지원 등 광범위한 민간기업의 참여도 돋보였다.

15세 이상의 학생은 원격학습을 위한 스마트 기기 사용 여부를 스스로 결정할 수 있고, 디지털 학습 환경과 플랫폼을 이용하여 독립적으로 공동 회의를 주선할 수도 있다. 학생의 선택권과 주도권을 중시하는 모습이라고 할 수 있다. 온라인 학습의 과제는 대체로 스마트폰으로 촬영을 하거나 비디오 제작, 웹사이트 탐색, 그룹 통화 또는 기타 실시간 수업에 참여하는 형태로 부여된다. 과제는 디지털 기기를 사용하거나 손으로 직접 그리기 등의 방식을 병행할 수 있다.

교육격차 해소

학습부진 학생, 이민자나 난민 등 대면 수업이 꼭 필요한 취약계층 학생들을 위해 등교 수업을 진행하였다. 핀란드는 전체의 약 10~15% 학생이 기초교육 대상이다. 이들은 전자 교과서, 기타 학습 자료 등 다양한 학습 도구를 무료로 제공받고, 다양한 교육 지원을 받는다. 디지털 기기 격차를 막기 위해 기업에서 사용하지 않는 중고 노트북을 학생에게 기부 하는 '모두를 위한 컴퓨터(For All Machine)' 캠페인을 진행하여 취약계 층에게 컴퓨터를 보급하고 있다.

정서적 지원

온라인 학습 중인 학생들이 고립감을 느끼지 않도록 학교에서 연락할 수 있는 시간을 정해 학생과 정기적으로 상호작용을 하고 있다. 학교 내 제한적 학생 상담 서비스 개설하였고, 필요할 경우 원격 상담을 할 수 있도록 안내하고 있다. 디지털 환경에서 부적절한 행동을 하거나 괴롭 히는 행동을 할 경우 가해 학생의 보호자에게 곧바로 알리고, 상황이 분 명치 않을 경우 보호자는 경찰에 익명으로 상담할 수 있다.

돌봄

초등 1~3학년 학생 중 가정 돌봄이 어려운 주요 직군 종사자(의료계 종 사자 등) 학부모의 자녀는 대면 수업을 운영하였다. 유아교육기관을 닫 으면 조부모가 아이들을 돌보게 될 수 있다. 감염의 위험이 높은 조부 모에게 양육의 책임이 전가되지 않도록 유아교육기관의 운영을 지속할 수 있게 하였다. 되도록 각 가정에서 자녀를 돌보도록 권장하지만, 부모 가 재택근무와 자녀 돌봄을 동시에 하기 어려운 경우 유아교육기관에 보낼 수 있다.

코로나19 확산으로 대학입학시험 일정을 앞당겨 실시하였다. 직업학교와 일반 고등학교 입학시험과 적성검사는 면제하고 있다.

학생들의 편의와 학습 유지가 가장 우선순위, 캐나다

캐나다는 각 주별로 상황에 맞는 정책을 펼치고 있어 주마다 휴교나 개학 일정이 다르다. 인구수가 가장 많은 온타리오·브리티시컬럼비아·퀘백 주의 정책을 참고했다. 4월 말 기준 대부분의 학교가 휴교에 들어가 있었다. 퀘백 주는 대면 수업을 재개하였고, 6월에 봄학기가 마무리되어 여름방학에 들어갔다. 가을학기 운영에 대해 19학년 학생들까지는 6명으로 구성된 버블(Bubble) 그룹 단위로 생활하는 방안을 발표하였다.

학습 지속

각 주별로 지역 상황에 따라 대응 방안을 다르게 운영하고 있다. 온라인 학습 콘텐츠 제공 프로그램은 각 주마다 Keep Learning(온타리오), Learning at home(브리티시컬럼비아), Open School(퀘벡) 등으로 학습을 안내하고 있다. 온타리오 주의 경우 가정에서의 학습 지원(영상·게임 앱·유튜브 채널 등 6~10학년을 대상으로 무료 일대일 수학 온라인 지도),

가상교실 수업 지원을 위한 교육 웨비나(webinar), 학부모를 위해서 수학·문해력 관련한 자료 등을 제공하고 있다.

교육격차 해소

교육 불평등 문제 해소를 위해 교육부와 교육청은 민간 기업과 협력하여 지원이 필요한 학생들을 위해 2만 개 이상의 디지털 기기와 인터넷을 지원하였다. 브리티시컬럼비아 주 교육부는 지역교육청과 사립학교에 장애 학생과 영어를 배우는 학생(ELL, English Language Learner)들이 다른 학생들과 같은 수준의 지속적인 학습을 받을 수 있게 보장하고 있다.

정서적 지원

격리로 인해 생기는 단절감이나 고립감 등의 심리적 어려움을 돕기 위해 건강 지원 서비스를 확대하였다. 각 주 교육부 홈페이지에 온라인 및 전화 상담 등 지원 시설의 연락처를 탑재하여 안내하고 있다. 온라인 및 가상 학습에 대한 정서적 지원은 다음과 같다.

- iCBT(Internet-based Cognitive Behavioral Therapy) : 치료 전문가가 지원하는 온라인 인지행동 치료 사이트로 영어와 프랑스어로 제공
- 바운스 백(Bounce Back) : 초기 불안감, 우울증이나 스트레스 등을 겪는 15세 이상의 청소년이나 성인을 위한 무료 자활 코칭 프로그램으로 온라인, 비디오 또는 전화 등을 통해 코칭

- 키즈 헬프 전화(Kids Help Phone) : 청소년에게 영어와 프랑스어로 24시간 연중무휴 전문 상담과 정보 등을 제공

돌봄

장기간의 휴교로 교육과 보육 문제가 발생할 수 있는 필수 분야 근로자의 자녀를 위한 긴급돌봄 제공 및 비용을 지원하고 있다. 브리티시컬럼비아 주는 코로나19로 폐쇄된 돌봄 기관의 고정비용에 대한 주정부 지원금을 두 배 인상하였고, 고용보험 등을 통해 돌봄 기관 근로자에 연방정부 지원을 강화하고 있다.

평가 및 대학입학시험

평가나 대학입학시험도 주별로 다른 정책을 보이고 있다. 퀘벡 주는 온라인 교육 참여는 선택이며, 온라인 교육 내용은 평가에 반영하지 않고 있다. 브리티시컬럼비아 주의 경우 12학년 고교 졸업 시험은 취소되었고, 졸업 자격은 코로나19 이전까지 종료된 내용과 학습 과정을 근거로 교사가 판단하도록 하였다.

다양한 플랫폼의 온라인 수업, 싱가포르

싱가포르는 초기 방역에 성공하는 듯해 가장 먼저 학교 문을 열었다. 그

러나 개학 이후 학교 내 확진자가 증가하자 긴급 발표를 통해 모든 교육기관의 문을 닫고 가정학습(Home-based Learing)에 들어갔다. 싱가포르는 1년을 4학기제로 운영하는데, 6월인 여름방학을 앞당겨 5월 5일부터 시작하여 6월 2일에 개학했다.

학습 지속

싱가포르는 2018년에 온라인 수업 플랫폼(SLS, Student Learning Space)을 구축했다. 학생들은 학습 자료를 SLS에서 받고, Zoom 등으로 교사와 수업을 진행하며, 구글 클래스 등으로 온라인 학습을 진행하였다. 현재 싱가포르 학교는 Zoom, Google Meet, Facebook Live, Cisco Webex 등 다양한 플랫폼을 활용하고 있다. 싱가포르는 원격 수업을 가정학습의 일부로 보았다. 하루 4~5시간의 가정학습 중 온라인 수업을 초등은 1시간 이하, 중등은 한 시간 반 이하로 하도록 하였다.

교육격차 해소

가정에 온라인 수업을 위한 디지털 기기가 없는 경우 학교에서 컴퓨터 같은 학습 장비와 인터넷에 접속할 수 있는 기기를 제공하였다. 또 가정에서 학습 지원을 받지 못하는 취약계층 학생은 등교하여 학교에서 수업할 수 있게 하였다. 싱가포르의 대학생들은 무료 온라인 튜터링 플랫폼(Bramble)을 활용하여 가정학습에 어려움을 겪는 학생들의 학습을 돕고 있다. 이 활동은 온라인 기반이며, 주 1~2회 참여하게 한다.

정서적 지원

심리적 문제 발생 시 학교 상담교사에게 연락을 취하고, 사회적 고립감을 줄이기 위해 동급생들과 영상 통화를 권장하였다. 학생들의 학업 부담과 스트레스 완화를 위해 시험 범위를 줄이고, 전면 등교 수업이 진행될 때 일대일 대면 면담 시간을 늘리도록 하였다.

돌봄

싱가포르는 되도록 재택근무를 하도록 권장하였다. 그러나 의료기관 근무 등으로 재택근무가 어려운 학부모의 자녀 및 가정학습에 어려움을 겪는 학생들을 위하여 학교에서 소규모 수업 및 돌봄을 실시하였다.

영양과 급식

가정학습 기간 동안 저소득층 학생들의 점심 급식 지원을 위해 '학교 스마트카드' 형태로 급식 보조금을 제공하였다. 지정된 음식점, 편의점, 슈퍼마켓 등에서 사용할 수 있다.

평가 및 대학입학시험

학습 진도의 변화로 모든 학교의 중간고사는 취소되었으나, 중·고등학교의 졸업 시험을 위해 시행되는 모국어 시험과 초등학교 졸업 시험은 계획대로 진행될 예정이다. 가정학습이 장기화될 경우 졸업 및 입시 관련 국가고시의 범위를 축소하여 시행할 것을 고려하고 있다.

연결과 소통을 중시하는 온라인 수업, 아일랜드

코로나19가 급격히 확산되면서 강력한 봉쇄 조치를 시행하여 한때 거의 모든 상점이 문을 닫기도 했다. 시민들은 식료품이나 약품 구매, 병원 진료 이외에는 집에만 머물러야 했으며, 외출 시에는 2km 이동 제한을 하는 등 강력한 사회적 거리두기를 실시했다. 모든 학교 역시 문을 닫았고, 개학은 9월에 예정되어 있다.

학습 지속

자체적으로 운영하고 있는 원격학습 포털 사이트인 Scoilnet과 산하기관인 교사직무개발서비스의 원격교육 서비스[37]가 주로 사용되고 있다. 이중 Scoilnet라는 교육 사이트는 모든 콘텐츠가 무료로 제공되며 교육과정·학년·주제·영역별로 자료를 검색해서 활용할 수 있다. 또 교사직무개발서비스의 원격교육 및 교과서 출판사에서 제공하는 웹사이트도 온라인 수업을 위한 기반이 잘 구축되어 있다. 교사직무개발서비스 원격교육을 통해 교사들의 온라인 수업 역량을 강화할 수 있도록 지원하고 있다.

---

37 2010년에 설립된 아일랜드에서 가장 큰 교사 교육지원서비스 기관으로, 학교와 교사들이 지속적인 원격교육을 제공할 수 있도록 교육학, 교육과정, 교육 영역에 대한 지원을 하고 있다. 학생들과 교사는 여기서 다양한 수업 정보를 탐색하여 학습에 활용할 수 있다. 과제 제출과 피드백 제공으로 상호작용을 촉진하여 학생의 학습 참여에 도움이 된다.

모든 초·중등학교에서는 온라인 학습 이외에도 읽기, 쓰기, 제과제빵 등의 오프라인 대체 활동이 제공되었다. 교과서와 연습과제, 놀이 질문 등 다양한 방법을 활용해 온라인 교육으로 인한 불이익을 최소화할 수 있도록 하였다. 학생들의 학습 지속을 위해 과제를 적절하게 제시하고, 이에 대해 교사들이 피드백하는 것을 강조하고 있다. 과제 제시와 피드백에도 다양한 플랫폼이 활용되어 학생이 워드 문서나 사진 파일 등으로 작업한 과제를 이메일이나 온라인 교육 플랫폼을 통해 제출하면 교사가 수정하여 피드백하고 있다.

교육격차 해소

특수교육 국가위원회(NCSE)에서는 평소 제공하는 특수교육 서비스를 지속하고, 휴교 기간 등교하지 못하는 학생들에게 온라인 교육 자료를 제공하였다. 학부모와 교사들이 장애를 가진 학생들의 특별한 교육 요구에 부응하는 서비스를 제공할 수 있도록 각각에게 구분된 교육 자원을 지원하였다.

정서적 지원

학생들이 단절감을 극복하고 정서적 안정을 느낄 수 있도록 학생이나 학부모와 정기적이고 실제적인 소통을 강조하였다. 최근 초등학교를 대상으로 설문조사에서 70% 이상이 학교와 일주일에 한 번 정도 소통하고 있다고 응답하였다. 학부모와의 소통에 가장 선호되는 방법은 이메일(79%)이고, 그밖에는 학교 행정 시스템을 통한 문자 메시지와 학교 소셜 미디어를 통해서도 소통하고 있는 것으로 나타났다.

전국교육심리서비스(NEPS, National Educational Psychological Service)를 기반으로 한 심리 지원 서비스를 제공하고 있다. NEPS는 교육기술부 산하 조직으로, 초·중등학교에서 학습·행동·사회·감정 발달 관련 일을 담당한다. 소속 심리학자는 각 학교에 배정되어 교사·학생·학부모가 필요한 정서적 지원을 제공한다.

급식

학생 집으로 급식 배달이 불가능한 경우 개별적으로 학교에서 급식을 먹거나 도시락 형태로 받을 수 있도록 하였다. 지역 배달이 어려운 곳에서는 우체국 택배 서비스를 이용할 수 있다.

평가 및 대학입학시험

2020학년도 중·고등학교 졸업 시험의 실기와 구두시험을 전격 취소하고, 시험을 치를 예정이었던 모든 수험생의 실기와 구두시험 성적을 만점 처리하기로 결정했다. 이와 별개로 기존 3~4월 예정이었던 여러 과목의 프로젝트 과제 제출 시기를 약 3주 일괄 연장하였다. 중·고등학교의 졸업 시험은 코로나19 확산 양상을 지켜보며 유연하게 대처할 계획이라고 한다.

해외 사례가 우리에게 주는 시사점

코로나19를 대비하는 해외의 교육 사례를 살펴보았다. 어느 나라나 코로나19로 발생되는 일련의 사태는 당황스러운 일이다. 그럼에도 불구하고 각 나라별로 나름의 방식으로 대응하고 있다. 성공적으로 대응하는 나라가 있는 반면, 혼란을 겪는 나라도 있다. 그 성공과 실패의 이유는 무엇일까? 비교적 잘 대응하고 있다고 평가받는 나라의 사례를 살펴보면서 몇 가지 공통점을 찾을 수 있었다. 이를 통해 우리에게 주는 시사점을 찾아보았다.

첫째, 온라인 수업을 미리 준비하고 있었다.

아일랜드는 2010년 일찌감치 교사직무개발서비스의 원격교육 시스템을 갖추었다. 싱가포르는 2018년 온라인 수업 플랫폼을 구축했다. 미리 온라인 시스템을 갖추고 있었기에 코로나19와 같은 상황이 발생했을 때 바로 투입하며 안정적인 운영을 해 나갈 수 있었다. IT 세계 최강국인 우리나라의 경우 기술은 충분했으나 준비가 부족했다. 학교 휴업이 장기화되다가 온라인 수업으로 전환되면서 일부 학년부터 단계적으로 시작했음에도 서버가 다운되고 접속이 불안정했다. 하지만 짧은 기간 동안 헌신적인 구성원 덕에 서버를 증설하고 안정적인 온라인 수업을 운영할 수 있게 되었다. 그러나 단기간 기술적인 지원에 치중하다 보니 수업 형태나 내용 등에 대한 논의는 부족했다.

둘째, 온라인 수업에 대한 합의와 기준이 있었다.

이는 미리 준비하고 있었기에 가능한 부분이기도 하다. 이 나라들은 '온라인 수업 = 컴퓨터 기반 학습'이라고 여기지 않았고, 학습의 원리와 학습자 차원에서 바라보았다. 온라인 수업을 가정학습의 한 부분으로 바라보았다. 수업을 지식의 전달만 바라보지 않고 학생들의 삶을 우선으로 바라보았다. 일과 계획 세우기, 간단한 요리하기 등 학생들의 일상생활을 유지할 수 있는 내용을 다루었다. 온라인 수업의 시간과 횟수는 학생들의 성장 수준에 적합하며, 건강을 고려하여 대면 수업 시간보다 적게 잡고 있었다. 싱가포르는 하루 4~5시간의 가정학습 중 온라인 수업을 초등은 1시간, 중등은 한 시간 반 이하로만 할 수 있도록 했다. 오프라인 수업 방식을 그대로 온라인 수업에 적용하여 하루 5~7시간 스마트 기기 앞에 앉아 영상을 봐야 하는 우리나라의 방식을 다시 생각해보아야 할 때이다.

셋째, 취약계층에 대한 세심한 배려와 정책이 돋보였다.

코로나19가 전 세계에 던진 화두는 '계층에 따른 격차의 심화'이다. 앞서 살펴본 나라들도 예외가 아니었다. 그러나 이러한 격차를 해소하기 위한 다양한 방법을 사용하고 있었다. '한 아이도 포기하지 않는 교육'을 실천하는 핀란드는 온라인 수업으로 학습을 이어가기 어려운 학생들은 등교하여 수업을 받도록 했다. 또한 부모가 아이를 돌보기 어려운 주요 직군 종사자인 경우 1~3학년 학생들도 학교에 와서 수업을 받을 수 있게 하였다. 싱가포르의 경우 가정에서 학습 지원을 받지 못하는 취약계층의 학생들은 등교하여 학교에서 가정학습을 할 수 있도록 배려하기도 했다. 이러한 모습은 학력을 공교육을 통해 국가에서 책임지려는 모습으로 보인다. 다양한 문화를 배경으로 하는 난민, 이민자 등에 대한 배려도 돋보였다. 학습부진을 개인적 영역으로 여기며, 취약계층이나 학습부진 학생, 특수교육 대상, 다문화 학생 등에 배려가 부족했던 우리에게 시사하는 바가 크다.

넷째, 상호 연결과 관계를 강조하였고, 정서적 지원도 확대하였다.

학교 폐쇄의 기간이 길어지면 학생들은 고립감을 느끼고 우울감을 호소할 수 있다. 이를 예방하고 극복하기 위해 온라인 수업 기간 중에 지속적·정기적으로 연락을 취하면서 학생·학부모와 소통하고, 상호 연결과 관계 맺기를 위해 노력하는 모습을 볼 수 있었다. 아일랜드의 경우 70% 이상의 초등학생은 매주 1회 이상 교사와 연락하고 있는 것으로 나타났다.

심리적 어려움을 겪는 학생들을 돕기 위해 건강 지원 서비스를 확대하였다. 캐나다는 영어와 프랑스어로 온오프라인 기반 정서 지원 서비스를 상시 제공하고 있고, 싱가포르는 학교 상담교사와 연락할 수 있도록 도왔다. 아일랜드는 전국교육심리서비스를 기반으로 학생들에게 심리 지원 서비스를 제공하였다.

다섯 째, 각종 평가와 대학입학시험을 완화하였다.

핀란드는 직업학교와 일반 고등학교의 입학시험과 적성검사를 면제하였으며, 캐나다는 고등학교 졸업시험을 취소하였고, 졸업 자격은 코로나19 확산 전까지의 내용으로 교사가 판단하여 평가하도록 했다. 싱가포르와 아일랜드도 각종 평가를 축소하여 학생들의 부담을 덜어 주었다. 우리의 모습은 어떠한가? '공정성'이라는 프레임에 갇혀 얼마 되지도 않는 등교일에 각종 평가로 진을 빼고 있는 우리의 교육 현실을 돌아보게 되었다. 학교는 가르치지 않는 것을 평가하는 곳인가? 온라인 수업이라는 변화에 발맞추어 평가 제도의 개선이 절실하다. 또한 공정성은 출발선이 다른 학생들을 같은 방식으로 평가하는 데 있는 것이 아니므로 각자의 능력에 맞는 수업과 평가가 이루어질 수 있어야 할 것이다. 타인과의 경쟁을 평가하는 것이 아니라 개인의 성장을 평가할 수 있는 인식과 제도가 절실하다.

우리나라는 5월부터 고3 학생을 시작으로 점진적 등교를 시행하였다. 4월 말까지 주춤하던 확진자 추이가 5월 연휴 이후 증가세로 돌아서면서 학교별로 대면 수업과 온라인 수업을 병행하고 있다. 부분적으로 등교가 재개되며 다소 상황이 나아지기도 했지만, 온라인 수업이 장기화 되면서 여러 문제점이 발생하고 있다.

가장 큰 문제는 계층에 따라 학습, 정서, 건강 등 삶의 전반에 격차가 커지고 있다는 것이다. 평소 학교를 통해 안정적인 급식이나 돌봄을 제공받았던 취약계층 학생들이 학교가 문을 닫으며 이러한 서비스를 더이상 받을 수 없게 되었다. 뉴스를 통해 들려오는 아동학대로 인한 사망, 방임으로 인한 생활고 등은 이러한 현실을 보여 준다.

'K방역'이라는 말이 생길 정도로 우리의 방역 체제는 전 세계적으로 높은 평가를 받고 있다. 그런데 교육 분야는 어떠한가? 온라인 수업에 대한 대비가 부족했지만 사회 각 분야의 구성원의 노력으로 단시간에 서버를 구축했고, 학습 자료를 제작하며 원활한 온라인 수업을 이어가고 있다. 공동체의 힘을 느낄 수 있는 시간이었다. 그러나 이 과정을 되돌아보아야 할 것이다. 코로나19를 경험하며 우리가 얻은 것과 잃은 것은 무엇인지 교육계의 성찰이 필요하다.

학교는 학습만을 위해서 존재하지 않는다. 학교를 통해 지식뿐 아니라 살아갈 힘을 배운다. 학교는 다른 친구와 눈을 맞추고 대화하며 의견을 조정해 가는 것을 배우는 성장의 공간이다. 지금 우리의 학교는 어떠한가? 온라인 수업과 대면 수업이 아이들에게 상호 연결과 안전한 관계를 맺을 수 있도록 돕고 있는가? 안전과 방역을 이유로 거리두기는 필요하다. 그러나 비대면으로 소통할 수 있는 방법을 찾을 수 없을까? 대면 수업을 통해 아이들이 얻을 수 있는 것은 지식뿐만 아니다. 타인과 관계 맺고 상호작용 하는 것을 경험할 수 있다. 이 소중한 시간을 우리는 각종 평가에만 쏟아붓고 있다.

온라인 수업에 대한 성찰도 필요하다. 우리의 온라인 수업은 정말 온라인에 적합한가? 오프라인 수업 방식과 내용을 그대로 온라인에 적용하고 있는 것은 아닌가? 하루 적게는 5시간에서 7시간까지 온종일 컴퓨터 앞에 앉아서 교사가 올려놓은 영상을 보아야 하는 아이들은 무엇을 느끼고 생각하고 있을까? 성장기의 1년 혹은 그 이상의 시간에서 단절을 경험하고, 관계를 잃어버린 아이들은 어떻게 성장해 나갈 수 있을까? 어려운 상황에서도 온라인 수업과 대면 수업을 원활하게 해 나가고 있는 점은 서로 격려하고, 동시에 관계를 잃어버린 아이들이 이 상황을 어떻게 극복하며 성장할 수 있을지 자문하고 방법을 함께 찾아 나가야 할 것이다.

3부

이미 다가온
미래학교

코로나19를 통해서 본
학교자치

최근 교육계의 가장 큰 화두는 '학교민주주의'와 '학교자치'이다. 학교자치는 1990년대 중반부터 언급되었지만 교육과정과 학교 문화에 대한 이해 부족으로 실현되지 못하였다. 세월이 흘러 사회가 변하며 혁신학교를 시작으로 학교민주주의와 학교자치가 학교 혁신의 이상과 방법으로 점차 확산되고 있다.

과거, 학교는 교육행정의 말단 기관으로 상급기관의 지침과 명령에 의존하여 학교 운영과 교육활동을 획일적으로 구성해 왔다는 비판을 받아 오기도 했다. 이러한 현상이 학교나 교육청만의 탓은 아니다. 메리토크라시(meritocracy)[1]라는 능력지상주의 사상이 사회 전반을 관통하여 모든 교육적 체제를 흡수했다. 교육부와 교육청은 공문을 통해 지속적으로 '규정', '지침', '감사'로 학교의 자율권을 제한하며 직간접적으로 학교 운영에 관여해 왔고, 학교는 그에 순응하여 스스로 생각하고 판단하기를 포기해 왔는지도 모른다.

학교민주주의와 학교자치를 여러 시각으로 정의한다. 일반적으로 학교민주주의가 학교에서 실현해 나가야 할 이상이자 목표라면, 학교자치는 그것을 실현하기 위한 실천 방법으로 보기도 한다. 이러한 맥락에서 학교민주주의와 학교자치는 같은 의미라고 보아도 무방할 것이다.

건국 이래 우리의 교육은 늘 민주시민교육을 지향해 왔다. 「교육기본법」 2조에는 교육의 목표를 '민주시민 양성'으로 명시하고 있다. 현 정부를 만든 것은 광장에서 들었던 시민의 촛불이었다. 그러나 지금 우리의 삶과 학교의 모습이 얼마나 민주적인가를 반문해 보아야 할 것이다. 광장에는 있으나 우리의 삶에는 없는, 교과서에는 있으나 학교에는 없는 민주주의가 아니라 일상의 삶과 학교생활 전반에서 실현되는 민주주의여야 한다. 그것이 바로 학교자치이다.

학교자치에 대한 논의가 본격화되며 성찰적 실천이 시작된 지 10여 년이 지났다. 여전히 학교자치는 지역이나 구성원 및 학교장의 리더십 등에 따라 온도차가 매우 크고, 해결해 나가야 할 과제가 산재해 있다. 여전히 갈 길이 멀지만, 학교 현장에 구성원이 공공의 일을 함께 논의하

---

1 영국의 사회학자 마이클 영(Michael Young)이 1958년 만들어 낸 신조어이다. 라틴어에서 유래한 merit와 그리스 어근을 가진 cracy를 조합하였다. 보통 '능력주의', '실력주의', '업적주의'로 번역되나 '능력지상주의'가 본래의 뜻과 가장 적합할 수 있다.

여 해결하는 것이 중요하다는 인식이 확산되고 있다는 점은 희망적이다.

지난 10여 년 동안 학교자치에 대한 진지한 성찰과 실천이 이루어져 교육 현장 곳곳에서 변화의 조짐을 이끌어 내고 있다. 학교자치에 대한 공감대를 확산해 가고 있으며, 교육공동체 구성원의 연대와 실천으로 변화의 임계점을 만들어 나가고 있다. 새로운 도약이 필요한 시점에 학교는 코로나19라는 예상치 못한 변수를 만나게 되었다.

코로나19는 기존에 우리가 갖고 있던 교육, 학교, 교사, 학생의 의미에 대해 근본부터 다시 성찰할 것을 요구하고 있다. 교육과 학교, 교사의 역할이 달라지며 재정립될 시기인 것이다. 코로나19가 학교자치에 어떠한 영향을 미치고 있는지 여러 학교의 사례를 통해 살펴보려고 한다.

코로나19와 학교자치의 동상이몽

얼마 전까지만 해도 학교자치를 강조하는 분위기였다. 그런데 코로나19의 확산으로 지금 학교 현장에는 각종 지침과 매뉴얼이 넘쳐난다. 현장에서 교육과정이나 온라인 수업에 대해 학교 실정에 맞는 대책을 수립하면 이후 필수 지침이 내려온다. 그러면 학교는 세웠던 대책을 폐기하게 된다. 시민의 안전과 생명에 관한 문제를 국가 단위에서 지침과 매뉴얼로 안내하는 것은 당연하고 꼭 필요한 일이다. 그러나 학교의 전문성을 발휘할 수 있는 분야의 지나친 지침과 매뉴얼은 통제와 간섭의 의미로 보인다. 다음은 어느 초등학교 교감 선생님이 SNS에 남긴 글이다.

온라인 개학 관련 정보와 지침이 넘쳐난다. 교육부와 교육청은 혹시나 안내를 안 해서 책임질 일이 생길까 봐 걱정이 되는지 막 던지는 듯하다. 분량이 100쪽이 넘는 것도 있다. 제대로 읽을 시간도 없는데 해석도 하기 전에 다른 지침이 내려온다. 위(교육부)에서 이런 지침이 내려왔으니 알아서 잘 해석하라고 아래로 전달하다 보면 마지막 종착지는 학교가 된다. 이를 제대로 읽지 않거나 해석을 잘못한 학교나 교사는 어려움에 처할 수밖에 없다. 온라인 수업 관련 정보도 넘쳐난다. 이게 좋다고, 저게 더 좋다고 하여 나름대로 분석해서 시도해 보려니 이것은 꼭 해야 한다는 강제 지침이 내려온다.
얼마 전까지 교육자치, 학교자치가 곧 될 것처럼 들썩이더니, 언제 그랬냐는 듯 학교는 창의적으로 문제를 해결하려고 하지 않는다. "미리 고민하고 토론하고 해결하려고 노력하지 마. 어차피 또 바뀔 텐데……." 이런 냉소적인 모습이 요즘 학교 분위기다.

— A초등학교 교감

학교는 지금 사상 유래 없는 온라인 개학과 수업을 진행하고 있다. 누구도 경험해 보지 못한 일을 해결해 나가는 과정에서 학교 구성원의 집단지성이 발휘된다는 것은 매우 중요한 부분이라고 할 수 있다. 평소 의사소통 구조가 민주적인 학교와 그렇지 못한 학교는 위기 상황을 통해 분명히 드러난다. 특히 교직원 회의가 원활하게 이루어지지 못하고 학교장의 결정권이 강했던 학교는 구성원 간의 불화가 더 심해지는 모습을 볼 수 있었다.

새로 온 교장 선생님의 주장이 강해서 심한 갈등을 겪었어요. 온라인 개학 일정이 발표되고, 교장 선생님은 교사들과 논의 없이 일방적으로 "온라인 수업은 모든 교사가 화상회의 앱을 이용해서 양방향 원격 수업을 하라."고 지시한 게 발단이었지요. 휴업 중 학생들과 전화 상담을 하는데 연결도 잘 안 되어 학생들이 수업에 얼마나 참여할지 예측이 어려웠고, 서버도 불안한 상황이었어요. 또 교사들은 양방향 원격 수업에 대해 전혀 아는 바가 없는데, 기기 구입이나 연수 등에 대한 지원 계획, 학생과 교사의 초상권 등에 대한 대책도 없이 무조건 양방향 원격 수업을 하라고 지시하는 것을 보고 답답했어요. 수업 방식을 선택하는 것이 교장의 권한인가요? 선생님들이 모두 반대해서 백퍼센트 양방향은 안 하게 되었지만 학교 분위기가 더 서먹해졌어요.

— B고등학교 교사

저희는 평소 교직원 회의에서 의사소통이 잘되고, 결정된 사항은 특별한 사유가 없으면 대부분 채택되는 학교였어요. 학교 관리자도 최대한 지원해 주려 하고요. 온라인 수업을 준비하면서 연구부장과 정보부장 중심으로 온라인 수업 플랫폼 등에 대한 자료를 선생님들에게 안내하고, 학년에서 적합한 플랫폼을 정하기로 했어요. 학년 단위로 선생님들이 과목과 역할을 나누어 어떤 부분은 직접 영상을 제작하고, 온라인 자료의 질이 좋으면 그것을 활용하면서 수업을 진행하고 있어요. 특히 평소 의사 표현이 많지 않던 학구적이고 조용한 선생님들도 큰 활약을 하고 있어요. 영상 촬영이나 편집 방법을 꼼꼼히 공부해 와서 주위 선생님들에게 알리고, 또 좋은 아이디어도 많이 내는 모습을 보았어요. '어려운 여건에서 함께 만들어 갈 수 있어 출근하는 것이 즐겁다.'는 후배 교사의 이야기를 듣고 기획하는 부장으로서 뿌듯함을 느꼈어요. 이후에도 이런 분위기가 이어졌으면 좋겠어요.

— C초등학교 교사

원격 수업을 준비하는 상황에서 B고등학교와 C초등학교의 대응은 정반대의 모습을 보인다. 물론 학교급에 따라 대응 방식이 다를 수 있다. 학교나 주변 여건 등 다양한 변수도 무시할 수 없다. 그러나 모든 상황을 넘어 우리가 주목해야 할 것이 있다. 그것은 '교사를 스스로 움직이게 하는 힘은 무엇인가?'이다.

원격 수업을 직접 준비하며 교사들은 대부분 크게 당혹스러웠다. 학생들은 이미 EBS나 사설 인터넷 강의를 접해 본 적이 있어 온라인 강의가 익숙하지만 교사들은 그렇지 못하다. 대면 수업이 익숙한 교사들이 촬영·편집·수업까지 모든 부분을 맡아서 하려니 양질의 영상을 만들어 내기가 쉽지 않았기 때문이다.

동영상 제작을 위해 마이크, 카메라 등 장비가 필요했으나 지원이 부족했다. 개인적으로 구매하려고 해도 갑작스러운 수요 증가로 영상 제작 장비 가격이 평소보다 2~3배 이상 치솟기도 하였다. 여러 가지 이유로 쌍방향 수업보다는 콘텐츠 중심 교육을 선택하는 학교가 많았다. 그럼에도 불구하고 경험조차 해 보지 못했던 온라인 수업 콘텐츠를 전국 단위의 교사들이 학년과 교과 단위로 자발적으로 제작하여 학생과 동료 교사들에게 공개하는 모습도 자주 볼 수 있었다.

이런 어려운 상황에서 교사들의 자발성을 이끌어 낼 수 있었던 힘은 무엇이었을까? B고등학교는 교장의 권위로 강제했고, C초등학교는 학교 구성원이 협의하여 선택할 수 있는 판을 만들어 주었다.

인간은 위기 상황에 처하면 얼어붙거나, 도망치거나, 분노하는 선택을 한다. 자신이 안전하지 못하다고 느낄 때 현명한 선택을 기대하기가 어렵다. 하지만 학교 구성원이 서로에게 안전망이 되어 준다면 상황은 달라질 수 있다. C초등학교의 경우 평소 쌓아 온 관계성을 기반으로 안전한 공동체를 만들고 있었다. 수평적인 관계에서 개인의 의견이 존중받고, 의미 있게 수용되어 결정에 반영된다. 함께 결정하는 과정을 지켜보며 의미 있는 소속감을 느낄 수 있다. 또 함께 결정한 일을 공동으로 책임지는 연대와 협력의 과정에서 교사의 자존감은 향상되며, 이는 다시 공동체에 선순환되어 긍정적으로 영향을 미치게 된다.

학교민주주의 개념과 실행 조건 연구(백병부 외, 2019)에서 학교자치에 대한 교육 주체의 인식을 찾아보았다. 관리자·교사·학생·학부모는 모두 각자의 위치에서 학교자치를 바라보았는데, 이 모습은 우리 학교의 현실을 잘 보여 주고 있다.

- 관리자 : 교사들의 책임의식 향상
- 교사 : 자유롭고 평등한 의사결정 과정
- 학생 : 모든 구성원의 주체적 참여
- 학부모 : 의견 수렴과 실질적 반영

관리자인 학교장은 여전히 많은 권한을 가지고 있다. 교사와 학생, 학부모의 의견 수렴과 실질적인 참여, 자유롭고 평등한 의사결정 과정을 통한 학교 운영이 필요하다. 그러나 이러한 교육 주체의 인식은 학교장이나 부장단을 포함한 소수의 의견을 중심으로 운영하는 학교가 여전히 많다는 것을 반증한다고 볼 수 있다.

권한은 주지 않고 의무와 책임만 부여하는 것은 그 행위를 강제하고 통제하려는 의도에서 비롯된 것이다. 각 교육 주체의 책임의식을 이끌어 내려 한다면 권한을 위임하고 수평적인 관계에서 자유롭고 평등한 의사결정 과정이 필요함을 알 수 있다.

여러 사례를 통해 코로나19 상황에서 학교자치에 위협을 주는 요인을 살펴보았다. 이를 통해 평소에 구성원이 함께 만들어 나가는 학교의 민주성이나 학교자치의 모습이 어려운 상황을 만나 어떻게 긍정성을 발휘하는지 볼 수 있었다.

사상 초유의 바이러스로 인해 학교자치는 새로운 국면을 맞고 있다. 잠시 멈칫하고 있는 지금, 학교와 교육의 본질이 무엇인지, 학교자치는 어떻게 나아가야 하는지 보다 폭넓은 안목으로 바라보고 성찰하여 정체성을 다시 정립해야 할 것이다. 나아가지 않으면 더 큰 위기를 만날 수 있음을 기억하고, 위기를 도약의 기회로 삼아 한 걸음 더 나아갈 수 있어야 한다.

코로나19가 묻고 학교자치가 답하다

코로나19 사태는 신종 전염병에 대한 두려움과 이후의 경제적 위기에 대한 우려로 혼돈과 공포, 이기심, 차별, 혐오 등 우리 사회의 민낯을 드러냈다. 반면 코로나19 확산 지역을 향해 달려간 의료진과 봉사자, 전국의 모금 활동 등 고난을 함께 극복하고자 협력하고 연대하는 모습을 보여 주기도 하였다. 이를 통해 우리나라의 방역 체제가 팬데믹 상황에서 세계적인 모범으로 자리 잡을 가능성을 보여 주기도 하였다.

　코로나19로 우리 교육과 학교도 달라질 것이다. 교육계가 바라는 학교자치도 지금과 다른 모습일 것이다. 포스트 코로나 시대를 대비하여 우리는 무엇을 준비하고, 어떻게 대응해 나가야 할지, 코로나19가 묻고 학교자치가 답을 찾는 형식으로 기술하였다.

다양한 접근보다 안전이 더 중요한가?

모든 상황에서 안전은 당연히 가장 중요한 가치가 되어야 한다. 자신이 속한 곳에서 건강하고 안전하게 살아가는 것은 인간의 가장 기본적인 권리이기 때문이다. 다만 안전에 대한 염려가 지나치게 확대되거나 잘못된 개념으로 이해되어 모든 상황에서 안전만 추구하고 새로운 시도와 다양한 생각은 배척되는 방향으로 가는 것은 경계해야 할 것이다.

안전은 물리적 안전과 심리적·정서적 안전으로 구분하여 생각할 필요가 있다. 물리적인 안전을 위해 적당한 거리두기를 하고 손을 자주 씻는 등 위생 수칙을 철저하게 지키는 것이 필요하다. 심리적·정서적 안전을 위해서는 공동체성이 매우 중요한 요소가 될 수 있다.

공동체 구성원이 수평적인 관계를 맺고 민주적인 의사소통을 하는 것은 공동체성의 기반이 된다. 학생들에게 학교는 지식을 쌓고 삶의 힘을 기르는 공간이다. 학교자치가 학교 구성원이 평등한 관계 속에서 원활한 의사소통을 하며, 협력과 연대의 장을 만들어 서로의 감정에 귀 기울여 주고, 서로를 돌보는 안전기지의 역할을 할 수 있기를 기대해 본다.

'함께'보다 중요해진 '거리두기', 소통은 어떻게 할까?

인간은 사회적인 동물이지만 동시에 타인과 적절한 거리를 두는 것 또한 개인의 삶을 위한 필수적인 요소이다. 인간은 '따로 또 함께' 살아갈 수 있어야 한다.

코로나19의 확산은 내 옆에 있는 친구나 동료를 바이러스 전파자로 바라보게 만들었다. 함께 대화를 나누거나 밥을 먹는 등의 일상을 공유하는 것이 바이러스 전염의 주요 통로가 될 수 있기 때문이다. 상황이 이렇다 보니 지속적인 거리두기가 인간관계의 단절을 가져올지 모른다고 우려하기도 한다.

하지만 가까이 있다고 소통을 많이 하는 것은 아니며, 떨어져 있어도 소통할 수 있는 방법은 많다. 코로나19의 확산으로 각자의 집에 머무는 동안에도 우리는 영상통화나 SNS 등을 통해 가족이나 친구의 안부를 묻고, 화상회의 프로그램을 사용하여 주위와 소통하며 당면한 문제를 해결하기도 했다.

학교 구성원 간의 소통도 마찬가지다. 코로나19의 종식은 아직 멀었고, 또 다른 신종 바이러스의 등장을 예고하고 있기에 우리는 다양한 소통 방법을 찾는 것이 필요하다. 구성원이 필요하다고 느끼고 원한다면 언제, 어떻게, 무엇으로 소통할 것인지 그 해결책을 함께 찾아 나갈 수 있을 것이다.

'어차피, 해 봤자, 다시'로 무너지는 자존감 어떻게 회복할까?

코로나19의 확산으로 개학이 네 번이나 연기되어 각종 교육 계획이 반복적으로 수정될 수밖에 없었다. 방역 및 질병 예방과 관련하여 마스크와 손소독제를 확보하기 어려운 문제도 있었다. 학교는 사상 초유의 온라인 개학을 맞이하며 나름의 해결책을 고민하며 찾아가고 있다.

이렇듯 학교 단위에서 문제를 파악하고 빠르게 대응하여 해결책을 찾으면 이후 상급기관에서 공문을 통한 필수 지침이 내려왔다. 그러면 학교에서 결정한 사안은 폐기되고 위에서 내려온 필수 지침을 중심으로 다시 추진해야 했다. 이것이 반복되자 학교 현장에는 '어차피, 해 봤자,

다시'라는 좌절감이 팽배했다. 이는 학교를 행정의 말단으로 여기며 통제의 대상으로 보고 자율성을 제한한 결과로 볼 수 있다. 이러한 상황이 지속된다면 단위학교에서는 문제 해결을 위해 다양한 의견을 내고 능동적으로 대처하기보다 최소한으로 움직이며 상급기관의 지침만 기다리게 될 우려가 있다.

방역이나 안전에 대한 지침이나 매뉴얼은 반드시 필요하다. 그러나 학사 운영이나 교육과정 운영에 대해서는 지역교육청과 단위학교의 자율에 맡길 필요가 있다. 해외 사례에서도 국가가 휴교나 개학 일정을 일괄적으로 정한 경우는 많지 않았다. 감염자가 단 한 명도 없는 시군구에서조차 전국의 통일된 기준에 맞추어 학교 문을 열지 못하였다. 결과적으로 다수의 학생들이 학교 긴급돌봄으로 등교를 하게 되었고, 학생들은 학교에 나와 있는데 수업을 하지 못하는 아이러니한 상황이 발생하기도 하였다.

전국적으로 통일된 지침을 제공하기보다는 지역에 권한을 부여하고, 세세한 매뉴얼보다는 가이드라인을 제공하여 지역교육청과 학교가 지역의 상황에 맞추어 판단하고 대처할 수 있어야 한다. 세부 지침과 매뉴얼로 학교를 통제하고 관리하기보다, 권한을 부여하고 선택권을 보장하여 교사들의 자발성과 능력을 이끌어 내기를 바란다.

현장을 모르는 교육부의 엇박자, 언론에 발표하면 다인가?

교육부는 각종 정책을 만들면 먼저 언론 발표부터 한다. 이를 시행해야 할 학교 현장에는 어떤 사전 안내도 없는 이른바 '교사 패싱'을 하는 것이 익숙해졌다. 지난 3월 6일에 교육부 장관은 긴급돌봄을 점심 식사 제공을 포함하여 오후 7시까지 늘리는 대책을 언론을 통해 발표했다.

학생들을 돌볼 인력을 채용하거나 안전한 식사를 제공하기 위해서는 시간이 필요하다. 돌봄과 급식에 대한 계획을 세우고, 규정과 절차에 따라 업체를 선정하고 예산을 집행하는 일련의 규정이 촘촘하게 있기 때문에 간단한 일이 아니다. 그럼에도 정작 그것을 시행해야 할 학교에는 사전에 어떠한 안내도 없었다.

언론 발표가 끝나자마자 당장 등교 방식과 점심식사 제공 여부 등이 궁금한 학부모의 문의가 빗발쳤다. 학교도 당황스러웠다. 교육부로부터 어떠한 안내도 받지 못했기에 긴급돌봄에 대한 정보는 학부모가 알고 있는 수준의 이상도 이하도 아니었기 때문이다. 학교는 학부모의 문의에 신속하게 대응하지 못했고, 결과적으로 다시 한번 학교의 신뢰를 떨어뜨리는 결과를 낳았다.

학교를 잘 모르고 현장과 대화하지 않으며 일단 언론에 발표부터 하는 교육부의 소통 방식은 개선되어야 한다. 덧붙여 지나치게 복잡하고 촘촘한 규정과 절차를 개선할 필요도 있다. 예산 사용의 투명성을 확보하기 위해 마련되었던 다양한 안전장치가 문화가 바뀌었음에도 남아 오히려 학교 운영에 발목을 잡고 있다. 학교자치 시대의 적합한 제도 보완이 그 어느 때보다 필요하다.

위기는 기회의 다른 표현, 학교자치가 나아갈 길 탐색

동전에는 양면이 있고 빛이 있으면 그림자가 생기기 마련이다. 모든 일의 이면에는 장점과 단점이 동시에 있다. 어떤 이는 코로나19를 경험하며 학교가 해체될 것이라 하고, 어떤 이는 학교의 중요성이 그 어느 때보다 중요해졌다고 말한다.

사태를 바라보는 관점에 따라 다른 해결책이 나오므로 지금의 상황을 정확히 바라보는 안목이 필요하다. 여러 관점으로 코로나19로 인한 학교자치의 위기를 바라보며 해결책을 찾아보았다. 우리 사회에서 교육, 학교, 교사의 역할은 무엇이며, 어떤 방향으로 나아가야 하는지 성찰할 필요가 있다. 이를 통해 역할을 탐색하고 재정립할 수 있는 기회가 되기를 바란다.

모두가 위기라고 말한다. 위기는 다시 기회가 될 수 있다. 위기를 기회로 만드는 힘은 공동체의 구성원이 협력하고 연대하는 데서 나온다는 것을 기억하자.

교육과정 자율화를 향한
희망의 응시

세상의 일상이 동시에 멈춘 것은 생애 만나기 어려운 특별한 이변이다. 코로나19로 한시적 비상 선언을 하면서 많은 것이 예측할 수 없는 방식으로 변하고 있다. 당연했던 것이 당연하지 않은 현실을 바라보며 우리는 많은 것을 멈추고 내려놓아야 했다.

인류의 문명이 한 단계씩 발전해 나감에 따라 바이러스도 숙주를 찾아서 자신들을 변형해 왔다. 미래에도 인간은 계속 발전해 갈 것이고, 바이러스 역시 나름대로 생존을 위해서 최선을 다해 살아갈 것이다. 바이러스는 보편적으로 이동하지만 그 영향은 인간의 삶에 개별적으로 다가왔다. 특히 노인, 빈곤층, 장애인 등 사회적 약자에게 치명적인 영향을 주었다. 지역사회 감염 확산을 막기 위해서는 불가피했던 사회적 거리두기는 소외와 단절이라는 또 다른 사회문제를 낳았다. 학계에서는 이를 우연히 발생한 예외적 사태가 아니라 언제든지 일어날 수 있는 사태로 인식하며 '재난의 일상화'[2]로 명명하기도 했다. 우리가 살아왔던 이제까지의 삶의 방식을 되돌아보며 인간과 자연, 인간과 인간, 전 지구적 문제 등에 관심을 가지고 공존과 상생의 가치를 교육적 담론으로 삼아야 할 적기이다.

코로나19의 발발은 사회적 변동은 물론이거니와 교육계에도 무척 큰 타격을 주었다. 그러면서도 바이러스가 가져온 멈춤 상황은 교육에 대한 본질적 질문을 던져 주었다. 코로나19 상황 이전에도 미래교육의 중요성은 강조되었지만, 위기가 일상화되면서 삶의 양식이 바뀌고, 특히 교육계의 표준이 급하게 달라져야 했다. 위기 속 거리두기를 통해 소외와 배제가 고개를 들기도 하지만, 한편 무정한 개인주의에서 공감과 협력에 더 가치를 두는 뉴노멀이 중요한 가치로 언급되고 있다. 무한경쟁 속에서 잃어버린 인간성을 회복할 기회일지도 모른다.

아울러 긴급하게 진행된 온라인 개학으로 관료 행정의 땜질식 처방이 더욱 두드러졌지만, 학교 현장에 산적한 문제점이 무엇인지 발견하는 단서가 되기도 했다. 이전에도 우리 사회의 교육격차와 교육 불평등은 풀어야 할 교육 과제였고, 에듀테크를 기반으로 하는 디지털 활용 능력은 갖추어야 할 미래 대응 역량이었다. 강제로 소환된 미래로 인해 상

---

2 경기도교육연구원의 경기교육 포럼(2020. 4. 9) 발표 자료인 「재난의 일상화와 교육의 과제」에서는, 지금의 사태를 '재난의 일상화'라는 언어로 정리하며 지금의 사태는 우연히 발생한 사태가 아니라 언제든지 일어날 수 있는 사태로 인식해야 한다고 한다.

처가 붉어지니 곪아 있는 화농이 더 잘 보였다. 세상의 일시정지로 감추고 싶은 난제가 더 부각된 것이다. 이에 대한 처방 차원으로 위기 상황에서 우리가 놓치고 있는 교육의 본질과 온라인 수업을 통해 새롭게 발견한 것은 무엇인지를 찾아보고자 한다. 위기의 교육에 우리는 어떤 희망을 응시해야 할까?

온라인 개학의 의미

온라인 개학은 교사와 학생이 대면하지 않고 원격으로 수업을 진행하는 것으로, 2020년 코로나19 확산 사태가 장기화되면서 전국 초·중·고의 개학이 연기를 거듭한 가운데 처음으로 시행된 정책이다. 교육부는 2020년 3월 31일 유치원을 제외한 전국 모든 초·중·고의 첫 온라인 개학을 시행한다고 밝히며, 이에 따라 4월 9일 고3·중3을 시작으로 순차적으로 원격 수업을 진행했다. 교육부는 온라인 개학 발표에 앞서 원격 수업의 적정한 형태와 운영·관리 기준으로 '원격 수업 운영 기준안'을 다음 [표 1]과 같이 제시하였다.

[표 1] 원격 수업 운영 기준안

의미	교수 · 학습 활동이 서로 다른 시공간에서 이루어지는 수업 형태
형태	• 실시간 쌍방향 수업, 콘텐츠 활용 중심 수업 • 과제 수행 중심 수업 등이 모두 원격 수업의 한 형태 • 이외에 교육감 또는 학교장이 별도로 인정하는 수업 형태
인정 범위 (학생 입장)	• 화상회의 도구 등을 통해 교사와 학생이 실시간으로 소통하는 형태의 수업에 참여하는 것 • 교사의 지시에 따라 교사가 사전에 녹화해 둔 강의 영상을 시청하거나 EBS 강의를 듣는 것 • 교사가 제시한 독서감상문, 학습지 등의 과제를 수행한 뒤 교사의 확인과 피드백을 받는 것

재난 상황의 교육과정

코로나19 확산을 차단하려는 방편으로 모든 학교급에 일괄적인 온라인 수업이 시행되었다. 온라인 수업의 가장 좋은 그림은 학교 현장의 온라인 인프라 환경 구축과 교사와 학생의 디지털 활용 상용화가 전제되는 것이다. 그런데도 정작 교육의 주체인 교사와 학생들은 온라인 수업의 주체에서 배제되었다. 교직 생애 스마트 기기 수업은 없을 거라 장담했던 교사에서부터 디지털 기기 활용이 능수능란한 교사에 이르기까지 온라인 수업은 누구에게나 부담스러운 짐이었다. 온라인 수업을 위한 기술과 소양이 동시에 강구되어야 함에도 개인 온라인 플랫폼의 한계, 저작권 문제, 디지털 리터러시, 시스템 활용을 위한 사전 점검 등이 이루어지지 않은 온라인 개학 선언으로 학교 현장은 대혼란을 겪어야 했다. 다

급함에 이끌려 학교는 하루하루가 고비처럼 온라인 수업을 진행했다.

여러 비판 속에서도 온라인 수업의 성과를 찾는다면 앞으로 언제 닥칠지 모를 천재지변이나 기타 수업 결손 상황에서 학생에게는 학습권을, 교사에게는 수업권을 지켜 줄 수 있는 유의미한 대안이라는 인식을 심어 준 것이다. 비록 진행 과정이 순탄치는 않았지만, 언제까지 개학을 미루고 자율 학습에 맡길 수만은 없는 상황에서 온라인 개학은 저마다의 역할에 최선을 다하려는 교사와 이를 응원하는 학생의 팔로워십에 기대야 했다.

교사들은 플랫폼에 영상 수업의 링크를 걸고 학생의 과제에 피드백하면서 강의-시청 중심의 초기 온라인 수업에서 교사별 영상 학습 자료, 참여형 과제 제시 등 다양한 콘텐츠를 조합하는 방식을 점차 시도하였다. 이 기세를 몰아 어떤 교사는 온라인으로 실시간 쌍방향 수업까지 나아갔지만, 한편으로는 점점 느슨해지는 학생의 반응을 보며 교사들은 새로운 고민을 갖게 되었다.

'온라인 수업에서도 학습자의 참여를 끌어낼 수 있는 수업 디자인이 가능할까?' '학습자의 수준과 발달 단계에 따라 수업 구안이 달라져야 하는데, 일괄적인 온라인 수업에서 어떻게 학습 격차를 보완할까?' '수업 시간 운영을 오프라인 수업과 같게 하니 학생의 집중도가 현저히 떨어지는데 이에 대한 대안은 무엇일까?' 이런저런 고민으로 온라인 개학의 무게감이 사뭇 컸지만, 위기 상황에서 일원화된 동참이 필요했기에 교사들은 대의적 지침을 따르고 있었다.

특히 입학을 앞둔 초·중·고 1학년 전환 학년을 담당하는 교사는 학교생활 경험이 없는 학생들과 라포를 형성하기도 전에 온라인으로 만나는 상황이 큰 부담으로 다가왔다. IT 강국이니 스마트 기술이 글로벌 브랜드를 달고 올지라도 분필만을 고수하며 입담을 자랑하던 교사도 온라인 빗장을 열어야 했다. 강제된 미래교육의 입김을 학교 구성원 모두 온몸으로 맞이하고 있었다.

온라인 수업을 준비하는 동안 학교 현장에는 여러 후문이 돌았다. 한편에서는 온라인 수업을 준비하며 칸막이 교실론이 사라지면서 수업관이 다른 동료와 첨예한 대립으로 열을 올리기도 하였다. 또 다른 한편에서는 '비상 상황일수록 협력이 제격이라며 뭉쳐야 한다'는 교사가 늘어나기도 했다. 특이한 것은 혁신학교 지정과 상관없이 평소 학교 문화가 건강하고 민주적인 학교는 위기가 오히려 기회로 전환되어 교원의 협력적 연대가 어느 때보다 빛을 발하게 되었다.

온라인 수업 준비에 여념이 없던 중 교육계 일각에서 저학년인 초등 1·2학년의 경우 온라인 수업을 해도 스마트 기기 앞에서 집중해 수업을 듣는 것에 한계가 있다는 우려를 제기했다. 어린 학생이 교사 없이 컴퓨터 앞에서 40분가량을 온전히 집중해 수업을 듣는 건 현실적으로 쉽지 않다고 본 것이다. 이에 교육부는 긴급 대책으로 초등 1·2학년의 경우 온라인 수업을 스마트 기기가 아닌 EBS 방송과 가정학습 자료를 중심으로 진행하기로 하였다.

온라인 수업이 선언되었을 때부터 현장의 교사들은 학습자의 발달 수준을 염려했다. 다만, 난무하는 주장이 위기 상황에 행여 혼란을 더할까 자중할 뿐이었다. 많은 교사가 각자가 처한 환경에서 온라인 수업 준비로 골머리를 앓고 있었다. 어느 날은 초등 1학년을 e-학습터에 가입시키기 위해 스마트 기기에 익숙하지 않은 학부모와 몇 차례 전화 통화를 하기도 했다. 또 다른 날은 학부모를 학교에 직접 모셔서 가입을 대행하며 수업을 준비하기도 했다. 이러한 노력이 무색하게 교육부의 지침이 바뀌자 교사들은 허탈함과 서운함을 표할 겨를도 없이 바로 다음 수업 안내를 준비해야 했다. 학습 꾸러미를 가정에 배송하는 지침을 정할 때도 학교 현장과는 사전 교감 없이 진행되었다. 교육 주체로서의 교사의 역할은 실종되고 지침에 순응하는 수행자 역할만 남아 있었다.

졸속 준비로 인한 실수는 교육과정 구성에서 여실히 나타났다. 학교 가기를 손꼽아 기다리는 초등 1학년의 환상적 기대처럼 EBS 방송 수업은 친절하게 수업을 열어 가는 선생님의 유쾌한 입담이 돋보이는 수업이다. 그러면서도 교육과정 개발자의 시각을 빌리자면 교육과정 재구성을 절감하는 수업 시연이었다. 온라인 방송 수업은 교과서 목차대로 진행되었다. 예를 들어, 1단원은 「학교에 가면」으로 '학교 안팎의 위치와 학교생활 알아보기', '인사놀이를 통해 새로운 친구 사귀기', '친구의 얼굴 떠올리며 노래하기' 등으로 진행되었다. 학교생활에 대한 적응을 높이기 위한 단원이었지만 어떤 친구도 만날 수 없는 상황에서 교과서 텍스트에 충실한 수업이 진행되었다. 2단원은 「봄의 특징」을 알아가는 단원으로 '도란도란 봄동산', '봄 친구들을 만나요', '봄동산에 사는 친구들'이 주요 내용인데, 이 수업을 할 때는 이미 봄은 저물어 5월을 목전에 두고 있었다.

초등 1·2학년 EBS 방송 수업 준비 협의회에 교육과정 문해력을 지닌 현장 교사가 한 명이라도 참여했다면, 교과서 목차 그대로의 수업은 일어나지 않았을 것이라는 생각을 해 본다. 적어도 소극적 차원의 재구성으로 시의성에 맞게 단원 순서라도 바꾸면서 학습자가 가정에서라도 계절을 실감할 수 있는 학습활동을 구안했을 것이다. 온라인 수업 결정은 교육부가 했지만 수업의 주체는 교사와 학생이다. 코로나19 초기 상황에서 의사의 재량권을 존중해 주었듯 비상시국인 만큼 교사의 교육과정 자율권 인정으로 유연성을 발휘했다면 전국의 초등학생은 수동적 시청자에서 주체적 참여자로 한 발 더 나아갔을 것이다.

교육의 위기는 항상 존재했다. 과거에도, 현재에도 위기가 오면 '세상이 어찌 되려고?' 하며 사람들은 불안해 했다. 이 위기의 주요 원인은 새로운 교육 콘텐츠의 부재가 아니라, 교육 문제에 대한 접근 태도에 있다. 재난의 일상화 시대, 새로운 교육 콘텐츠를 잉태하지 못해 위기가 아니라, 교육 현안을 임시방편으로 처방하는 우리의 시선을 돌아봐야 할 때이다.

온라인 수업을 통한 새로운 발견

온라인 수업을 시작할 무렵의 당황스러움도 잠시, 여러 우여곡절을 겪으며 점차 학생도, 교사도, 학부모도 적응해 가고 있다. 온라인 수업에 대한 해석과 적용도 천차만별이다. 어떤 학교는 온라인 개학 전부터 '교사 관리형 원격 수업'[3]의 의미를 축자적으로 해석하여 1~7교시까지 오프라인 시간표를 연동하였다. 교실 수업을 그대로 온라인으로 옮기는 파이프라인 수업 모델이었다. 학생이 없는 빈 교실에 들어가 오프라인 수업 시간 45~50분을 그대로 적용하여 온라인 수업을 진행하였다. 내막을 살펴보니 해당 학교는 위기 상황에 흔히 발생할 수 있는 학교장의 쇼크 독트린이 작용하여 하향식 수업 운영 매뉴얼이 만들어진 상황이었다.

현재는 항상 처음이라, 또는 급박해서 제대로 논의되지 않은 질문이 산적해 있다. 온라인 수업을 진행하면서 점차 수업에 대한 근원적 질문을 품게 되었다.

"온라인 수업을 통해 새롭게 발견한 것은 무엇인가?"

온라인 수업의 장점을 찾는다면 온라인 플랫폼은 학생 상황에 따라 교실에서보다 쉽게 질문할 수 있는 구조를 지닌다. 또 학생들이 개별적

---

3 교육부가 2020년 3월 2주차 이후 코로나19 확산 방지를 위한 2차 개학 연기에 따른 교사 관리형 온라인 학습 지원 계획을 발표하면서 학생의 자기주도학습에서 교사의 관리하의 학습 수행으로 전환하였다. 교사의 역할을 학생의 온라인 학습 자원 정보 제공에서 온라인 학습 운영 계획을 수립하여 학생별 학습 관리 피드백으로 전환하였다.

으로 질문한 내용에 대해 교사는 인터넷 제반 환경을 바탕으로 필요한 정보를 즉각적으로 피드백할 수 있다. 또한, 온라인 수업은 오프라인에서의 부족한 소통을 보완할 수 있다. 직접 찾아가는 대면 만남이 익숙하지 않은 학생은 교사-학생 간, 혹은 학생 간에 비대면의 힘을 빌려 채팅창을 두드릴 수 있다. 이 외에도 학습자의 이해도에 따라 콘텐츠의 반복 시청이 가능하고, 학생 개인 맞춤형 수업이 가능해 학습자 주도적 수업이 이루어질 수 있다는 이점이 있다. 다양한 학습 과제를 온라인 플랫폼에 탑재하면 자연스럽게 갤러리를 구성하여 학생 간 상호작용도 촉진할 수 있다.

이러한 장점에도 불구하고 온라인 수업의 맹점으로 가장 많이 지적하는 것이 대면 수업에 비해 집중력이 떨어진다는 점이다. 학생들의 인터뷰를 통해 신기루같이 비친 온라인 수업의 단점을 살펴보고자 한다.

지켜보는 사람이 없으니까 학교에서보다 딴짓을 더 하게 된다. 비디오를 잠시 꺼놓고 딴짓을 할 때가 종종 있고, 유튜브나 야구 경기 사이트로 이동하는 경우도 있어 이러다 공부를 더 못하게 될까 봐 걱정이 된다.

보통 새 학기가 되면 선생님, 친구들과 얼굴을 익히며 수업하는데, 그런 것 없이 온라인에서 만나니 어색하다. 어떤 때는 온라인에 입장할 때 온라인 방 자체가 고요한 적이 있어 당황했다.

온라인상에서는 선생님과 친구들의 눈빛이나 표정을 바로 읽을 수 없어 상황 파악이 느리다. 눈빛 하나로 다 이해할 수 있는 교실에서의 만남이 그립다.

교과마다 과제가 너무 많다. 그동안 못한 학습 공백을 막기 위한 것은 알겠는데, 선생님은 한 교과에서 과제를 제시하지만 학생 입장에서는 여러 과목의 과제를 수행하기가 벅차다.

동영상 중 교과서 진도와 맞지 않는 것이 있고, 우리 반 선생님이 아니라서 집중력이 떨어진다. 체육, 음악, 특히 실험실습이 있는 교과가 이론으로 대체되는 점도 그렇다. 어떤 것은 빨리 나가고, 어떤 것은 이미 배운 것을 반복하기도 해 힘들고 지루하다.

디지털 활용 능력은 매우 유용하며, 미래사회에서 적극적으로 활용해야 할 도구임은 분명하다. 그러나 도구가 교육의 본질을 지배한다면 결코 바람직하지 않다. 이는 수업에서의 상호작용을 중시해야 한다는 측면에서 더욱 그러하다. 단방향 온라인 수업은 상호작용을 유연하게 담아내지 못한다. 보통, 온라인 교육 콘텐츠는 선명한 전달을 위해 말을 중복하는 것조차 허용하지 않는다. 반면, 교실에서의 대면 수업은 신뢰 있는 관계 맺기를 통한 교사와 학생 간의 상호작용을 중시한다. 그 교육활동이 온라인으로 옮겨져 인간적인 유대감을 형성하기 위해서는 교실에서보다 서너 배의 에너지를 필요로 한다. 수업은 교사의 눈빛, 표정, 그에 맞는 몸짓 등 학생과의 다양한 상호작용을 통해 달라지기 때문이다.

온라인 수업 중 가장 큰 혼란은 기기 활용이나 인프라 구축보다 온라인 수업을 경험하고 바라보는 시선에 있다. 이러한 염려를 덜고자 온라인 수업의 장단점을 분석해 온라인과 오프라인의 접점을 찾으며 새로운 수업을 시도할 수 있다. 온오프라인의 장단점을 연결하며 수업의 구심점은 학생의 삶이 자라는 교육과정에 있다.

다음과 같은 상상을 더해 보자. 우선, 종전에 획일적으로 운영하는 수업 시간표를 전면 수정함으로써 개별 교육의 가능성을 알게 되었다. 온라인으로 개별 만남이 가능하고, 학습자의 성장 속도에 따라 개별 피드백이 적절하게 이루어질 수 있다. 배움의 속도가 느린 학생은 다시 보기를 통해 이해되지 않는 부분을 반복할 수 있으며, 교사에게 개별 질문을 할 수 있는 구조는 즉각적 피드백으로 이어진다. 또한 학습할 원리나 개념에 관한 내용은 영상으로 시청한 후 오프라인에서는 상호작용이 가능한 학습자 주도의 프로젝트 수업을 진행할 수 있다. 이어 교사는 학생에 따라 다른 과제를 제시하여 개별적 피드백을 할 수 있다.

아울러 온라인상에서도 학습자 간 상호작용이 가능하다는 것을 경험하였다. 전체 모임방에서 학습 내용을 안내받은 후 소회의방으로 나누어져 집중적인 논의에 참여한 후, 다시 전체방에서 논의를 공유하는 수업도 구안할 수 있다. 이때 교사는 소회의방에 참관하여 배움이 느린 학생이나 배움을 이끄는 학생의 성장 속도를 관찰 누가기록하여 학습의 상황을 피드백할 수도 있다. 학생의 학습 참여와 학습 과정이 기록으로 저장되어 과정별 평가 자료로 활용할 수 있다.

코로나19 이전에는 대입의 부담에서 상대적으로 자유로운 초등과 중등 학교급에서는 '어떻게'에 초점을 두어 가르치는 방법에 집중했다면, 고등은 여전히 대입을 의식하여 '무엇'에 초점을 두는 교육이 이루어졌다. 그러나 온라인 개학 이후에는 학생이 집중할 수 있는 수업을 구안하다 보니 학교급과 상관없이 '왜', '무엇을', '어떻게'라는 질문을 모두 아우르며 교육과정과 연계하여 수업을 설계하려는 움직임이 있다. 온라인 수업에서 '무엇'만을 담아내는 수업 디자인은 대면 수업보다 더 빠르게 학생의 외면을 받는다는 것을 교사들은 여실히 체감했기 때문이다.

코로나19 이후 우리는 원래의 학교 일상으로 돌아가기는 어려울 것이다. 돌아간다고 해도 예전과 같은 방향으로 돌아가지는 않을 것이다. 따라서 온라인 수업을 통해 우리가 발견한 것을 생생히 증언하며 새로운 삶을 준비할 때이다. 이 과정에서 '당장 어떻게 대응할 것인가?'에 대한 고민도 중요하지만, 무엇보다 우리가 던져야 하는 질문은 "이후에 우리 교육은 어떻게 변화되어야 하는가?"가 되어야 한다.

온라인과 오프라인 수업이 똑같을 수 없다. 다름을 인정하고 수업의 본질을 찾아가면서 온라인 개학 이후 디지털 교육이 자리를 잡아 갈 것이다. 기술은 교육에서 철저하게 도구이다. 단순히 수업을 온라인으로 옮기는 것이 아니라, 사람과 사람이 만나는 현장성을 대체할 새로운 형태의 교육적 상상이 구체적으로 펼쳐져야 한다.

먼저 교육이 가지는 기능 중 지식 전달에만 치우친 관점이 바뀔 것이다. 온라인 수업을 준비하면서 교사들은 서로 연결된 느낌을 살릴 수 있는 교육과정과 수업을 디자인하기 위해 옆의 동료와 마음을 모으고 머리를 맞대었다. 책을 읽고, 글을 쓰고, 말과 글을 나누며 소통하고, 자신과 서로의 존재를 살폈다. 사회적 존재로서의 행동을 기획하는 교육활동의 가능성을 온라인 수업이라는 조건에서 탐색하려 했다. 학생을 더 이상 수동적 방청객으로 머물게 하지 않고 주도적 참여자로 이끌기 위한 공동 수업을 구안하자거나, 교육과정을 공부해 보자는 제안으로 자연스럽게 교사 학습공동체가 결성되기도 했다.

이미 보통의 지식은 무한한 인터넷 정보에 기반하여 쉽게 찾을 수 있고, 세계 최고의 강의도 접근 가능해졌다. 그래서 교육이 단순히 지식을 제공하는 서비스 정도로 여겨진다면 점점 많은 교사들은 학생들에게 학교교육의 충분한 가치를 제공하지 못할 수 있다. 그래서 위기 시대를 살아가는 교사에게 특히 필요한 것이 수업에 대한 통찰력인 교육과정 리터러시이다.

교사의 교육과정 리터러시

온라인 개학 이후 전망과 판단으로 그에 따른 장기적 대책 마련이 시급해졌다. 포스트 코로나 시대, 학교의 교육 주체는 학교교육의 비전과 가치를 공동으로 창조하고 공유할 수 있으며, 수동적 존재에서 능동적 교육 주체로 거듭나야 한다. 대면 교육이든 온라인 교육이든 학생들에게 배움과 성장의 경험을 자극하고 제공하는 교사의 역할이 어느 때보다 중요해졌다.

요사이 교사들은 학교교육 공백기가 가져온 교육격차 심화로 걱정이 늘었다. 대면 수업에서 교사가 어느 정도 채워 줬을 관리와 보살핌의 몫이 가정으로 넘어갔기 때문에 교육격차가 더 벌어진 것이다. 가정 형편에 따른 교육격차는 코로나19 이전에도 있었지만, 온라인 수업을 시작한 이후 더 두드러지게 나타나고 있다. 이럴수록 교사의 교육과정 문해력을 기반으로 온라인에 맞는 교육 내용과 비대면으로 할 수 있는 활동을 준비하여 학습자의 상황을 고려한 수업 설계가 이루어져야 한다. 이제는 더 이상 온라인 수업을 재난의 대증요법으로 대체하여 넘길 수 없다.

온라인 수업은 교육계가 오래도록 꿈꿔 온 미래이다. 코로나19가 아니더라도 언젠가는 가야 할 길이다. 다만 갑자기 닥친 '먼저 온 미래'라 시행착오를 겪고 있을 뿐이다. 학교에서 코로나19를 계기로 온라인 수업과 대면 수업의 장점을 각각 살리는 방안을 찾는다면, 미래교육으로 나아가는 새로운 대안이 될 것이다. 앞으로 교사는 개별 학생의 성장과 발달에 가장 적합한 교육과정을 만들어 나가는 교육과정 개발자와 학생의 학습을 촉진하는 퍼실리테이터의 역할을 요청받을 것이다.

코로나19 이전부터 학교교육에 대한 전면적 변화는 줄곧 요구되었다. 위기를 기회로 삼아 학교는 기존의 행정체계 중심의 학교 구조를 탈피하고 학교 교육과정 중심으로 재구조화되어야 한다. 비상시국만이라도 교사가 교육과정 개발에 집중할 수 있도록 교육과정 역량 강화에 대한 교육지원청의 실제적 연수 지원이 이루어져야 한다.

교사에게 교육과정을 기획하고 실행할 수 있는 자율권이 주어진다면 교육 주체와 함께 만들어 가는 교육과정은 능동적으로 디자인할 수 있는 여백이 있는 교육과정이다. 교사는 일상적인 수업과 학습자에 대한 이해를 바탕으로 교육과정을 상상하고, 이것이 학급, 교과 교육과정으로 구성되며, 동료 교사, 학생들과의 상호작용을 통해 서로에게 영향을 주는 교육과정을 만들어 갈 수 있다. 만들어 가는 교육과정은 교사와 학생의 활발한 상호작용 과정에서 교육적 경험을 축적하고 재구성해 나가는 과정 그 자체이다. 이를 통해 교사의 교육과정 리터러시도 함께 강화될 수 있다.

포스트 코로나 시대는 다양한 자료를 이용하여 새로운 지식을 생성할 수 있는 융·복합적 사고 능력을 필수 역량으로 요구한다. 이 과정에서 범교과적이며 교과 통합을 지향하는 핵심역량이 구현될 수 있도록 교육과정을 개발하고 재구성하여 미래지향적 경험을 쌓아 가도록 조력해야 한다. 미래에는 교육과정을 분석하여 기초학력이나 학습 수준에 따른 핵심 개념이나 원리는 인공지능을 통해 관련 서비스를 개발하고, 교사가 개념이나 원리를 가르치는 데 시간을 너무 많이 들이지 않도록 해야 한다. 그 품을 아껴 교사는 학생과의 대면 접촉을 통한 소통과 피드백에 치중하여 학생의 개별성과 학습 주도성을 이끄는 학습 코디네이터의 역할에 충실해야 한다. 모든 지식을 전달하려 하기보다 지식을 찾아서 축적하고 인출할 수 있도록 코칭하는 학습 기획자의 역할을 연구해야 한다.

오래 전 사이버 대학, MOOC 등 온라인 수업의 가능성을 보여 주었지만 학교의 존재는 사라지지 않았다. 학생의 인지, 감성, 신체 등 전인적 발달에 최적화된 곳이 학교라는 최대의 이점은 교사의 존재가 대면적 코칭에 있다는 것이다. 예전에는 진도표 중심의 수업 운영이 오프라인 수업이었다면, 앞으로는 온라인에서 공통 수업 내용을 전달하고 오프라인에서는 개별적 맞춤 수업으로 이원화되는 방식으로 운영되어야한다. 오프라인과 온라인이 서로 보완하지 않으면 디지털 격차로 인한 교육격차의 피해는 온전히 학생들의 몫으로 남겨질 수 있다.

교원의 교육과정 역량 강화를 근원적으로 준비하자면 학교 교육과정 개발과 실행 역량은 교사 양성 과정에서 체계적으로 지원·관리되어야 한다. 이러한 전문적 양성 과정을 밟은 교육과정 전문가로서의 교사는 개별 학생에게 맞는 교육과정을 개발할 수 있다. 또한 동료 교사와 상호 협력적으로 소통하며 학습자의 변화와 성장을 조력할 수 있다. 이어 현장을 지원하기 위한 교육과정 매니저의 전문적 지원이 필요하다. 특히 교육과정의 자율적 운영 주체가 되기 위하여 학교의 비전을 공유하고 협력적으로 실천하는 교사 전문적 학습공동체 운영이 더 중요해졌다.

전문적 학습공동체 활동은 교사들이 모여서 '왜 협력적 연구 활동을 해야 하는지'부터 논의를 시작해야 한다. 코로나19 위기에서 일상 학교 문화의 민주성과 학교 구성원 간의 협력과 연대에 따라 희망의 가능성과 대응력은 달랐다. 온라인 특성을 이해하고, 학습자의 수용도를 반영하여 교육과정 재구성에 대한 교과별·학년별로 협력적 공동 수업 설계를 진행하는 학교는 평소 학습공동체 간 반성적 대화가 활발히 진행되고, 동료 교사 간의 상호작용이 익숙한 곳이었다. 반면, 여전히 교과주의와 교실주의에 갇혀 협력을 간섭으로 여기는 학교는 온라인 수업을 각기 소화하고 있었다.

온라인 수업이 보편화되면서 전에는 생각하지 못한 다양한 상상이 현실이 되었다. 그동안 개인 학업이나 육아 문제로 학습공동체 참여가 어려웠던 교원들이 온라인 모임를 통해 블렌디드 수업을 연구하며 새로운 학습을 시도하고 있다. 교사 학습공동체에서는 온라인 교육으로 더 중요해진 기초교육과 기본교육을 어떻게 수업에 녹여 낼 것인가를 함께 고민하며 대안을 찾고 있다. 교사들은 이제 대면 모임에서 자유로운 의견 개진에 사용되었던 접착식 메모지 대신 온라인 작업 공간에 동시 접속하여 메모 기능이 가능한 웹 앱으로 의견을 공유하기도 한다. 코로나19를 통해 위기를 배움의 기회로 승화하는 조직이 교사공동체라는 것이 입증되고 있다.

포스트 코로나 시대의 교육과정 자율화

포스트 코로나 시대의 학교는 어떻게 변화될 것인가? 온라인 개학을 통한 경험치를 바탕으로 학교를 오고 가는 품을 줄이며 학습에 집중할 수 있는 온라인 시스템이 구비되어도 학생들은 기꺼이 학교를 선택할까?

아마도 전통적 형태의 학교, 주어진 시간에 등교해서 정해진 교과를 물리적 교실 환경에서 획일적으로 수업을 받는 형태의 학교 모습은 많이 축소될 것으로 예측된다. 그럼에도 미래는 기상천외의 가상에서 시작되는 것이 아니다. 미래는 탄탄한 현재의 경험을 기반으로 연계된다. 미래학교는 공동체적 경험을 제공하고, 학생들의 적성과 흥미가 고려된 선택적 교육과정을 확대시켜 학생들의 전 생애 학습 역량을 키울 수 있어야 한다. 결국 재난의 일상화와 같은 외부 환경 변화에 교사와 학습자들이 적응하도록 지원하는 일은 단위학교의 교육과정 운영에 대한 자율적 권한을 전폭적으로 부여하는 것에서 시작해야 한다.

교육과정 자율성에 대한 본격 논의는 2017년부터 몇몇 시·도 교육청에서 교사 교육과정 만들기로 시작하고 있었다. 교사 교육과정은 학생의 삶을 중심으로 국가·지역·학교수준의 교육과정을 공동체성을 기반으로 교사가 적극적으로 해석하고, 학생의 성장 발달을 촉진하도록 편성·운영하는 교육과정이다. 또한, 기존의 국가가 주도하고 교사는 수업 시연만 하는 교육과정이 아닌, 교사에게 교육과정 자율적 운영권을 위임하는 교육과정 인식 전환을 강조하고 있다.

현장에서 학생들과 함께 만들어 가는 교사 교육과정은 교사의 교육과정 리터러시를 바탕으로 교육과정 재구성-수업-평가 일체화, 과정중심 평가 등을 모두 아우르고 있다. 교사의 교육철학을 수업에서 자유자재로 활용할 수 있는 교육과정을 만들기 위해서는 교육과정을 이해하고 재구성할 수 있는 교육과정 리터러시 역량이 있어야 한다. 교육과정 리터러시는 교육과정 문서의 의미를 바르게 이해하고, 이를 반영하여 교육과정을 설계하고 수업을 디자인하며, 평가할 수 있는 능력이다. 온라인 수업이든, 대면 수업이든 교육과정 리터러시는 학생의 성장과 발달 지원을 위해 교육과정 개발자로서 교사가 갖추어야 할 전문적 역량이다.

　이번 온라인 수업에서 다문화 학생이 밀집한 지역에서 보인 수업 자료 구성이나 활동지를 학습자 중심으로 접근하려 한 것은 교사의 교육과정 리터러시에서 비롯되었다. 대도시와 농어촌에서의 교육과정 접근이 다를 것이고, 직면한 현안도 다르다. 최소한의 기초학력이나 다문화 학생 교육이 우선되는 지역과 학교가 있을 것이며, 대도시의 청소년 문화에 대한 개선이 시급한 학교도 있을 것이다. 이처럼 교사 교육과정 만들기는 비록 교사별로 자신만의 교육과정을 만들자는 취지이나 그 기반에는 학교 문화를 반영한 학교 교육과정이 있다. 전체적 명제로 국가의 교육 방향이 있다면 인지적 역량과 감성을 포함한 사회 정서 역량 등 세부적인 교육과정 운영은 학교와 교사가 결정하도록 해야 한다. 더불어 개별적인 수업 실천을 향한 노력도 중요하지만, 교과별·학년별로 공동 연구와 공동 실행이 함께 이뤄져야 한다.

코로나19 상황에서 온라인 수업을 진행하면서 교사에게 가장 힘겨운 것은 법령의 테두리 내에서 수업을 구성하는 것이었다. 학교마다 학생의 여건과 서사적 맥락이 다른 상황임에도 국가 교육과정의 범위 내에서 온라인 수업을 구안하는 것은 창의적 교육과정 운영의 걸림돌이었다. 더구나 학습 자료의 저작권이 보장되지 못하고, 촬영한 수업이 학생에게만 전해지는 상황이 아니기에 수업 중 교사의 한마디 한마디에는 객관적인 언어만이 존재했다. 이러한 수업은 공정한 평가와 연동되기에 교육과정의 자율권을 보장하지 못한 상황에서 학생의 성장을 지원하는 다양한 실험과 상상은 혁신 문서상에서만 존재할 수밖에 없었다.

강제일망정 소환된 미래교육에 대응하려면 교육과정 정책에 대한 더욱 빠른 의사결정이 필요한데, 온라인 수업 시행에서 국가수준 교육과정의 지침은 연일 교사의 교육적 상상력에 제동을 걸고 있다. 교육과정 자율화를 실시하는 데 있어서 무엇보다 필요한 것은 교육과정을 현장에서 운영하는 교사들의 실질인 자율성을 확보하는 것이다. 아무리 좋은 정책과 제도일지라도 교육과정을 실제 운영하고 적용하는 현장에서 제대로 실천되고 적용되지 않는다면 그 효과를 발휘할 수 없다. 따라서 포스트 코로나 시대 교육과정 자율화 정책은 당위론적인 접근을 넘어서 교사수준의 실제적인 자율권 발휘가 확대되어야 한다. 그러기 위해서는 교육과정 편성과 관련된 자율권뿐만 아니라, 교육과정 기획권을 부여하는 방안이 제시되어야 한다. 이를 위한 교육과정 편제나 시수 배정에 관한 체제 개선을 제안하고 학교 현장의 인식 전환, 교사 연수 지원 등이 병행되어야 한다.

학교 자율성 보장이 교사의 허망한 구호로 끝나지 않고 학교 현장의 교육과정과 교실 수업, 궁극적으로 학생의 삶과 성장으로 이어지도록 하기 위해서 교육과정 거버넌스가 전제되어야 한다. 교육과정은 다양한 주체의 참여 및 네트워크 구성이 필요한 특성을 지니기에 거버넌스 개념의 적용이 필요하다. 모든 지식의 영역을 활용할 수 있으려면 모든 사람이 학습자인 동시에 교수자일 수 있어야 한다. 학교 안팎의 경계를 넘나들며 교사, 동료, 학부모, 지역사회 인사 등이 배움의 네트워크로 연결되어야 한다.

나아가 궁극적으로 교육과정의 의사결정은 학교 현장 교사수준에서 이루어져야 한다. 그러기 위해서는 교사가 교육과정에 관한 전문성을 갖추고 그에 맞는 수업 실행으로 학생 성장을 촉진하고, 그러한 결과가 사회적 신뢰로 연계되어야 한다. 현장의 발목을 잡고 있는 규제를 알고 어떻게 풀어 낼지 궁리하는 것도 교육과정 실천의 중요한 전제이다. 아울러 교육과정에 담아낼, 우리가 지향해야 할 가치와 목적이 무엇인지 지속적으로 공동체 간 대화와 고민이 이어져야 한다. 그래야 기술에 종속되지 않고 오히려 기술을 자유자재로 활용하는 교육과정을 개발할 수 있다. 포스트 코로나 시대에도 여전히 교사들은 교육공동체가 공유하는 가치를 담은 교육과정, 삶의 힘이 자라는 교육과정에 대해 탐구하며 학생들과 더불어 행복한 수업을 열망하고 있다.

교육과정으로 공간을 생각하다

온라인 수업을 통해 새롭게 발견한 것은 학생의 의미가 중요해진 만큼, 학생이 없는 공간 대한 의미 부여가 새롭게 전개되었다는 점이다. 앞으로 위기가 일상화될 수 있는 상황을 고려한다면 안전 보장과 학습 상상력을 보장하는 학교 공간은 어떠해야 하는가에 대한 고민이 더해졌다. 현재까지의 학교 공간은 관리가 용이한 구조라고 할 수 있다. 그러나 포스트 코로나 시대의 학교 공간은 물리적 공간과 온라인 공간이 동시에 연동되며, 교육과정 상상에 따라 공간의 개념이 다양하게 해석될 수 있다.

특히 사용자의 필요에 따라 직접 조성한 공간이라면 공간에 대한 애착은 더욱 강할 수밖에 없다. 교육의 주체인 학생과 교사로부터 안전 확보로 생겨난 유휴 교실 활용, 프로젝트 수업 상시화를 위한 다목적 프로젝트실, 온라인 수업 환경 기반을 위한 디지털 정보융합실, 빈 강의 시간에 대비한 쉼이 있는 교실 등 공간에 대한 생활 아이디어를 끌어낼 수 있다. 이참에 단순히 안전 공간 확보 차원을 넘어, 배움의 공간 전반이 미래지향적 방향으로 개선되도록 생각을 모을 수 있다. 학교의 공간이 밀집 환경을 만들지 않으면서도 관계 능력과 사회성을 증진하는 교육활동을 구안할 수 있도록, "새로운 관계가 새로운 공간을 요구하고, 새로운 공간이 새로운 사회적 관계를 낳을 수 있도록 조성되어야 한다."[4]

최근 덴마크를 비롯한 북유럽에서는 '교실(classroom) 없는 학교'가 운영되고 있다. 이는 건축가가 벽, 기둥, 바닥 등 건축 구조에 필요한 최소한만 설계하고, 나머지는 사용자가 직접 참여하여 내부 공간을 디테일하게 조성하는 것이다. 실제 내부 공간은 교육과정에서 요구하는 다양한 교수·학습 형태에 따라 사용자가 직접 공간을 쉽게 변형할 수 있도록 이동이 편리한 가구 등으로 구성되어 있다. 따라서 학교 공간 상상력은 교육과정 과제와 연동되어야 한다. 덴마크의 오레스테드 짐네지움에서는 수업의 50%는 문이 있는 교실 공간에서 진행하고, 나머지 50%는 문이 없는 개방된 공간에서 진행한다. 또한 교사의 개입을 최소화하여 학생들이 공간을 자율적으로 활용하도록 한다.

포스트 코로나 시대의 학교 수업은 모든 교과에서 다양한 형태로 구현될 것이다. 공간의 용도를 명확히 디자인하기 위해서는 실제 공간 내에서 이루어지는 교육과정 실천을 철저히 조사·분석하여 그 결과에 기반하여 공간을 조성해야 한다. 배움이 해당 교과실에 한정되지 않고 학교 내 어디서나 배움이 가능할 수 있도록 공간 혁신에 대한 그림을 그려 나가야 할 것이다.

학교 공간 혁신은 노후화된 공간을 러브하우스로 바꾸는 개념을 넘어 배움이 가능한 공간으로, '어디를'이 아니라 '왜'의 질문으로 시작되어야 한다. 코로나19 이후 아이들이 없는 텅 빈 교실, 웅성거림 대신 적막한 복도, 종합정보센터인 도서실의 고요함 등을 관찰하며 배움의 방법

---

4 앙리 르페브르(Henri Lefebvre)는 저서 『공간의 생산』에서 새로운 사회적 관계가 새로운 공간을 요구하고, 새로운 공간이 새로운 사회적 관계를 낳는다고 했다.

으로 학교 공간을 주의 깊게 바라봐야 한다. 삶의 연결로서 새로운 시공간의 틀을 짜며 배움을 발견하는 곳이 학교가 되어야 한다.

다시, 꿈을 꾸다

코로나19 국면에서 한 개인의 행동과 공동체의 안위, 부분과 전체가 생존 차원에서 상호 연결되어 있다는 것을 절실히 느꼈다. 내가 건강해야 우리 모두가 안전하다는 삶의 연결을 코로나19가 역설적으로 가르쳐 주었다. 이러한 공동체적 삶의 연결성을 수업 설계에 적용하여 현재보다 온라인 수업 내용과 방식을 업그레이드할 수 있어야 한다. 강의식 설명이나 기초 지식에 대한 이해 여부를 확인하는 정도의 '인강' 방식에서 벗어나, 삶과 연결하는 창의적이고 유연한 형태의 온라인 수업 모델이 개발되어야 한다. 아울러 온라인 수업에서 실시간 쌍방향 수업을 내실 있게 할 수 있는 현실적 방안을 모색해야 한다. 온라인 수업에서는 학생 간 상호작용이 가능한 소그룹 중심 온라인 협동학습을, 오프라인에서는 다양한 역량을 향상할 수 있는 프로젝트 수업을 운영할 수 있다. 가령 지구의 생태계를 학습한다고 하면 국어과에서는 생태 관찰시를 기획하고, 과학에서는 온라인 학습으로 원리를 설명하고, 사회과에서는 에코라이프 생활 실천을 탐구하며, 음악·미술 교과에서는 홍보 영상 제작함으로써 융·복합프로젝트 수업을 구현할 수 있다.

코로나19 상황에 구축한 온라인 수업 체제를 기반으로 일상 수업에서도 거꾸로 수업이나 온오프 연계 수업 등을 보다 활성화할 수 있다. 단, 학생의 삶과 연계하는 것은 필수 학습 요소이다. 또한 내실 있는 온라인 수업을 위해 학습 코칭을 적극적으로 도입해야 한다. 학습 코칭은 학생 스스로 자기주도적 학습이 가능하도록 하는 전략으로 학습 동기 유발, 노트 필기, 암기 방법, 시간 관리법 등의 다양한 방법이 있다. 이러한 학습 코칭 전략과 방법을 온라인 수업과 접목하면 교육적 효과를 극대화할 수 있다.

온오프 연계 수업의 성공 여부는 수업 콘텐츠 자체보다 학생들의 온라인 수업 수행 과제 결과에 대해 오프라인에서 어떻게 피드백할 수 있는지에 달려 있다. 이러한 상황에서는 교사가 티칭(teaching)보다 튜터링(tutoring) 활동을 잘할 수 있어야 한다. 코로나19가 안겨준 온라인 수업을 통해 개별적 배움의 가능성을 확인했지만 '사람의 본성은 부단히 연결을 필요로 한다'는 것도 알게 되었다.

포스트 코로나 시대, 미래를 향한 각양각색의 소리가 드높을 즈음 급변하는 사회를 위한 즉각적 미래 대응과 함께 '교육이 지켜야 할 본질은 무엇일까'를 다시 생각한다. 어떤 것을 진실이라고 믿는다면 오랜 시간이 걸리더라도 그것에 많은 에너지를 쏟을 수 있어야 현재와 연결되는 미래를 맞이할 수 있을 것이다.

코로나19의 등장과
혁신 포용적 평생학습체제[5]

코로나19의 출현과 세계적 대유행은 우리 사회의 다양한 위기를 직면케 하는 티핑포인트가 되었다. 그중 비대면 문화(untacked culture)의 확산은 생산과 소비의 위축, 일자리 상실 등 생존까지 위협할 정도로 우리의 일상을 뒤흔들어 버렸다. 중요한 것은 이 위기는 단순한 경제 위기로 한정되지 않는다는 것이다. 정치·사회·문화·보건·인권의 위기를 가져왔고, 더 나아가 인류 소멸 위기까지 확대될 조짐을 보이고 있다. 코로나19와 같은 바이러스의 재출현으로 인류가 소멸할 것이라는 시나리오가 등장한 것이다. WHO에 의하면 코로나19의 안정화 단계 이후에

---

5   본 글은 한국직업능력개발원 2019년 기본보고서 「평생학습체제 수립을 위한 국가 교육 및 훈련 관련 법령 개선 연구」를 글의 성격에 맞게 수정·보완하여 작성하였다.

도 세계적 전염병의 위기는 지속될 것이라는 전망이다. 이러한 상황에 우리 사회 전반에서 사회적 거리두기의 실천은 의무화되었으며, 언택트가 새로운 라이프 스타일, 즉 '뉴노멀'의 키워드가 되었다.

이제 우리는 코로나19라는 변화의 트리거(trigger)를 통해 자연스럽게 언택트의 시대에 살게 되었다. 언택트는 사회적 거리두기 이상의 의미를 갖는다. 즉 '불안하고 편리한' 시대에 우리가 가진 하나의 욕망이자, 정형화된 사회적 관계 속에서 불편한 소통보다 '편리한 단절'을 꿈꾸는 현대인의 욕망 표출이다. 대면 중심의 소통 방식의 변화와 개인의 안전과 자유의사를 중심에 놓는 라이프 스타일의 진화가 시작된 것이다.

코로나19가 촉발한 미래사회의 변화와 위기를 경제·사회, 인구구조, 기술변화, 교육, 보건복지 등의 영역에서 살펴보고, 이를 해결하기 위한 혁신 포용적 평생학습체제에 대해서 알아보고자 한다.

코로나19 팬데믹과 미래사회의 변화

여기서는 코로나19 팬데믹으로 인한 우리 사회의 변화와 다양한 위기에 대해 구체적으로 살펴보자.

경제·사회적 지속가능성 저하

우리나라의 정책적 이슈는 지속가능성에 초점을 두는 경우가 많다. 예를 들면, 경제 지속가능성, 고용 지속가능성 등이 이에 해당한다. 하지만 그동안 지속가능성의 관점은 주로 경제적 지속가능성으로 국한되어 삶의 만족과 관련된 사회적 지속가능성에 대한 관심은 낮았다. 일례로 우리나라의 경제 규모는 세계 11위 수준이지만, 삶의 행복 수준은 조사 대상 150여 개 국가 중 55위에 그친다(Helliwell · Layard · Sachs, 2017). 또 우리나라의 노인 빈곤율은 경제협력개발기구(OECD) 국가 중 1위라는 불명예를 갖고 있다. 코로나19 발생으로 노인 빈곤층을 포함하여 소득 수준이 일정 지점에 도달하지 못하는 계층의 급격한 증가가 예상된다. 따라서 경제적 지속가능성 측면의 접근과 함께 사회적 지속가능성도 함께 고려한 정책이 추진되어야 한다.

사회적 지속가능성은 지니계수,[6] 자살률, 출산율 등을 중심으로 분석이 가능하다. 지니계수는 자살률과 정(+)의 상관관계를 보이며, 출산율과는 부(-)의 상관관계를 보인다. 이제 사회안전망 구축과 함께 적극적인 분배를 통해 지니계수와 자살률을 낮추고, 더불어 국민의 삶의 질을 제고하여 사회적 지속가능성을 높이는 일은 더욱 중요한 정책 이슈가 되었다.

---

6   지니계수는 대표적 소득분배 지표이다. 이 지표는 빈부격차, 계층 간 소득 불균형 정도를 나타내는 수치로, 소득이 균등하게 분배되는 정도를 알려 준다. 지니계수는 0부터 1까지의 수치로 표현되는데, 값이 0에 근접할수록 평등하고 1에 가까울수록 불평등하다는 것을 보여 준다. 지니계수를 통해 다양한 계층 간의 소득분배 정도와 소득불평등 정도를 확인할 수 있다. (네이버 지식백과, 통계용어 · 지표의 이해)

저출산과 인구구조의 변화

저출산은 OECD 국가에서 일반화된 현상이지만, 한국의 경우 출산율의 감소 속도가 극심하고, 초저출산이 장기간 지속되고 있다는 점에 문제의 심각성이 있다. 2001년부터 합계출산율 1.3 미만의 초저출산율이 지속되고 있는데, 2019년 현재 합계출산율이 0.92를 기록하여 충격을 주었다. 2017년 기준 OECD의 평균 합계출산율은 1.65명 수준인데, 회원국 중 유일한 0명대인 점을 감안하면 OECD 중 최저수준이다. 무엇보다 만혼(晚婚)의 증가, 초산 연령의 노령화, 높은 양육비와 사교육비 부담 등 전반적인 인구구조 관련 상황을 고려할 때 합계출산율은 향후에 더욱 하락할 것으로 예측된다(통계청, 2019).

또한 한국인의 기대수명은 1970년 62.1세, 1990년 71.3세, 2017년 84.2세로 지속적으로 증가하고 있다. 2030년 우리나라의 기대수명은 여자는 90.82세, 남자의 경우 84.23세로 평균 기대수명이 90세를 돌파하는 최초의 국가가 될 것으로 예상하고 있다. 기대수명이 증가한다는 것은 노인에 대한 소득보장과 의료비 같은 건강 지출의 증가로 국가 재정 지출이 늘어난다는 의미이기도 하다.

특히 코로나19 발생은 저출산 현상을 심화시킬 여지가 있어 생산가능인구의 감소, 세수(稅收) 마련의 어려움 등이 예상된다. 또 보건·의료 관련 국가의 책무성 요구도 커져 국가 재정 부담이 가중될 전망이다. 하지만 국민 정서의 문제 및 가계 채무 증가 등 한국의 제반 여건상 고부담 형태의 보건복지 재원 마련은 쉽지 않은 상황이다.

지방소멸 위기

현재 우리나라는 지방소멸 위기에 직면해 있다. 「한국의 지방소멸 2018」이라는 보고서[7]에 의하면 지방소멸 현상이 가속화되고 있음을 확인할 수 있다(이상호, 2018). 현재 대통령소속의 자치분권위원회가 지역 자치 실현을 위해 「지방자치법」 전부 개정안, 「지방이양일괄법(중앙행정 권한 및 사무 등의 지방 일괄 이양을 위한 물가안정에 관한 법률 등 46개 법률 일부 개정을 위한 법률)」 제정안, 「자치경찰제 도입을 위한 경찰법」 전부 개정안 등을 국회에 제출한 상태이다. 하지만 지방소멸을 예방하고 국토균형발전을 실현하는 진정한 의미의 자치 분권을 위해서 교육자치와 일반자치의 연계와 협력이 우선적으로 필요한 상황이라는 인식이 강하다. 다만, 코로나19 팬데믹은 제반 인프라가 우수한 대도시에 거대 인구가 함께 거주하던 방식에서 중소도시 중심의 소규모 거주 형태로 삶의 변화 가능성을 열어 놓았다.

기술혁신과 4차 산업혁명

4차 산업혁명은 데이터 축적 및 활용, 제조 기술의 고도화를 포함하는 용어로, IoT(사물인터넷), 사이버 시스템, 인터넷 서비스 등을 포괄하는 기술과 가치사슬 개념에 대한 총칭으로 정의할 수 있다(Hermann ·

---

7 매년 국가통계포털의 주민등록인구통계를 활용해 2013~2018년 전국 288개 시군구 및 3,463개 읍면동의 소멸위험지수를 계산해 오고 있다.

Pentek · Otto, 2016). 이는 초지능 · 초연결을 기반으로 하는 대융합으로 IoP(사람인터넷)와 IoT를 통해 빅데이터를 축적하고, 인공지능이 빅데이터에 대한 판단과 자율제어를 수행함으로써 초지능적인 제품의 생산과 서비스를 제공하며 생산성을 제고하는 것이다(하원규 외, 2015).

4차 산업혁명은 기술의 연결과 융합으로 추가 생산에 따른 비용 부담이 지속적으로 0에 수렴해 가는 무한 발전 가능성의 속성을 갖는다. 즉 기술 발전은 새로운 일자리를 창출하지만, 창출되는 일자리 숫자보다 감소되는 숫자가 더 많을 것으로 예상되고 있다. 기술 발전이 코로나19 유행과 결합하면서 저숙련 노동자의 일자리 감소 비중이 커지고, 이에 따라 소득 · 교육 · 지역 격차는 더욱 심각해질 것으로 예상된다. 사회적 격차 해소를 위한 국가적 책무 요구가 거세져 그 간극을 보완하려는 교육 · 고용 · 보건복지 정책 시도가 일부 진행되었지만 한계점이 매우 큰 상황이다. 따라서 한국 사회에 걸맞은 교육 및 고용과 결부된 기본소득 제도(BIS, Basic Income System) 도입 등 교육 · 고용 · 보건복지를 연계한 새로운 정책 수립의 필요성이 제기되고 있다.

기초학력 미흡과 사회 소외계층의 낮은 평생학습 참여율

OECD 주관 국제학업성취도평가(PISA) 결과를 통해 본 한국 청소년의 학업성취도는 모든 영역에서 세계 최고 수준이다. 하지만 기초학력 미흡 학생 비중도 지속적으로 증가하여 11% 수준에 도달하였다(임언, 2018). 또 OECD 주관 16~65세를 대상으로 한 국제성인역량조사

(PIAAC)에서 언어 능력, 수리력, 문제해결력 등의 역량은 중하위권 수준에 머무는 것으로 나타났다. 기초학력의 미흡, 청소년 역량과 성인 역량의 차이, 삶과 교육에 대한 낮은 만족도 등은 한국의 교육 체제와 사회에 대한 성찰을 갖게 한다.

한국 청소년의 높은 학업성취라는 외연적 결과보다는 학업에 대한 동기와 흥미 등 내면적인 면을 살펴보아야 할 것이다. 또 형식적인 학교교육 참여뿐만 아니라, 평생교육 참여가 역량 수준을 높이는 효과가 있으므로 성인들의 형식·비형식 평생학습 참여율 제고를 위한 장애 요인 등을 종합적으로 살펴볼 필요가 있다. 성인의 평생학습 참여율은 지속적으로 높아지고 있지만, 아직도 긴 노동 시간, 교육훈련기관의 부재, 학습 비용의 부담, 양질의 프로그램 부족 등이 장애 요인으로 나타나고 있다. 특히 장애인, 다문화 가정, 장기 실직자 등 사회 소외계층의 낮은 평생학습 참여율이 심각한 문제로 지적되고 있다.

지식정보화 사회에서는 학교가 아닌 다른 장소에서 교육에 참여하는 사람들이 지속적으로 증가하면서 타 부처의 주요 정책 영역 안에 교육정책이 포함되는 사례가 늘고 있다(국가교육회의, 2018). 이는 교육 영역뿐만 아니라 고용·보건복지·사회·문화 영역에서도 교육정책이 중요해지는 시대가 오고 있음을 의미한다.

더불어 코로나19의 세계적 확산은 다른 사람과의 접촉을 지양하는 생활 양식인 비대면 문화와 함께 비대면 교육의 필요성을 강하게 제기했다. 기존 오프라인 형태의 학교교육 중심에서 온라인 형태의 시공간을 초월하는 교육의 시대가 열렸다는 의의도 갖는다. 즉 미래사회의 학교교육은 오프라인 교육 수준의 고도화된 온라인 원격교육 시스템 구축과 함께, 지역사회의 모든 교육 콘텐츠와 인프라를 활용할 수 있는 보다 유연한 평생학습체제의 수립이 요구된다.

노동시장의 격차 및 노동교육의 미흡

우리나라 노동시장의 특징은 대기업과 중소기업의 격차, 정규직과 비정규직의 격차, 높은 자영업자 비중, 청년 실업, 고용보험 대상자의 제한 등으로 설명할 수 있다. OECD 국가 중 저임금 근로자 비율이 미국(24.9%) 다음으로 높고(23.7%), 비정규직의 사회보험 가입률은 정규직에 비해 매우 낮다. 2016년 기준으로 고용보험 가입률은 정규직이 84.1%, 비정규직은 42.8%이다. 현재 고용보험 대상자는 1,300만 명 수준으로 나머지 1,500만 명에 이르는 사각지대가 존재한다. 즉 실업 위험에 노출되어 있지만 법제상의 제약으로 인해 실업급여를 받지 못하고 있는 특수고용직·예술인·프리랜서·영세 자영업자·플랫폼 노동자 등 비고용보험 대상자가 있다. 코로나19의 유행은 이들 비고용보험 대상자에게 크나큰 생계 위협을 초래하였다.

사실 노동과 복지는 본말(本末)의 성격을 가진다. 따라서 노동시장의 이중구조와 고용보험 대상 제한 등의 문제를 해결하지 못할 경우, 소득·지역·교육·건강수명 등 사회적 격차의 심화로 인한 사회적 불평등은 더욱 악화될 수밖에 없을 것이다.

보건복지 변화

OECD 국가는 일반적으로 기대수명과 건강수명[8] 간 격차가 평균 7년 내외로 나타나고 있다(김미곤 외, 2017). 하지만 우리나라는 고소득층과 저소득층의 기대수명 격차는 6년, 건강수명 격차는 11년으로 나타나 빈부에 따른 건강 격차 문제가 매우 심각하다(김명희, 2019).[9] 지역 차이도 크게 나타났다. 17개 광역시도 중에서 기대수명의 지역 간 격차는 최대 2.6년이었고, 건강수명 격차는 최대 5.3년이었다(김명희, 2019). 이는 고소득층이 저소득층에 비해 건강관리 수준이 월등하게 높다는 것을 증명한다.

문제는 코로나19의 등장이 국민의 건강수명 격차를 더욱 심화시킬 것이라는 점이다. 따라서 건강 및 보건 관련 사회적 불평등 해소를 위한 정책적 노력이 필요하다. 이는 단순히 의료보장 강화만으로는 해결할 수 없다. 의료보장 강화와 함께 건강·보건복지 등에 관한 교육정책이 필요할 것으로 판단된다. 즉 포스트 코로나 시대에는 사회적 약자에 대한 국가 차원의 보호와 함께 보건교육 강화를 포함한 보건 영역 공공성 제고 방안 마련이 필요하다. 이는 앞으로 살펴볼 혁신 포용적 평생학

---

8   기대수명은 0세 출생아가 향후 생존할 것으로 기대되는 평균 생존 연수(年數)이고, 건강수명은 기대수명 중 질병 및 부상으로 고통받은 기간을 제외하고 건강한 삶을 유지한 기간을 의미한다.
9   우리나라의 경우 2010~2015년 건강보험공단 자료, 2008~2014년 지역사회 건강조사 자료 등을 분석한 결과 소득 상위 20% 인구의 기대수명은 85.1세, 건강수명은 72.2세였다. 반면 소득 하위 20% 인구의 기대수명은 78.6세, 건강수명은 60.9세에 그쳤다.

습체제 수립과 연계하여 방안을 찾아야 할 것이다.

기타 사회문제

상기 제시된 사회문제 이외에도 우리 사회는 세대·젠더·이념·가족 및 부부 갈등이 지속적으로 표출되고 있다. 우리에게 주어진 엄격한 현실은 코로나19의 등장으로 사회적 격차와 갈등은 더욱 확대될 여지가 크다는 사실이다.

살펴본 다양한 사회적 격차와 구조적 갈등을 해결하기 위해서는 무엇보다 혁신 포용적 평생학습체제라는 국가적인 큰 틀 안에서 해결 방안을 마련해야 한다. 이들 정책이 평생학습체제라는 울타리 안에서 상호 유기적으로 연결되어 정책적 시너지를 발휘하게 된다면, 국민의 삶의 질을 향상시키고, 국가의 비전인 혁신적 포용국가[10]를 조기에 완성시킬 수 있을 것이다.

---

[10] 개인과 제도의 역량을 매개로 혁신과 포용을 결합해 차별과 배제를 넘어 우리 국민 모두가 다 함께 잘사는 나라를 지향하는 새로운 국가발전 모델이며, 포용적 혁신경제와 혁신적 포용사회, 그리고 권력의 공유와 분산을 통한 포용적 민주주의가 국민 개개인의 행복을 보장하고 견인하는 국가를 말한다(성경륭, 2019 혁신적 포용국가 심포지엄).

평생학습체제에 대한 고찰

앞서 우리 사회의 구조적 격차 문제와 코로나19 팬데믹으로 촉발된 다양한 사회 위기의 해결 방안으로 평생학습체제 수립의 필요성을 제기하였다. 이제 평생학습체제 관련 이론적 배경으로 평생교육, 평생학습사회, 평생학습체제 모형에 대해서 살펴보고자 한다.

평생교육

평생교육의 개념은 연구자에 따라 다양하게 논의되고 있다. 평생교육의 창시자인 폴 랑그랑(Paul Lengrand)은 현대사회의 변화, 인구 증대, 과학기술 발달, 민주화를 위한 정치적 도전, 정보 급증, 여가 증대, 인간관계 균형 상실, 이데올로기의 위기 등에 대한 도전을 극복하는 교육 개념으로 시간의 축과 장소의 축 등 양 축을 통합할 수 있는 평생교육을 주장하였다(이호영·김상돈, 2004). 한편 황종건(1992)은 평생교육을 가정교육과 학교교육 그리고 사회교육의 삼위일체적 교육통합론이라 하였다. 결국 평생교육은 시간과 공간에 따라 분절된 교육 영역을 하나로 통합하는 것을 말한다. 궁극적으로 생애에 걸쳐 학교교육과 학교 외 교육을 시간과 공간을 초월하여 통합하는 교육을 의미한다.

학자들의 평생교육에 대한 개념 정의는 다음 [표 2]와 같다.

[표 2] 평생교육 개념 정의

구분	개념 정의
R. H. Dave (1973)	개인적 · 사회적 삶의 질을 계속적으로 향상시키기 위하여 평생 동안에 걸쳐 연장 · 실시되는 모든 형태의 형식적 · 비형식적 · 무형식적 학습활동
장진호 (1985)	인간성의 조화적 발달을 모색하며 다른 사람과 더불어 공동체의 복지를 증진시켜 나가는 인간화 교육
황종건 (1992)	가정교육과 학교교육 그리고 사회교육의 삼위일체적 교육 통합
최항석 (2004)	평생교육은 바로 매일 자신의 삶을 개조하고자 하는 사람들을 배움으로 거듭나게 도와주는 활동이고, 배움 문화의 생태계를 유지할 수 있도록 공동체를 만들어 가는 활동이며, 사람들에게 서로 어울려 즐기며 배우는 법을 익히는 문화적인 기자제이고, 개인적으로나 사회적으로 자기 개조적인 배움을 촉진하는 활동
김종서 (2015)	삶의 질 향상이라는 이념 실현을 위하여 태아에서 무덤에 이르기까지의 교육의 수직적 통합과 가정교육, 사회교육, 학교교육의 수평적 통합을 통한 학습 사회를 건설함으로써 최대한의 자아실현과 사회 발전 능력의 함양을 목적으로 하는 교육
평생교육법 제2조 1항	학교의 정규 교육과정을 제외한 학력 보완 교육, 성인 문자 해득 교육, 직업능력 향상 교육, 인문교양 교육, 문화예술 교육, 시민참여 교육 등을 포함하는 모든 형태의 조직적인 교육활동

출처 : 김종서 외(2008). 평생교육학개론

평생학습체제 개념 및 추진 방향

단기간 내 눈부신 성장을 이룬 우리 경제는 요소 투입 주도의 고도성장 단계를 지나 생산성 중심의 혁신주도형 발전 단계에서 사람과 혁신 중심의 포용성장 단계로 전환하는 지점에 있다(박세일 · 김승보 · 박정수,

2007). 1995년 5·31 교육개혁 이후 성장과 경쟁의 논리에 토대를 둔 신자유주의 교육 사조가 지배적이었다. 그러나 포용적 혁신성장을 지향하는 문재인 정부의 새로운 성장 패러다임에는 사람(인본)과 시스템(체제)의 중요성이 부각되고 있다.

유럽연합(EU)의 경우 교육 및 훈련 정책은 2000년 리스본 전략 채택 이후 체계적으로 실행되었다. 이 전략은 더 좋은 일자리 창출, 사회 통합성 제고, 지속가능한 경제 성장 실현 등을 핵심 가치로 제시하고, 가장 경쟁력 있고 역동적인 지식 기반 사회·경제 체제 형성을 목표로 회원국의 교육 및 사회복지 시스템의 개혁을 요구하였다(European Council, 2000).

또한 우리가 살아갈 미래사회의 지속가능 발전 여부는 유무형 학습망의 작동 여부에 달려 있다. 따라서 미래지향적 평생학습체제 수립을 위해 개인적인 차원과 함께 조직·지역·국가 차원에서 학습망의 연결이 확산적으로 이루어지는 것을 도와야 한다. 연결과 소통이 자유롭게 이루어지는 현실에서 평생학습체제는 학습자의 진로를 개발하고 개척하는 일, 삶을 풍요롭게 하는 일이 자유롭게 이루어지는 플랫폼과 유사할 것이다(국가교육회의, 2019).

평생학습체제는 삶의 질 향상이라는 이념 실현을 위해서 태아에서 무담에 이르기까지 교육의 수직적 통합(총체성)과 가정교육·학교교육·사회교육의 수평적 통합(통합성)을 통해 소외됨 없이 누구나(포용성) 최대한의 자아실현과 사회 발전 능력 함양을 목적으로 하는 학습사회 체제를 말한다.『국가교육회의 1주기 백서』에는 포용적 평생학습사회의 지향점에 대해 다음과 같이 설명하였다(국가교육회의, 2018). 그리고 이를 실현하기 위해서 개인 학습자, 지역사회, 국가 차원의 추진 방향을 다음 [표 3]과 같이 제시하였다.

첫째, 전 생애 언제나 또 다른 기회를 가질 수 있는 사회를 지향한다.

둘째, 전국 어디서나 걸어서 평생학습 터전에 다다를 수 있는 사회를 조성한다.

셋째, 누구나 차별 없이 평생학습에 다가갈 수 있는 사회를 추구한다.

[표 3] 평생학습체제의 주체별 추진 방향

구분	추진 방향
개인 차원	• 전 생애에 걸친 직업 능력의 질(質)적인 성장 • 문화와 여가를 통한 사회적 창의성의 시대 진입 • 고령화 시대 학습, 일, 여가의 선순환
지역 차원	• 평생학습 지원 프레임으로 공공과 민간의 자원 재구조화 • 전 생애 시민교육 활성화와 지역사회 조직화를 통한 참여하는 시민 양성 • 생활권 평생학습 지원 체제를 통한 지역 주민의 삶에 밀착한 지역기반 학습문화 정착
국가 차원	• 관련 부처별 교육 영역과 대상별로 단절 없는 통합적 평생학습 지원 평생학습 거버넌스 구축 • 공존과 상생을 통한 학습복지 지원 확대 및 차별 없는 학습 기회 접근성 제고 • 전면적인 일–학습–자격 체제 통합 시스템을 구축하여 평생학습의 질적 고도화 추진

출처 : 국가교육회의(2018). 국가교육회의 1주기 백서

평생학습체제 모형

국가별 평생교육제도[11]는 다양한 유형을 가지고 있다. 최근 국가 교육 제도의 성격에 따라 복지주의와 신자유주의로 양분하는 경향이 있다. 그러나 그리핀(C. Griffin, 1987)은 일반적 국가정책의 유형을 적용하여 평생교육제도를 시장 모형, 진보적 자유복지 모형, 사회 통제 모형 등 3가지 모형으로 분류하여 각 모형의 특징을 제시하였다.

한편 그린(A. Green)은 각국의 평생교육제도를 사회·경제적 특성, 평생학습의 관리, 재원 확보 방법 등의 특징에 따라 프랑스식 국가 주도 모형(state-led model), 영국식 시장 주도 모형(market-led model), 독일식 사회 협력 모형(social partnership model) 등 3가지 모형으로 제시하였다 (김종서 외, 2015).

Griffin과 Green이 제시한 평생교육제도 모형은 유럽 국가 기반 모형으로 한국을 포함한 여러 국가의 평생교육제도의 특성을 설명하기에 미흡한 점이 있다. 이를 보완하기 위해 서울대 김신일 교수는 4가지 한국형 평생학습제도 모형을 제시하였다. 4가지 모형은 이념형 성격으로, 실제 특정 모형만 적용되지 않으며 다른 유형의 성격을 부분적으로 혼합한 특성을 갖는다(김종서 외 2015).

교육제도의 특성을 결정하는 중요 요인은 교육활동의 국가 통제 수준과 교육 비용의 부담 주체이다. 통제 수준과 비용 부담 주체를 두 축으

---

11 본 연구에서는 평생학습체제의 유형으로 개념이 유사한 평생교육제도를 함께 고찰하였다.

로 할 경우, 통제 수준의 강약과 개인의 교육 비용 부담 수준으로 구분하면 4가지 유형을 도출할 수 있다. 통제 모형(높은 통제·높은 부담), 사회주의 모형(높은 통제·낮은 부담), 복지 모형(낮은 통제·낮은 부담), 시장 모형(낮은 통제·높은 부담)이 그것이다.

평생학습체제의 핵심

지금까지의 교육제도가 정해진 장소·시간·대상을 중시하는 학교 중심의 생애준비 교육이었다면, 코로나19의 등장과 함께 비대면 중심의 생애준비 교육의 중요성이 커지고 있다. 즉 교육제도의 성격이 장소와 시간의 개념을 뛰어넘어 평생에 걸친 교육과 학습을 포괄하는 것으로 변화하고 있다.

유네스코 세계교육연구위원회 보고서인 포르(Edgar Faure)의 『존재를 위한 학습(Learning to be)』은 학교 중심의 교육제도에서 벗어나 평생교육제도로 지향하는 데 큰 영향을 준 것으로 평가받고 있다(김종서 외, 2015). 데이브(R. H. Dave, 1973)는 Faure의 보고서가 제시한 21가지 원칙을 토대로 평생교육의 핵심 속성으로 총체성(totality), 통합성(integration), 유연성(flexibility), 민주성(democratization) 등 4가지 원칙을 제시한 바 있다.

총체성은 일상생활 교육에서 제도권 교육은 물론, 유아 교육과 노인 교육에 이르기까지 모든 종류의 교육을 포함하는 포괄적 교육관이다. 이는 아동과 청소년 대상의 학교교육을 중심으로 운영한 교육제도의 범위를 확장하는 것을 의미한다.

통합성은 다양한 교육기관이 분절되지 않고 긴밀한 관련 속에서 연계성을 갖고 운영되어야 한다는 것을 의미한다. 이때 통합은 구조적 통합보다는 기능적 통합을 의미한다.

유연성은 학습자의 다양한 학습 욕구를 각자의 조건과 요구에 적합한 맞춤형 방식으로 학습할 수 있도록 내용·장소·시간·방법 등을 모두 유연하게 하는 것을 의미한다.

민주성은 교육제도가 엘리트 중심의 선별 기능 수행에서 벗어나, 만인이 공평하게 교육받을 수 있도록 교육에 대한 민주적 참정권의 부여를 말한다.

한편 이희수(2017)는 문재인 정부 국정운영 5개년 계획 검토를 통해 혁신적 포용국가의 핵심 용어로 포용성(inclusion)을 제시하고 제4차 평생교육진흥기본계획(2018-2022)을 수립하였다. 이때 포용성은 경제 정책이 아닌 사회 정책으로 양극화를 극복하는 사회적 포용(inclusive society)과 사회적 정의(social justice)를 추구하는 개념으로 설명하였다. 또한 평생학습제도의 핵심 영역으로 교육 소외계층의 평생교육 강화를 제시하였다. 이는 특정 교육 대상에서 소외되지 않고 모두를 대상으로 하는 교육의 개방성 및 책무성과 맥을 같이 하는 개념으로, 『국가교육회의 1주기 백서』에서 언급한 포용적 평생학습사회의 지향점과도 일치한다. 이를 제시하면 다음 [표 4]와 같다.

[표 4] 포용적 평생학습체제 모형

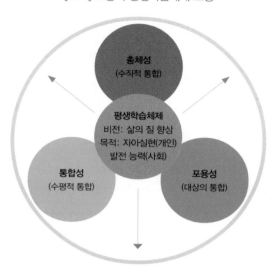

즉 코로나19의 등장에도 불구하고 삶의 질 향상이라는 비전은 여전히 유효하며, 개인의 자아실현과 사회의 혁신적 발전 능력 지속을 위해 총체성(시간의 통합), 통합성(장소의 통합), 포용성(대상의 통합)을 확보할 수 있는 포용적 평생학습체제 수립이 필요하다.

코로나19 이후 새로운 교육의 시대
— 포용적 평생학습체제의 수립

코로나19와 4차 산업혁명 등으로 촉발된 변화는 우리 삶에 큰 영향을 미치고 있다. 앞서 살펴본 것처럼 학교교육 및 학교 형태를 포함한 교육의 전반적인 영역에도 큰 변화가 예상된다. OECD 산하 교육연구와 혁신센터(CERI)에서는 2020년 학교교육의 미래상(像)을 3가지 형태로 제시하였다(OECD, 2001).

학교 형태 및 교육 방식의 변화 정도에 의거 현 체제 유지형(status quo extrapolated), 학교 재편형(re-schooling), 탈학교형(de-schooling)으로 제시하고, 각각 2개의 시나리오를 구성하였다. 시나리오는 학교 체제의 유지 또는 변화, 변화의 경우 재편 또는 해체라는 2가지 기준을 제시하여 구분하였다.

[표 5] OECD 학교교육의 미래상(像)

대분류		중분류
I	현 체제 유지	I-1. 견고한 관료제적 학교 체제
		I-2. 시장 원리 적용 모델 확대
II	학교 재편	II-1. 사회 핵심 교육센터로서 학교
		II-2. 초점화된 학습 조직으로 학교
III	탈학교	III-1. 학습자 네트워크와 네트워크 사회
		III-2. 교사의 탈출, 학교 붕괴

출처 : OECD(2001). What schools for the Future?

미래학교는 근대 학교교육 유지 형태, 개인 중심·자유경쟁 강조 형태, 시민공동체 중심·공공성 강조 형태 등 3가지 방향으로 예측된다. 4차 산업혁명과 코로나19로 촉발된 미래 학교교육의 형태별 특징을 제시하면 다음 [표 6]과 같다.

[표 6] 미래 학교교육의 형태

구분	근대 학교교육 유지 형태	개인 중심 · 자유경쟁 강조 형태	시민공동체 중심 · 공공성 강조 형태
특징	• 관료화된 학교 틀 유지 • 혁신적인 변화보다 완만한 점진적 개선	• 사회적 효율성 추구 및 자유경쟁 원리 적용을 통해 학교교육 전면 혁신 추구	• 분권적 공공성 실현을 위한 시민공동체 주도의 학교교육 혁신 추구
학생	• 미성숙한 존재로 타율적 관리 대상 • 교육과정 개발 시 참여 미흡 • 근면 성실한 수동적인 지적 수월성 추구	• 창의성 등 실행 역량 갖춘 개인 • 학생 자기주체성 강조 • 자신의 적성과 진로에 맞는 맞춤형 교육과정 설계자 • 학습의 선택과 책임의 주체 • 능동적 창의성 추구	• 사회적 대화 참여자 • 공동체의 선에 기여하는 책임 있는 시민 • 사회적 참여를 기본으로 공공성, 창의성 추구
교사	• 공교육 제도권에서 지식 교육 권위자 • 학생 학업성취도 평가자 및 성적 관리자	• 학생 중심 학습을 위한 촉진자	• 앎의 과정과 실천을 이끌어 내는 인격과 지혜를 갖춘 전문가
학교	• 독점적 정규 학습 기관으로 연계성 없는 고립된 형태의 기관 • 위계적 · 선형적 구조를 기본 속성으로 하는 관료적 학습 조직	• 핵심 교육기관의 구심점 약화 • 탈관료적 · 유동적 · 수평적 구조로 학습네트워크 중 하나의 교육기관	• 유연하고 수평적인 개방 사회의 학습 센터 • 연계성과 통합성을 기본으로 하는 학습 생태계의 핵심기관 : 관계를 통한 앎을 지향하는 개인 맞춤형 배움터
교육과정	• 학문 중심, 교과 중심 교육과정	• 교과 지식, 이론 지식을 넘어 수행 능력 강조 • 분과를 넘어 융합적 설계 방식으로 전환	• 수행 능력을 넘어 참여 · 실천을 기본으로 하는 자질과 성향 강조 • 사회적 대화를 통한 실천적 역량 강조
제도/ 인프라	• 기존 체제 유지 분절적 도입	• 효율성, 경쟁력 강화를 위한 개방적 수용으로 네트워크 강화	• 공동체 가치 지향적 수용 매체로서 네트워크 강화

출처 : 류방란 외(2018), 제4차 산업혁명 시대의 교육 : 학교의 미래

학교의 형태 및 운영과 관련해서 주목할 것은 코로나19의 세계적 확산에 따른 비대면 문화의 일상화로 온라인 교육을 포함한 비대면 교육에 대한 요구가 증가하고 있다는 사실이다. 따라서 근대 학교교육 유지 형태는 심각한 소멸 위기에 처할 가능성이 높아졌다. 대면 교육과 유사한 효과성과 효율성이 있는 비대면 교육 플랫폼 구축의 필요성이 높아지면서 개인 중심, 시민공동체 중심의 학교가 빠르게 등장하고 있다. 따라서 미래학교 변화상(像)을 예측하고 모든 국민의 평생학습 기회 증진과 보장을 위해 시간·공간·대상을 초월한 새로운 평생학습체제 수립이 필요하다.

새로운 평생학습체제는 혁신성과 포용성을 기반으로 둔 포용적 평생학습체제 수립이 되어야 할 것이다. 특히 총체성, 통합성, 포용성이라는 3가지 가치를 중심에 두고 이들을 극대화할 수 있는 체제 수립이 필요할 것이다.

특히 코로나19는 「헌법」과 「교육기본법」에 명시된 국가의 전 국민에 대한 평생학습권의 보장 요구를 극대화시켰다. 또한 교육·고용·보건복지 영역의 정책적 연계와 함께 이들 영역에 대한 국가의 책무성 강화를 요구하고 있다. 더불어 자유경쟁 논리의 신자유주의 교육철학을 매듭짓고 새로운 인본주의 교육철학의 필요성을 제기해 주었다. 이제 우리는 인본주의 교육철학에 토대를 두어 전 국민 누구나 소외됨 없는 교육을 보장하고, 교육·고용·보건복지가 연동되는 포용적 평생학습체제를 수립해 나가야 할 것이다.

온라인 학습 시대의
학교교육 평가

코로나19와 온라인 학습

르네상스 시대의 원동력은 흑사병이었다. 흑사병은 14세기 유럽 인구의 약 3분의 1을 죽게 만든 무서운 전염병이지만, 역설적으로 위생에 대한 경각심을 높이고 사회 전반의 검역·방역 시스템을 조성하는 데 큰 역할을 하였다. 흑사병은 기존의 점성술·마술과 같은 비과학적인 신권(神權) 중심 사회에서 과학·문화·예술이 중시되는 인간 중심 사회로 변모시켰다. 그 결과 유럽은 과학·미술·문학·철학·경제 등 다양한 분야에서 화려한 문명을 꽃피우게 되었다(서민, 2018). 이처럼 위기는 성공의 기회가 되기도 한다.

코로나19는 전 세계 사회·경제를 비롯한 다양한 영역에 큰 영향을 주고 있다. 사람들의 집회가 멈추었고, 심지어 외출금지령을 실시한 국가도 존재한다. 교육 분야도 예외가 아니다. 코로나19의 강한 전염성으로 인하여 우리나라의 모든 학교가 개학을 연기했고, 나아가 전례 없는 온라인 개학을 실시하게 되었다. 그러나 흑사병이 르네상스 시대를 촉진하였듯이, 코로나19는 그동안 공교육에서 다루지 않았던 온라인 학습과 원격 수업을 실현시켰다. 그 결과 우리가 예상했던 것보다 더 빠르게 미래교육으로 다가가게 만들었다.

코로나19 이전에도 다가올 미래사회에 대비하여 교육과정, 교수·학습, 평가가 어떻게 변화해야 하는지 비전을 탐구하는 연구가 다수 존재했다. 그중 대표적인 것이 2016년부터 2018년까지 한국교육과정평가원에서 수행한 연구이다. 한국교육과정평가원은 해외 국가의 교육개혁 사례, 국내 교육과정 관련 선행 연구 분석, 전문가 협의회 등을 통해 2030년 우리나라의 학교교육 비전을 다양성·수월성·공정성을 통해 개별 학생들의 잠재 능력을 발현시켜야 한다는 의미로 'DEEP(Diversity, Excellence, Equity, Potential fulfilling)'이라 제시하였다(주형미 외, 2016). 이 외에도 많은 연구자들이 미래 학교교육의 변화를 예측하고 준비하고자 하였다.

그러나 이러한 연구 대부분이 미래에도 학교가 현재와 같은 대면 수업을 할 것이라는 가정하에서 진행된 것들이었다. 코로나19는 질병이나 다른 외부적인 상황으로 인하여 학교에서도 온라인으로 학습을 진행할 수도 있음을 인식시켰다. 더 이상 미래 학교교육이 학교에서만 이루어지지 않을 것을 보여 주었기에, 이제는 온라인 수업 상황을 가정하여 우리 교육에 대한 방향을 설정할 필요가 있다.

　코로나19로 인하여 철저한 준비 과정을 거치지 않고 실시하게 된 온라인 학습에 대하여 교사·학생·학부모 모두 불편함과 어려움을 겪고 있음을 다수의 미디어에서 보도하고 있다. 학부모는 우리나라 학습 환경이 원격 수업에 적절한 인프라를 갖추지 못하였음을 지적하며 불신을 드러냈다. 온라인 학습을 위해 EBS 온라인클래스나 라이브 특강 등에 접속하려 했지만 접속자가 몰리면서 홈페이지가 마비되었고, 설령 어렵게 홈페이지에 접속해도 영상이 끊기는 현상이 반복되어 원활한 수업이 어려웠다. 학생들은 개개인의 학습 환경에 대한 격차와 상관없이 일괄적인 온라인 학습을 실시할 경우 수업시수나 일수, 교육과정 이수 등이 학생마다 다를 수 있기 때문에 공정성 측면에서 문제가 있다는 점을 우려하였다.

　이처럼 학부모와 학생들이 온라인 교육에 대한 불신을 가지고 있다면, 온라인 학습을 직접 진행해야 하는 교사들은 부담감을 토로한다. 2020년 3월 31일 교육부에서 발표한 온라인 개학은 수업일수와 시수가 정상 수업과 동일하게 인정되기 때문에 수업에 대한 시간은 물론 질까지 담보해야 한다. 그러나 교사 개인이 교육과정 계획은 물론이고 출석 체크, 수업 진행, 학생 참여 유도, 과제 및 평가, 피드백까지 모두 진행하는 것은 쉽지 않다. 또한 교육부는 온라인 학습 상황별 구체적인 지침

대신 학교별 자체 기준을 마련하여 준비하라 하였고, 그나마 하달된 관련 지침이나 가이드라인도 국내 코로나19 상황이 달라짐에 따라 자주 변경되었다.

교사들이 온라인 수업을 진행하며 특히 어려워하는 부분이 평가이다. 온라인 수업은 '실시간 쌍방향 수업', '콘텐츠 활용 중심 수업', '과제 수행 중심 수업' 등으로 진행한다. 하지만 평가의 경우 지금까지 온라인 상황을 가정한 적이 없었기 때문에 대부분의 교사들이 구체적으로 어떻게 평가를 실시해야 할지 알지 못하는 어려움을 겪고 있다. 이에 교육부에서는 일단 온라인 수업에서는 학생 평가를 하지 않는 지침을 제시하였다. 단, 실시간 쌍방향 수업과 같이 학생의 수행을 관찰할 수 있다면 평가 반영도 가능하다고 하였다. 그러나 대부분의 학교에서는 평가 공정성에 따른 부담 등으로 인하여 정상 등교 수업 이후에 평가를 실시하는 것으로 정하였다.

2020년 현재 우리나라에서는 과정중심평가를 실시하고 있다. 과정중심평가는 학습 결과만 측정하는 것이 아니라, 학생의 학습 과정 속에서 평가의 실행 및 완료를 추구하고, 수업 과정에 대한 피드백과 성찰을 통해 교수·학습과 평가가 통합된 형태로 전개된다는 점이 특징이다(전경희, 2016). 따라서 온라인 학습 상황에서도 가능하면 과정중심평가를 실시하는 것이 바람직하다. 그러나 대면 수업 상황과 달리 온라인 학습 상황에서는 개별 맞춤형 평가나 그에 따른 피드백 제공 등에 대한 방법이 설정되지 않았다. 또한 온라인 학습 상황에서 실시 가능한 평가 방법이 여러 가지 존재하지만, 그것을 직접 실시하는 교사의 역량이 준비되지 않은 상황이다. 온라인 학습을 통해 학생들의 학습 수행 과정은 자연스럽게 빅데이터 형태로 누적되지만, 그것을 활용하여 평가하는 것은 현재로서는 불가능하다. 따라서 온라인 학습 상황에서 개별 학생에게 맞춤형 평가를 실시하기 위하여 어떤 방법을 활용할 수 있을지 적절한 방법과 그 가능성을 탐색할 필요가 있다.

정세균 국무총리와 질병관리본부에서는 코로나19 발생 이전의 세상으로 다시는 돌아갈 수 없을지도 모른다고 하였다. 이 말은 코로나19 치료제가 언제 개발될 수 있을지 모르며, 또한 언제든지 다른 종류의 감염병이 발발할 수 있기 때문에 생활방역 등을 일상으로 실시하는 등 변화에 맞춰 살아야 한다는 맥락으로 볼 수 있다. 교육 역시 마찬가지다. 코로나19로 인하여 온라인 학습을 시작한 이상 대면 수업만이 존재했던 과거 교육으로 회귀할 수는 없을 것이다. 코로나19는 그동안 상상으로만 가능했던 온라인 학습 시대를 실현시켰고, 그 가능성을 확인시켰다. 이렇게 온라인 학습 시대가 눈앞으로 다가온 이상, 이러한 변화에 맞춰 교육도 달라져야 한다. 이에 코로나19로 촉발된 온라인 학습 시대에 미래사회 교육은 어떤 방향으로 나아가야 할지 살펴보고, 특히 교육평가 부문에 초점을 맞춰 이야기하고자 한다.

온라인 학습 시대에 변화하는 교수·학습 패러다임

미국은 2010년대에 'Future Ready'와 'Future Ready Schools'라는 프로젝트를 통해 새로운 디지털 학습 문화 형성, 학생들이 학교와 가정에서 초고속 통신망에 연결하여 다양한 교육 자원을 활용하도록 지원, 학생 개별 맞춤 학습 실현, 디지털 기반 시설 및 장비 활용의 최적화와 효율화, 우수한 디지털 콘텐츠 제공, 대학 진학 및 진로 준비에 적합한 자원 제공, 우수사례 및 자원을 다른 교육구와 공유 등의 교육의 디지털화를 강조하였다(박선화, 2017에서 재인용). 이 모든 것이 학교교육 내에서 온라인 학습 자체를 의미하는 것은 아니지만, 그 지향점이 온라인 학습을 통한 개인 맞춤 학습과 학생 중심의 역량 개발 교육이라는 점은 주목할 만하다. 이는 코로나19로 인해 급변하는 교육 상황 속에서 미래사회에 대비하기 위한 교육 비전을 수립해야 하는 우리에게 주는 시사점이기도 하다.

온라인 학습 시대에는 학교에서 학생들에게 요구하는 학력 및 학업 성취 개념도 달라져야 한다. 1997년 OECD에서는 'DeSeCo(Definition and Selection of key Competences)' 프로젝트를 통해 미래교육이 단순 교과 지식의 습득에서 벗어나 '도구를 지적으로 활용하기', '이질적 집단과 사회적 상호작용하기', '자율적으로 행동하기' 등과 같은 핵심역량을 길러 주는 것으로 변해야 한다고 하였다(Rychen·Salganik, 2002). 이후

2015년에는 DeSeCo의 후속 프로젝트격인 '교육 2030 : 미래교육과 역량(The future of education and skills: Education 2030)' 프로젝트를 통해 미래에 필요한 역량을 학교교육에서 어떻게 실행할 수 있는지를 교육과정, 교수·학습, 평가 차원에서 연구하고 있다. OECD는 학교에서 학생들에게 길러 주어야 하는 학력 및 학업성취를 인지적 측면이 아닌 종합적 역량 차원에서 보고 있는 것이다(OECD, 2018).

그동안 우리 사회에서는 학력은 학업성취도 검사에서 채점된 점수와 같이 좁은 의미의 지식으로 한정되어 있었다. 예를 들어, 대학 입시에서는 다수의 국민이 가장 변별력이 높은 전형으로 수능을 언급한다. 심지어 일부는 수능에서 1점 차이로 합격 여부가 갈리는 것을 공정함으로 바라보기도 한다. 그러나 인터넷을 통해 언제 어디에서든 쉽게 지식과 정보를 획득할 수 있는 오늘날, 교과의 일부 내용을 더 많이 알고 있다고 해서 다른 사람보다 문제를 잘 해결하거나 창의적이라고 말하기는 어려울 것이다. 더 이상 교과 지식만을 학업성취로 한정할 것이 아니라, 미래사회에서 학생들에게 요구할 것으로 기대되는 것들도 학업성취로 개념을 확장할 필요가 있다.

새로운 학력에 대한 정의는 국내외에서 다각도로 시도되고 있다. OECD(2018)에서는 미래의 학습활동은 지식 외에도 기능과 태도적인 측면에도 초점을 맞춰야 한다고 했다. 구체적으로 지식(knowledge)은 '알고 이해하는 것'으로 교과 지식 외에도 교과 간 통합적인 지식 등을 포함한다. 기능(skills)은 '아는 것을 사용하는 방법'으로 창의성, 비판적 사고, 협력적 의사소통 등과 같은 고등 사고능력을 의미한다. 태도(attitudes)는 '행동하고 참여하는 방법'으로 흥미, 윤리성, 지도성, 회복 탄력성 등을 포괄한다. OECD는 지식, 기능, 태도와 함께 '반영하고 적응하는 방법'으로의 메타 학습력을 학생들이 갖춰야 할 역량으로 보았다. 김경희 외(2019)는 미래사회에 필요한 새로운 학력을 '지속적인 배움과 자기 혁신을 통해 개인적 존재로서 성장하고 사회적 존재로서 의미 있는 삶을 실천하는 데 필요한 힘을 갖춘 상태'라고 정의하였다. 더불어 새로운 학력을 갖추기 위해서는 기초·기본 능력 외에도 자기주도 학습 역량, 인지·사회·정서적 역량과 같은 하위 역량 요소를 복합적으로 갖추어야 한다고 보았다.

미래사회가 요구하는 학력이 지식에서 역량으로 달라졌듯이, 이를 성취하기 위한 학교의 교수·학습 패러다임도 변화되어야 한다. 코로나19 여파로 온라인 학습과 원격 수업이 단행되어 학교 현장은 혼란스럽기도 했지만, 온라인 학습이나 원격 수업 등의 새로운 교수·학습을 진행할 수 있다면 미래교육의 발판이 될 수도 있을 것이다. 그렇다면 온라인 학습에 맞는 교수·학습이란 무엇일까?

첫째, 온라인 학습을 통한 개인별 맞춤형 학습을 생각할 수 있다.
사실 맞춤형 학습은 현재 학교 현장에서도 교사들이 열심히 노력 중이다. 그러나 교사가 아무리 노력한다고 해도 동일한 시간에 20명이 넘는 학생들을 대상으로 모두의 여건에 맞는 수업을 하는 것은 현실적으로 불가능하다. 하지만 온라인 학습 상황이라면 이런 물리적 여건으로 인한 제한은 없어질 것이다. 동일한 내용이라도 수준을 달리하여 진행하는 것은 물론, 각자의 흥미에 맞는 내용을 개개인의 학습 속도를 고려하여 맞춤형 학습을 진행할 수도 있다. 또한 쉽지는 않겠지만 다양한 학습 자원이 충분히 구비된다면 학생 각자의 필요에 맞게 학습 내용, 진도, 피드백 등을 재단하고, 학생이 본인의 학습에 대한 소유권을 갖도록 하는 것도 가능하리라 생각한다. 나아가 교사는 학급별 단일 교육과정을 만드는 것이 아니라, 학생 개개인의 특성과 수준을 고려한 개인별 맞춤형 교육과정을 디자인하고, 학생은 스스로 자신만의 교육과정을 특색 있게 만들어 나갈 수 있을 것이다.

둘째, 학습의 주도권이 온전히 학생에게 있는 학습자 중심 수업을 구현해야 한다.

4차 산업혁명 시대에는 지식의 증가 속도가 가속화되어 18개월마다 인류의 지식이 2배로 증가한다고 한다. 코로나19를 통해서도 알 수 있듯이 사회의 변화는 예측할 수 없으며, 그 속도 또한 과거와 비할 수 없을 정도로 빠르다. 학생들이 빠르게 변화하는 미래사회에 대비하기 위해 필요한 지식을 모두 습득하기란 사실 불가능하며, 앞으로는 지식이나 정보를 누구나 쉽게 얻을 수 있기 때문에 지식을 습득하려고 노력할 필요도 없다. 급변하는 미래사회에는 과거의 지식을 외우는 교육은 실패한 교육이라 할 수 있다.

미래사회를 대비한 교육은 지식을 배우는 능력(ability to learning)에서 배우는 방법을 배우는 것(learning how to learn)으로 변해야 한다. 학교교육 역시 교사가 대량의 지식을 효과적으로 전달하는 방식에서 벗어나 학생들이 스스로 문제를 해결하기 위해 필요한 지식을 찾고, 그 지식을 적절하게 활용할 수 있는 역량을 키워 주는 방식으로 수업이 변화해야 한다. 이를 위해선 무엇보다도 학습의 주도권이 학생에게 있어야 하며, 교사는 안내자·조력자와 같은 역할을 수행할 필요가 있다.

학습자 중심 수업으로 전환하기 위해서는 학생들이 직접 특정 주제에 대해 의견을 나누는 토의·토론 학습이나, 특정 상황의 문제를 해결하는 문제해결 학습, 나아가 장기간에 걸쳐 학생 스스로가 직접 활동을 선택·계획하고 방향을 설정해 가는 프로젝트 학습 등의 비율을 확대해야 한다. 온라인 학습에서도 SNS나 학습 미디어를 이용하여 친구들 간에 의사소통이 충분히 가능하기 때문에 집단 협력학습이 가능할 것이다. 또한 온라인 상황에서는 학습에 필요한 정보나 지식을 검색을 통해 찾을 수 있기 때문에 지식 획득 수업보다는 개념이나 원리를 직접 탐구하는 수업이 바람직하다.

그럼에도 불구하고 기초적인 지식을 전달하는 수업도 여전히 필요하다. 이러한 수업은 교사가 일괄적으로 지식을 전수하는 방식보다는 거꾸로 교실이나 플립러닝 등의 방식을 활용할 필요가 있다. 거꾸로 교실이나 플립러닝은 미리 동영상을 링크하여 기본 개념을 학습하게 한 후 수업 시간에는 프로젝트 형식으로 학습을 진행하기 때문에 대면 학습은 물론 온라인 학습에도 적절한 교수·학습 방법이라 여겨진다.

셋째, 온라인 학습으로 교과의 벽을 허물고, 여러 가지 지식을 활용하여 새롭게 창조하는 수업을 해야 한다.

학교에서 교과 통합 수업에 대한 시도는 지금도 전 세계적으로 꾸준히 실시되고 있다. 미국이나 영국 등은 1990년대에 'STEM(Science, Technology, Engineering, Mathematices) 교육'이라는 이름으로 과학·기술·공학·수학을 아울러 교육하는 융합교육을 실시하였다. 우리나라도 STEM 교육에 예술·인문(Art)적인 요소를 추가하여 창의성을 강조하는 융합인재(STEAM) 교육을 실시하고 있다. 이러한 기조에도 불구하고, 학교 현장에서는 여전히 교과 수업마다 수업시수가 존재하기 때문에 완전한 융합교육을 실시하기는 쉽지 않다. 그러나 온라인 학습은 각 교과 교사들이 특정 시간에 교실에서 수업하는 것이 아니기 때문에 교사 간에 협력적으로 교육과정이 수립된다면 대면 수업에서는 하기 어려웠던 융합교육을 높은 수준에서 할 수 있을 것이다.

한편 미래사회에 대비하기 위해서는 창의성과 협력적 의사소통 능력을 갖춘 인재를 양성하는 것이 중요하다. 이러한 인재를 육성하기 위하여 최근에는 모든 학습자가 창작자가 되는 메이커 교육(maker education)이 각광받고 있다. 메이커 교육은 학생이 직접 교육활동 속에서 물건을 만들거나 컴퓨터로 전자기기를 다루는 등의 활동을 하면서 창의성을 발휘하여 문제를 해결하고, 새로운 것을 만드는 활동을 의미한다(이봉규·김현진, 2019). 메이커 교육은 스스로 필요한 것을 만드는 사람들이 관련 지식이나 과정, 산출물 등을 공유하는 메이커 운동(maker movement)으로부터 파생되었다(남기원·이수연, 2017). 메이커 교육은 학생들이 일상생활에서 문제를 인식하고, 창의성을 발휘하여 그 문제를 해결하고, 나아가 새로운 결과물을 산출하기 때문에 범교과 간 융합교육이라 할 수 있다. 온라인 학습 공간에서 학생들이 개인 또는 집단으로 프로젝트 계획을 세우고, 교사는 그 계획의 타당성 및 실현 가능성을 검토해 주며, 메이커 스페이스가 필요할 경우 공간을 학교에서 대여해 준다면 온라인 학습 시대에 맞는 융합교육이 실현될 수 있을 것이다.

그동안 우리는 교과목이나 그에 따른 수업시수 등 국가에서 정해 준 교육과정에 허가된 일부만을 달리하여 운영해 왔다. 그 결과 개인별 맞춤형 수업은 고사하고, 전국의 모든 학교가 동일한 틀 아래서 유사하게 교수·학습이 진행되어 왔다. 모든 학교에서 배우는 교과목과 수업시수가 같고, 교과별 수업 시간도 똑같이 정해져서 운영된다. 학교교육은 내용이 중시되기보다는 형식의 통일을 강조하고 있으며, 교사에게도 각각의 특색을 발휘하여 수업하기를 권장하지 않았다. 이렇게 경직되고 분절된 방식으로는 미래사회에서 요구하는 역량 있는 학생들을 길러 내기 어려울 것이다.

코로나19로 촉발된 온라인 학습은 이러한 장벽을 모두 허물 수 있다.

온라인 학습의 전면적 시행으로 인하여 미래사회에는 대면 교육과 원격교육을 병행할 수 있을 것이다. 따라서 이제는 한국형 원격교육 중장기 발전 방향을 수립하고, 학교 현장에서 적용 가능한 다양한 교수·학습 방법을 고민하고, 교육계·산업계 등 현장 전문가들의 충분한 숙의를 거쳐 미래사회에 적극적으로 대비할 필요가 있다.

인공지능을 활용한 서술형 평가 자동 채점 시스템과 피드백

교육평가의 패러다임은 계속 변화하고 있다. 과거의 평가가 주로 학습 결과를 평가(assessment of learning)하는 데 초점을 두었다면, 오늘날에는 학생들의 학습에 도움을 주는 평가(assessment for learning)를 강조한다(McMillan, 2013). 우리나라의 과정중심평가 역시 이러한 점을 지향하고 있다. 그 결과 변별이나 선발이 강조되는 총합(summative) 평가가 아니라 학생들에게는 학습 효과를 극대화시키고, 교사에게는 더 나은 교수·학습 방향을 알려 주는 것으로 평가는 달라지고 있다. 또한 교과 지식을 얼마나 이해하고 외우고 있는지를 지필고사 형식으로 측정하는 인지적 측면 평가만을 강조하는 것에서 벗어나, 교과 관련 흥미나 효능감 등 정의적인 영역과 심동적인 면도 서술형 평가, 수행평가 등 다양한 방법으로 평가하려고 노력하였다. 나아가 창의성, 문제해결력, 협력적 의사소통 능력, 비판적 사고 능력과 같은 핵심역량을 측정 및 신장시키기 위하여 노력하게 되었다(전경희, 2016).

그러나 이러한 교육평가 혁신은 대면 수업 상황을 가정한 것이기 때문에 코로나19로 촉발된 온라인 학습 상황에서는 과정중심평가를 온전하게 적용하기 어렵다. 그 결과 온라인 학습 상황에서 평가는 교사들에게 가장 큰 부담 중 하나로 여겨지고 있다. 변화된 평가 철학에 맞게 과정중심평가를 온라인 학습 상황에서도 적용하기 위해서는 어떻게 해야 할까? 대면 학습과 온라인 학습을 병행하는 상황에서도 교사들이 편의에 맞게 적절히 사용 가능하며, 학생의 교육적 성장이라는 형성적 관점에 부합하는 새로운 평가 방법을 함께 살펴보자.

서술형 평가는 선택형 평가와 달리 창의적 사고력이나 문제해결 능력과 같은 고등 사고 능력을 측정할 수 있고, 학생 개인의 특성과 성취를 종합적으로 파악할 수 있다(성태제, 2014). 또한 서술형 평가는 학생들의 응답을 통해 구체적인 문제 해결 과정을 볼 수 있고, 개념 이해 수준을 보다 정교하게 측정할 수 있다. 나아가 서술형 평가는 핵심역량 여부를 단순히 확인하는 데서 그치지 않고, 학생들이 학습한 개념이나 원리 등을 자신의 언어로 표현케 함으로써 학생들의 학습 태도를 개선하게 만들고, 핵심역량을 함양시킨다(Opfer · Nehm · Ha, 2012).

서술형 평가는 이렇게 많은 장점을 가지고 있음에도 불구하고 여전히 학교 현장에서는 사용하기에 부담스럽다. 그 이유는 다음과 같다.

첫째, 교사의 평가 부담이 높다.

서술형 평가 자체가 선택형 평가보다 채점을 하는 데 시간과 노력이 많이 소요되기 때문에, 교육과정 재구성이나 각종 행정업무를 수행하는 교사 입장에서는 부담으로 다가오는 것이 사실이다.

둘째, 즉각적인 피드백 제공이 어렵다.

전술하였듯이 서술형 평가의 경우 선택형 평가보다 채점에 소요되는 시간과 노력이 더 많이 든다. 반성적 사고를 촉진시키기 위해서는 즉각적인 피드백이 필요하지만, 서술형 평가는 여러 가지 여건상 학생들에게 피드백을 즉시 제공하기 어렵다(김석우 외, 2015).

서술형 평가의 장점은 살리면서 앞에서 언급한 문제점을 해결하기 위하여 인공지능 등을 활용한 서술형 평가 자동 채점 시스템을 개발하려는 연구가 국내외에서 시도되고 있다.

국외에서 자동 채점 시스템 연구가 가장 활발히 진행되고 있는 국가는 미국이다. 미국은 국가수준 학업성취도평가(NAEP, National Assessment of Educational Progress)에 서술형 평가가 도입된 후 교사의 채점 부담을 경감시키기 위한 목적으로 자동채점 관련 연구를 본격적으로 시작하였다. 이후 1990년대부터 미국 ETS(Educational Testing Service)에서 자동 채점 시스템을 연구하기 시작하였다. 2000년대에는 개념 기반 자동 채점 시스템 C-rater와 복수의 문장을 가지는 에

세이 형태 답안을 기계 학습으로 채점하는 E-rater 등을 개발하였다 (Leacock · Chodorow, 2003). 미국은 국가 차원의 연구 외에도 캘리포니아대 버클리 캠퍼스의 Linn 교수팀, 미시간주립대 Urban-Lurain 교수팀, 뉴욕주립대 스토니브룩 캠퍼스의 Nehm 교수팀 등 다양한 연구 그룹이 관련 연구를 활발하게 수행하고 있다.

국내에서는 한국교육과정평가원에서 2012년부터 2016년까지 실시한 한국어 상황에서의 서술형 자동채점 연구가 대표적이다. 평가원에서는 2012부터 2014년까지 단어 및 구 수준에서, 2014년부터 2016년까지 문장 수준에서 자동 채점 시스템을 개발하였고, 국가수준 학업성취도평가 상황에서 적용 방안을 모색하였다(노은희 외, 2016). 이 외에도 하민수 외(2019)가 실시한 서술형 평가 지원 AI 프로그램 개발 연구인 WA3I(Web-based Automated Assessment with Artificial Intelligence)도 있다. 이 연구는 학생들의 핵심역량 보유 수준을 측정하고 적절한 피드백을 제공하기 위하여 웹 기반 자동 채점 시스템을 개발하고자 하였다.

한편 서술형 평가 자동 채점 시스템은 컴퓨터를 활용하여 작동되기 때문에 학생의 응답 자료가 반드시 컴퓨터 파일이나 온라인 속 자료로 존재해야 한다. 따라서 학교 현장에서 서술형 평가 자동 채점 시스템을 활용하기 위해서는 학생들이 종이에 응답한 내용을 컴퓨터로 옮기거나, 애초에 컴퓨터를 이용하여 평가에 응해야만 한다. 서술형 평가를 실시할 때마다 학생의 필답 내용을 컴퓨터로 옮기는 것이 사실상 불가능하기 때문에 스마트 기기를 이용해 평가를 실시해야 한다. 그러나 스마트 기기를 보유하지 못하였거나, 교사나 학생 모두 이러한 방법에 익숙하지 않은 점 등은 자동 채점 시스템이 개발된다 하더라도 막상 현장에서 적용하기 어렵게 하는 부분이다. 하지만 코로나19가 가져온 변화는 전국의 학생들이 온라인상에서도 충분히 학업에 임할 수 있다는 가능성을 보여 주었다. 이는 성능이 좋고 신뢰도가 높은 자동 채점 시스템이 개발된다면 온라인 학습 상황에서 서술형 평가도 얼마든지 실시될 수 있음을 의미한다.

자동 채점 시스템은 학생들이 서술형 문항에 응답한 자연어를 컴퓨터가 이해하기 쉽게 전처리하는 단계와 기계 학습으로 훈련된 채점 모형에 학생 응답 자료를 투입하여 결과를 추출하고, 이를 교사 등의 교육 전문가가 최종 검토하여 점수를 확정 짓는 단계를 거쳐 구축된다. 이해를 돕기 위하여 자동 채점 시스템의 구조도는 다음 [표 7]과 같다.

오늘날에는 자동 채점 시스템을 개발하기 위하여 사전에 채점 알고리즘을 컴퓨터에게 학습시킨 후 이후 수집된 응답 자료에 이 알고리즘을 적용하여 즉시 채점하는 방법을 주로 사용하는데, 이 방법은 채점 알고리즘을 어떻게 학습시키는 지에 따라 크게 2가지로 구분할 수 있다. 첫 번째는 컴퓨터에 직접 채점 규칙을 입력하는 것이고, 두 번째는 컴퓨터에게 교사 등 교육 전문가가 채점한 자료를 학습시키는 방식이다 (Nehm · Ha · Mayfield, 2012). 전자의 방식은 명시적인 규칙과 이 규칙에 따라 처리될 자료를 입력하면 해답을 구하는 심볼릭 AI(symbolic AI) 방

[표 7] 자동 채점 시스템 구조도

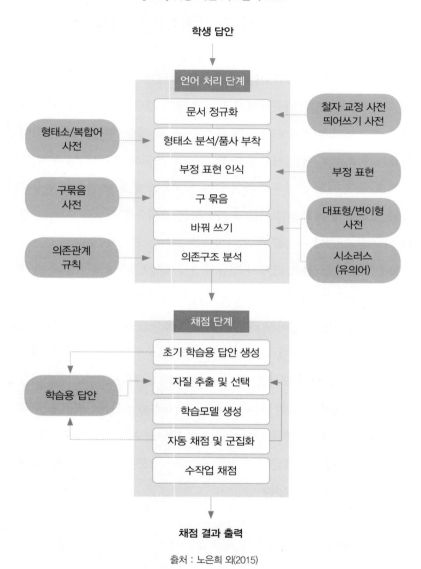

출처 : 노은희 외(2015)

식의 접근이라면, 후자의 방식은 주어진 자료와 이 자료로부터 기대되는 답을 입력하면 규칙이 출력되는 기계 학습 차원의 접근이라 할 수 있다(Chollet, 2018).

　기계 학습은 다시 학습하는 방식에 따라 크게 3가지 종류로 구분할 수 있다. 구체적으로 컴퓨터에게 문제에 대한 정답 상황을 학습시킨 후 다른 상황에 적용하여 해결해 보게 하는 지도 학습, 인간의 개입 없이 컴퓨터가 스스로 어떤 상황에 대한 문제를 분류하거나 해결토록 하는 비지도 학습, 어떤 문제에 대하여 올바른 행동을 했을 때 보상을 받음으로써 스스로 문제점을 찾아내고 개선하는 방식으로 학습을 시키는 강화 학습 등으로 나누어 볼 수 있다(Géron, 2019).

　자동 채점 시스템은 위에서 언급한 3가지 방법을 모두 적용하여 개발할 수 있겠지만, 기술적 제한 등으로 인하여 아직까지는 주로 지도 학습을 이용하여 개발하는 것으로 알려져 있다. 지도 학습에는 다양한 알고리즘이 존재하는데, 그중에서도 대표적인 방법은 의사결정 나무(decision tree)와 랜덤 포레스트(random forest), k-최근접 이웃 알고리즘(k-Nearest Neighbors), SVM(support vector machine), 인공신경망(artificial neural network) 등이 있다. 앞에서 열거한 다양한 방식은 서술형 문항에 따라 더 적합한 알고리즘이 존재할 수 있기 때문에, 특정 방식에 따른 우열을 이야기할 수는 없다.

　과정중심평가는 평가를 통한 학생의 교육적 성장 극대화를 목적으로 하기 때문에 피드백 제공이 중요하다. 같은 맥락에서 서술형 평가를 실시할 때도 학생들의 문제 해결 과정을 통해 이해 수준을 정교하게 측정하는 것 외에도 효과적인 피드백을 통해 학생들의 반성적 사고를 촉진시키는 것이 중요하다.

형성평가 차원에서 접근하는 대부분의 서술형 평가는 개념에 기반한 문제 해결 학습이기 때문에 성취기준에 도달했는지 여부를 판단할 수 있는 채점 준거가 존재한다. 따라서 교사들이 학급에서 서술형 평가 문항을 제작할 경우 구체적인 모범 답안과 채점 준거를 함께 작성한다. 학생들이 응답한 서술형 문항은 사전에 제작된 채점 준거와 모범 답안을 바탕으로 채점되고, 학생들이 성취기준에 도달했는지 여부와 노력 정도, 가능성 등을 기록하여 피드백으로 제공한다. 자동 채점 시스템을 이용하여 형성평가를 실시할 경우에도 단순히 서술형 평가에 대한 답을 예측하는 데 그치지 말고 학생에게 좀 더 상세한 피드백을 주어 교육적 성장을 불러일으키기 위한 방안을 모색해야 한다.

자동 채점 시스템을 통한 피드백은 다음과 같은 과정으로 제공할 수 있을 것이다.

먼저 학생이 서술형 평가에 채점 준거에 해당되는 부분을 모두 충족하여 바르게 응답하였을 경우에는 문항에서 요구하는 학습 개념을 다시 한 번 상기시켜 준 후 칭찬 피드백을 제공해 준다. 온라인 학습 상황이기 때문에 문제은행과 같이 충분한 문항이 확보되어 있을 경우 심화형 문항을 추가 제시하여 일종의 점프 학습을 실시할 수도 있을 것이다.

반대로 학생이 준거에 도달하지 못했을 경우에는 정답 여부만을 알려 주기보다 스스로 문제를 해결할 수 있게 가벼운 힌트나 질문을 제공해 주어야 한다. 이 경우 학생은 자신의 응답에 대하여 즉각적인 피드백을 받기 때문에 보다 진지하게 노력할 것이며, 이는 학생의 학업 성장으로 이어질 것이다(Cole·Chan, 1987).

이처럼 자동 채점 시스템은 서술형 평가에 대한 채점 도구 외에 학생들의 학습 촉진자나 보조자의 역할을 수행한다. 특히 비계 설정 피드백을 제공하여 학생의 학업 성장을 돕는다면 완전학습을 지원해 주는 도구로서의 역할까지 수행하게 될 것이다. 자동 채점 시스템으로 채점한 이후 피드백을 제공하는 장면은 다음 [표 8]과 같다.

온라인 학습 상황에서는 반복되는 평가 활동에서 생성되는 빅데이터를 손쉽게 축적할 수 있기 때문에 이를 적극적으로 활용할 필요가 있다. 이러한 관점에서 교육의 순간순간마다 생성되는 학생들의 서술형 평가 자료를 단순히 유실시킬 것이 아니라, 인공지능을 활용하여 서술형 평가 자동 채점 시스템으로 개발 및 활용하는 것은 의미가 크다고 볼 수 있다. 자동 채점 시스템은 교사에게 선택형 평가보다 시간이나 노력을 더 많이 쏟아야 하는 부담도 어느 정도 해소시켜 줄 것으로 기대된다. 또한 자동 채점 시스템을 단순한 채점 도구가 아니라 비계 설정 피드백의 즉각적 제공 등 효과적인 활용을 고민한다면 대면 학습뿐만 아니라

[표 8] 자동 채점 시스템을 통한 피드백 제공 예시

지붕 위의 발전기

서연이 아버지는 새로 집을 지으시면서 지붕 위에 태양광 발전 장치를 설치하였습니다. 비용이 많이 들었지만 '태양광 발전'이 석탄이나 석유와 같은 화석에너지에 비해 우리가 미래에도 지속가능하게 살아가는 데 도움이 된다고 생각했기 때문에 설치하기로 결정하였습니다. 태양광 발전이 왜 석탄이나 석유보다 미래에도 지속가능하게 살아가는 데 도움이 될까요? 과학적으로 설명해 봅시다.

🔍 나의 설명

태양광은 항상 존재하기 때문에 소모되지 않고 계속 사용할 수 있다. 온실가스를 배출하지 않아 환경오염을 일으키지 않는다.

✏️ 학습 도움말

배움 개념
• 태양에너지는 거의 무한하여 소멸되지 않아 무한히 사용할 수 있습니다(무한 에너지).
• 태양에너지는 지구온난화와 환경오염을 일으키는 이산화탄소 등의 온실가스를 배출하지 않습니다(친환경 에너지).

어떻게 설명해 볼까요?
태양광 발전은 무한히 사용할 수 있으며, 지구온난화와 환경오염을 일으키는 이산화탄소 등의 온실가스를 배출하지 않기 때문이다.

출처 : 하민수 외(2019)

온라인 학습이라는 특수한 상황에서도 형성평가의 관점에서 학생들의 반성적 사고를 촉진시켜 줄 것이다.

일부에서는 자동 채점 시스템을 통해서 평가가 시행되면 서술형 평가에 대한 교사의 전문적 채점 경험 축적 기회가 박탈되어 향후 교사의 평가 전문성 신장이 저해될 수 있음을 우려하기도 한다. 또한 평가의 신뢰도에 대한 문제를 제기하는 사람들도 존재한다. 그러나 자동 채점 시스템은 그 자체로 절대적인 것이 아니라, 오직 교사가 효율적으로 활용했을 때 비로소 효과가 있는 일종의 도구 개념으로 받아들여야 할 것이다. 자동 채점 시스템은 개발하는 것보다 더 중요한 것이 어떻게 활용할 것인가이다. 자동 채점 시스템은 교사가 아니기 때문에 불완전한 면이 존재한다. 따라서 모든 서술형 평가를 단순하게 자동 채점 시스템을 적용하여 결과를 처리하는 것이 아니라, 교사의 평가와 피드백 부담을 덜어 주기 위하여 다양한 활용 방안을 연구할 필요가 있다.

2002년에 도입된 교육행정 지원 시스템, 이른바 NEIS 역시 초기에는 학생들의 인권 침해와 교육의 과도한 행정화 등을 이유로 많은 반대에 부딪혔다. 그러나 보안 사항이 강화되고, 교사들의 정보처리 능력이 발달한 오늘날에는 학생들의 성적 관리 업무 등을 효율적으로 사용하는 도구가 되었다. 자동 채점 시스템도 동일한 관점에서 바라볼 필요가 있다. 새로운 도구에 대한 단순한 반대보다는, 이를 형성평가의 관점에서 어떻게 적절하게 사용할 것인지에 대하여 함께 고민할 때이다.

개별 맞춤형 평가를 위한 첨단 테크놀로지 활용

미래사회에 대비하기 위하여 학생 한 명 한 명을 소중하게 관리하고 교육하는 개인별 맞춤형 교육을 실시해야 한다. 과정중심평가 철학에서는 평가를 통해 학생들의 학업 성장을 도모한다. 학생마다 교과별 흥미, 적성, 장단점 등 차별화된 진단을 실시해야만 교사는 학생에게 부족한 부분을 보충해 주고, 심화하여 공부하고 싶은 부분을 지원해 줄 수 있을 것이다. 또한 학생의 학업 성장을 촉진하기 위해서는 각 학생의 수준과 시기를 고려하여 평가가 개발되어야 한다. 이는 학생들로 하여금 보다 적극적으로 학습에 임하게 만들 것이다. 배움은 순환적 구조를 가지기에 개별 맞춤형 평가는 개별 맞춤형 학습으로의 출발점이라고 말할 수 있다.

과정중심평가와 개별 맞춤형 평가를 구현하기 위해서는 첨단 테크놀로지를 활용할 필요가 있다. 교육평가에서 테크놀로지는 다양한 형태의 데이터를 수집하는 즉시 분석해야 하고, 효과적인 교수·학습을 위하여 교사와 학생 모두에게 유용한 피드백을 줄 수 있는 방향으로 개발되어야 한다. 또한 테크놀로지를 활용한 교수·학습 및 평가는 학생을 배움의 주체로 가정하여 개발해야 한다. 그래야만 학생은 그동안의 1대 다수의 수업에서는 제공받기 어려웠던 맞춤형 과제 및 피드백을 통해 학습을 극대화할 수 있을 것이다. 또한 교사는 개별 학생의 성취와 관련된 정보를 제공받아 교수·학습 설계에 도움을 받을 수 있을 것이다. 이를 위해 대면 수업과 온라인 수업을 통해 수집된 학생들의 학습 성장 과정을 누적하여 관리할 수 있는 평가 시스템이 필요하다.

학생 개개인의 능력 수준을 맞춤형으로 평가하고 분석하는 방법과 이를 바탕으로 학생 각자의 실태에 맞춰 유의미한 성장과 발달을 도와주는 평가 방법은 어떤 것이 있을까? 다양한 미래 교육평가 방법 중 첨단

테크놀로지로 인하여 가능하게 된 컴퓨터 적응 검사(CAT, Computerized Adaptive Testing)와 학습 분석(Learning Analytics)에 대하여 간단히 살펴보도록 하자.

컴퓨터 적응 검사

대면 교육에서는 학생의 지식이나 능력을 측정하기 위하여 종이를 이용한 지필평가를 주로 실시하였다. 지필평가는 다양한 난이도를 가진 문항들로 이루어진 검사를 이용해 실시되었으며, 이때 학생들의 능력은 고려 대상이 아니었다. 즉, 학업성취도가 하위 수준인 학생들에게는 상위 수준의 학생들을 변별하기 위한 높은 난이도를 가진 문항은 풀 필요가 없으나 지필평가에서는 모든 문항을 모든 학생들이 수행해야 하는 비효율적 문제가 존재한다. 이 외에도 평가를 시행하기 위하여 시공간적인 제한이 존재한다는 것도 문제이다.

컴퓨터 적응 검사는 컴퓨터 발전으로 인하여 기존 지필검사의 한계를 극복한 검사 방법으로, 학생 각각의 수준에 맞는 검사를 개별적으로 시행함으로써 적은 수의 문항으로도 효과적으로 학생들의 능력을 측정하는 방법이다. 컴퓨터 적응 검사는 사전에 다양한 난이도를 가진 문항을 이용해 문제은행을 구축한 후, 개별 학생의 문항 반응에 따라 다음 문항이 제시되는 과정을 반복함으로써 학생의 능력을 추정한다. 일반적으로 시작 문항은 중간 수준의 난이도를 가진 문항으로 시작하며, 다음 문항은 초기 문항을 맞히면 더 어려운 문항으로, 틀리면 쉬운 문항으로 제시된다(Hambleton et al., 1993). 컴퓨터 적응 검사 알고리즘을 순서도로 표현하면 다음 [표 9]와 같다.

컴퓨터 적응 검사는 학생들이 각각의 문항을 해결할 때마다 문항 반응 이론(item response theory)의 원리에 의하여 학생들의 능력을 추정하고, 다음 문항으로 학생 능력 수준의 문항 정보가 가장 많이 담겨 있는 문항을 제시한다. 컴퓨터 적응 검사를 학업성취를 측정하는 목적으로 실시할 경우에는 적은 수의 문항으로도 효율적으로 지필검사와 유사한 수준으로 능력을 추정하는 것으로 알려져 있다. 또 학생들은 자신의 능력 수준에 맞는 문항으로 구성된 검사를 풀기 때문에 일반적인 지필검사 상황보다 불안은 감소시키고 동기 부여는 높인다는 연구도 존재한

[표 9] 컴퓨터 적응 검사 알고리즘 순서도

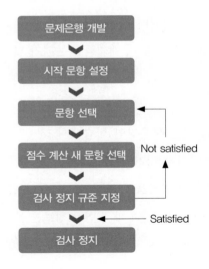

다(Weiss, 1982). 이 외에도 문항을 푸는 즉시 즉각적인 피드백을 받기 때문에 Bloom이 주장하는 완전 학습을 위한 정보를 제공받는 장점도 있다.

이러한 이유로 다단계 검사를 포함한 컴퓨터 적응 검사는 현재 미국 대학입학시험(SAT), 간호사 자격시험(NCLEX, National Council Licensure Examination), 미국임상병리학회 의료인 자격시험(MLT, Medical Laboratory Technician) 등에서 시행 중이고, 우리나라에서도 한국보건의료인국가시험 등에서 활용되고 있다. 또 교육 분야에서도 클래스팅이나 웅진씽크빅과 같은 사기업에서 컴퓨터 적응 검사를 활용한 맞춤형 평가를 실시하고 있다. 온라인 상황에서 학생들의 능력을 측정할 수 있다는 점에서 컴퓨터 적응 검사는 여러 가지 매력적인 면이 존재한다. 그러나 다양한 난이도를 가진 문항으로 구성된 문제은행이 구축되어야만 시행이 가능하며, 컴퓨터 적응 검사 이후 학생들에게 어떠한 피드백을 제공할지에 대해서는 좀 더 체계적인 논의가 필요하다.

학습 분석

테크놀로지의 발달은 온라인 학습에서 더 큰 힘을 발휘할 것이다. 대면 수업 상황에서의 평가는 학생들의 시험 및 과제 등의 객관적 자료에 교사의 주관적 판단을 더하여 실시되었다. 그러나 온라인 상황에서는 학생들의 성적이나 수행과 관련된 정보는 물론, 학습 과정 중 일어나는 모든 클릭 활동을 로그 데이터 형태로 저장할 수 있기 때문에, 이를 분석한다면 학습을 촉진시키는 정보를 제공할 수 있을 것이다. 이렇듯 학생들의 학습 및 평가 결과 축적되는 빅데이터를 측정·수집·분석하여 학생들의 학습을 보다 체계적이고 과학적으로 돕는 것을 학습 분석(learning analytics)이라고 한다(Siemens, 2012).

학습 분석은 빅데이터를 이용한 데이터마이닝 기법을 활용하지만, 이를 학생의 과정과 성과를 예측하기 위한 목적으로 사용한다는 점에서 차별점을 가진다. 학습 분석은 학생의 성과를 예측하는 데 그치지 않고, 학생의 성장을 유도하기 위하여 교사와 학교가 어떤 지원을 해 주어야 하는지에 대한 정보를 제공한다. 구체적으로 Bienkowski, Feng 그리고 Means(2012)는 학습 분석을 이용하여 교사가 지원해 줘야 하는 사항을 다음과 같이 구분하여 제시하였다.

첫째, 학생들은 언제 다음 단계의 학습으로 나아갈 준비가 되는가?
둘째, 학생들은 어느 시점에 성적 유지를 못하고 뒤처지는가?
셋째, 학생들이 과목을 이수하지 못하는 위험에 처하는 시기는 언제인가?
넷째, 성적이 어느 정도가 될 때 개입을 해야 하는가?
다섯째, 공부를 마친 학생에게 어울리는 다음 과목은 무엇인가?

학습 분석은 적절한 환경이 갖춰야만 가능하다. 안미리 외(2016)는 선행연구를 분석한 결과 학습 자료 제시, 과제 제출, 프로젝트 학습,

토론 등 학습활동 자료가 자동적으로 축적되는 LMS 및 VLE(Virtual Learning Environment), e러닝을 통한 온라인 공개 수업(MOOC) 및 사회적 학습 환경, 인터넷을 통해 학습하는 웹 기반 교육, 웹 기반 교육에서 학습자가 문제를 해결할 때 적절한 피드백을 제공해 주는 인지적 튜터, 학습 매개체를 모바일 기기로 사용하는 모바일 학습 환경 등의 환경이 갖춰졌을 때 학습 분석이 가능하다고 하였다. 그러나 현재까지 학습 분석은 스마트 기기와 소셜미디어 등이 대중화되었음에도 불구하고 대학에서 일부 연구 목적으로 사용할 뿐 아직 걸음마 단계라 볼 수 있다(안미리 외, 2016).

그동안의 학습 분석은 대부분 자기보고식 설문에 의하여 데이터를 수집하는 데 그쳤기에 많은 한계가 존재하였다. 그러나 코로나19로 강제된 온라인 학습 상황은 오히려 학습 분석 관련 연구를 수행하기에 적합한 환경을 조성해 줄 것으로 보인다. 학습 분석을 위해서는 학생들이 수업을 듣고, 과제를 해결하며 발생하는 다양한 형태의 자료를 자동적으로 축적하고 분석할 수 있는 온라인 학습 관리 시스템을 조성해야 한다. 또한 이를 이용해 학생들의 성과를 정확하게 측정하고, 핵심역량을 극대화하기 위하여 교수자와 교육기관이 어떤 지원을 해야 할지 고민해야 한다.

코로나19는 그동안 상상만 했던 미래교육의 모습을 실제로 경험하게 만들었다는 점에서 우리에게 중요한 전환점이 될 것이다. 성숙한 민주주의를 바탕으로 코로나19를 슬기롭게 극복하고 있는 우리나라에 세계는 한국을 배우자며 찬사를 보내고 있다. 우리가 노력한다면 방역뿐만 아니라 교육에서도 전 세계가 주목하는 미래형 교육 비전을 제시할 수 있을 것이다. 이를 위해 개별화 교육, 맞춤형 평가를 통해 학생 한 명 한 명을 소중하게 여겨야 한다. 본 장에서 다룬 방법을 포함한 온라인 학습 시대에 어울리는 개별 맞춤형 교육 및 평가를 실시한다면 미래사회가 요구하는 창의성이 높고 협력적 의사소통을 통해 당면한 문제를 해결하는 역량을 갖춘 학생들을 기를 수 있을 것이라 기대한다.

코로나19로 인해 변화된, 그리고 변화될 미래교육

코로나19로 인해 사상 초유의 온라인 개학이 실시되었다. 교사들은 학교에서 원격 수업을, 학생들은 가정에서 원격 학습을 하고 있다. 동일한 교실에서, 동일한 시간에 많은 학생들이 모여서 공부하던 학교 모습과는 확연하게 다르다. 코로나19 사태로 인해 교실의 변화는 상상 이상으로 빠르게 진행되고 있다.

지금 학교 현장에는 온라인 개학으로 인해서 교육(education)과 기술(technology)의 결합인 에듀테크가 급속도로 확산되고 있다. 에듀테크 기반의 온라인 교육에 익숙한 젊은 교사뿐만 아니라 30년 이상의 고경력 교사들도 에듀테크를 실현하고 있다. 우리나라가 ICT 인프라가 좋기도 하지만, 그보다도 짧은 시간 동안 준비해서 원격 수업을 비교적 안정적으로 실행하고 있는 이면에는 교사들의 디지털 역량이 뒷받침되었다고 생각한다. 학교 현장에서는 한국교육학술정보원에서 운영하는 플랫폼[12]인 e-학습터와 EBS에서 운영하는 EBS 온라인클래스뿐만 아니라 기업이 운영하는 Zoom, Cisco Webex, 구글 클래스룸, 클래스팅 등 다양한 원격 수업 지원 도구를 활용하고 있다. 물론 교사별·학교별·학교급별·지역별로 차이가 존재하긴 하지만 첫술부터 배부를 수는 없다.

개인적으로 특히 교육공학 분야에 관심이 있었다. 2017년 국제학회에서 '에듀테크'라는 말을 처음 들었을 때 앞으로 10년은 지나야 학교교육에 들어올 수 있을 거라 생각했다. 하지만 불과 3년도 되지 않아서 에듀테크가 우리 학교교육의 한 부분이 되었음에 놀라지 않을 수 없다. 많은 미래학자들이 이야기하는 미래교육의 모습이 어쩌면 전혀 새롭지 않을 수도 있다. 지금 학교 현장에서 진행되고 있는 온라인 교육이 미래 학교교육의 모습 중 하나일 것이다. 학교교육의 변화될 모습을 우리는 조금 미리 만나고 있다.

과거에는 지식을 배우고 소통하는 창구로 학교가 유일했다. 하지만 현재는 다양한 교육 플랫폼과 콘텐츠를 통해 언제, 어디서든지 필요한 지식을 얻을 수 있다. 그렇기 때문에 학교교육이 단순한 지식이나 기능의 습득만을 가르쳐서는 안 된다. 무엇보다 다가올 미래사회는 단순 지

---

12 온라인에서 학생들의 진도율, 출결 관리, 퀴즈 등 학습 통합 관리와 모둠학습을 위한 토론방, 댓글을 활용한 팀 프로젝트 등을 지원하는 사이트로 최근에는 인공지능을 활용하여 학습 이력을 관리·분석하여 맞춤형 개인화 서비스를 제공하고, 다양한 유형의 파일을 클라우드 형태도 저장하고 공유하는 온라인 포트폴리오 기능도 지원한다.

식 습득보다는 이를 창의적으로 적용하고 응용하는 능력, 다른 사람과의 협력·협업을 통해서 문제를 해결하는 능력, 비판적 사고 능력 등을 가진 인재를 필요로 한다. 이를 위해서는 무엇보다 학생의 특성에 맞는 개인 맞춤형 교육 지원 등의 시스템이 필요하다. 에듀테크에 기반한 온라인 교육은 이러한 개인 맞춤형 수업을 가능하게 지원한다. 뿐만 아니라 배움의 시공간을 확장시켜 형식적 교육뿐만 아니라 비형식적 교육으로까지 학교교육의 장을 넓혀 준다.

온라인 교육의 개념 이해를 통한 변화될 학교교육의 모습 조망

코로나19로 인해 온라인 교육은 긴박하게 실시되었다. 서두에서 언급했지만, 앞으로도 온라인 교육은 우리 학교교육의 한 부분이 될 것이기에 지금 시점에서 온라인 교육에 대한 이론적 개념과 의미에 대해서 살펴보는 것은 의미가 있다.

온라인 교육은 공간이나 장소의 제약 없이 인터넷 등의 ICT 기술을 활용해서 편한 시간에 학습할 수 있는 장점이 있다. 이러한 온라인 교육은 오프라인 교육과 반대되는 개념이다. 혹자는 대면 교육과 비대면 교육으로 구분해서 사용하기도 하는데, 이는 온라인 교육을 너무 단순하게 구분 짓는 것이다. 온라인 교육의 개념을 이야기할 때 사용하는 대표적인 명칭에는 e-learning, m-learning, smart learning 등이 있다.

일상생활에서 쉽게 접하는 e-learning은 eletronic learning의 약자로 정보통신 기술을 활용하여 언제, 어디서나, 누구나 원하는 수준별 맞춤형 학습을 할 수 있는 체제라고 할 수 있다. '전자의'라는 뜻의 eletronic은 매체의 관점에서 개념화시킨 것이다. 전자 장비를 활용해서 교육하는 것을 총칭해서 말한다. 하지만 여기서 e는 다른 의미로도 살펴볼 수 있다. 학습 목적의 관점에서 e를 정의 내리면 영어의 'effective(효과적인)'나 'efficient(효율적인)'로 살펴볼 수 있다. 개별 학습자의 수준에 맞게 효과적이고 효율적인 학습을 제공한다는 의미이다. 끝으로 개방적 학습 환경의 관점에서 e를 정의 내리면 'extend(시간의 연장성)'나 'expand(공간의 확장성)'로 정의 내릴 수 있다. 시공간적·물리적인 제약에서 벗어나 언제 어디서든지 학습할 수 있는 환경을 제공한다는 의미이다.

m-learning은 mobile learning의 약자로, 개인이 항상 들고 다니면서 안정적인 연결을 제공하고, 주머니에 들어갈 정도의 크기인 소형 디지털 기기를 매개로 하여 개인이 정보를 소비 혹은 생성하거나 정보와 상호작용할 때 이들로 하여금 보다 생산적이도록 해 주는 어떤 활동(e-learing guild, 2007)이라고 정의된다. 즉 스마트폰이나 태블릿 PC 등 휴대가 용이한 기기를 활용하여 온라인 교육을 진행하는 것을 의미한다. 매체에 초점을 맞춰 정의 내린 것이라 할 수 있다. 우리나라보다는 외국에서 m-learning이라는 용어를 더 많이 사용한다.

smart learning은 기존의 e-learning, m-learning을 통합한 것이다. 인터넷의 빠른 보급과 스마트 기기의 확산과 함께 최근에 등장한 용어이다. smart learning은 최신 매체를 활용하는 수업 방법을 지칭하는 것이 아니라, 미래교육의 새로운 패러다임이라고 볼 수 있다. 스마트 기기를 단순하게 활용하는 교육이 아니라, 최신 정보통신 기술과 스마트 기기를 전략적으로 활용하여 학습자 수준별 맞춤형 개별화 교육과 시공간적인 제약에서 벗어난 교육을 실현하는 것이다. 또한 학습자의 상호작용을 통한 협업과 자기주도적 학습을 이끌어 내며, 온라인 자료와 다양한 매체 활용 교육, 오프라인의 대면 학습활동 등을 모두 포괄하는 교육이라고 할 수 있다.

우리는 여기서 미래 학교교육의 모습을 살펴볼 수 있다. smart learning의 특성을 스마트 기기의 특성과 유사하다는 관점에서 살펴보는 것이다. 현재 학교 현장에서 smart learning에 활용되고 있는 스마트폰과 태블릿 PC는 기존 데스크탑 PC와 비교하면 많은 장점이 있다. 작고 가볍기 때문에 쉽게 휴대하고 이동할 수 있으며, 무선 인터넷을 활용하여 학습자 간 즉각적인 피드백과 활발한 상호작용을 제공한다. 또한 빅데이터에 기반한 인공지능을 활용하여 학습자의 학습활동 정보를 수집·분석하여 개별 맞춤형 학습도 지원한다. 개인화된 스마트 기기와 고속의 정보통신 기술, 클라우드 컴퓨팅 기술, 빅데이터 기술 등이 교육과 결합한 에듀테크는 앞으로의 변화될 학교교육의 특징이다.

온라인 수업의 유형과 교육의 질

코로나19로 인해 전국의 모든 학교가 사상 초유의 온라인 개학을 시행했다. 상황에 따라 모든 수업을 온라인 교육으로 진행하기도 한다. 이는 우리나라뿐만 아니라 세계 여러 나라에서도 일어나고 있는 일이다. 중국·일본·싱가포르·호주·미국·영국 등 전 세계적으로 온라인 수업이 이루어지고 있다. 대부분의 국가에서 온라인 학습 관리 시스템(LMS)을 사용하고, 다양한 디지털 콘텐츠를 활용하여 온라인 수업을 진행한다. 온라인 수업의 유형에는 크게 3가지가 있다.

첫째, 온라인 콘텐츠를 자체 제작하는 방법이다.

파워포인트만으로 음성을 녹음하여 간단하게 영상을 제작하거나, 모비즌이나 오캠 등을 활용하여 영상을 간단하게 제작하는 방법, 디지털 카메라를 활용하여 직접 강의 영상을 촬영하여 자체 제작하는 방법이 있다. 교사의 목소리와 화면이 나온다는 측면에서 학생들의 동기 유발을 높일 수 있고, 기존의 학습 자료와는 차별성 있는 자료를 제작할 수 있다는 점에서 긍정적이다. 하지만 실시간 상호작용이 어렵고, 매번 자료를 제작해야 하는 점이 부담이 될 수 있다.

둘째, 공개 교육용 콘텐츠를 활용하는 것이다.

공개교육 자원(OER, Open Educational Resources)은 최근 매우 활성화

되어 있다. 대표적으로 MOOC, KOCW(Korea Open Course Ware), 경기도 지식(GSEEK, 경기도 온라인 평생학습서비스), TED 등이 있다. EBS 콘텐츠, e학습터, 인디스쿨 등도 한 종류라고 할 수 있다. 온라인 수업을 위한 다양한 공개교육용 콘텐츠가 생기고, 발달하고 있다. 공개교육용 콘텐츠를 활용한 온라인 수업은 수업 준비에 대한 부담이 상대적으로 덜하지만, 학생들의 수업 집중도와 상호작용을 이끌어 내기가 쉽지 않다는 단점이 있다.

셋째, 실시간 쌍방향 화상 수업으로 온라인 수업을 하는 것이다.
코로나19로 인해서 온라인 화상 회의(웨비나, Web과 Seminar의 합성어) 도구가 주목을 받고 있다. ZOOM, Google Hangout Meet, Cisco Webex, 구루미 등 다양한 화상 회의 도구를 활용하여 실시간 쌍방향 화상 수업을 운영하거나, 유튜브, 아프리카TV, 카카오TV 등의 라이브 스트리밍 방송을 활용해서 실시간 쌍방향 수업을 하는 것이다. 실시간 쌍방향 수업은 실시간이기 때문에 학생들과의 상호작용이 잘 이루어진다는 장점이 있다. 하지만 실시간 강의에 대한 교사의 부담감과 온라인이라는 환경의 특성 때문에 생기는 수업 피로도, 학생의 수업 참여도 등의 문제가 있다. 특히 성인이 아닌 어린 학생들을 대상으로 모든 강의를 실시간 쌍방향 화상 수업으로 한다는 것은 현실적으로 거의 불가능하다.

어떤 방법이 더 좋다고 단정 지을 수는 없다. 대신에 교육공학에서 유명한 교육 매체에 관한 논쟁에 대해서 간략히 소개하고자 한다. 일명 '클락과 코즈마의 교육 매체에 관한 논쟁'이다.

1900년대 초에 '라디오'라는 새로운 매체가 학교교육에 사용될 때도 많은 교육자들은 라디오라는 매체의 효과성에 대해서 갑론을박을 벌였다. 새로운 교육 매체가 등장할 때마다 이러한 논쟁은 일어났다. OHP, 실물화상기부터 지금의 컴퓨터와 스마트 기기의 등장까지 논쟁은 계속되고 있다. 학교교육에서 수업을 기획·운영하는 주체인 교사의 역량과 새로운 매체의 대결 구도인 것이다.

클락(R. E. Clark, 1994)은 매체는 그 자체로 효과를 갖지 않으며 전달 수단에 불과하다고 주장했다. 매체적 특성보다는 수업 전략이나 교수 방법 등이 결정적인 영향을 준다고 보았다. 반면에 코즈마(R. B. Kozma, 1994)는 매체가 갖는 교수·학습의 효과를 강조했다. 필자 또한 새로운 매체가 등장함으로써 학습의 효과에 영향을 미친다고 생각한다. 하지만 궁극적으로 학습자에게 영향을 미치는 가장 큰 변인은 교사라고 생각한다. 온라인 교육에서도 교육의 질이 교사의 질을 결코 넘어설 수는 없을 것이다. 온라인 교육에서 생기는 교육 격차는 수업을 진행하는 교사에 따라 달라질 수밖에 없다. 앞으로 변화될 학교교육에서도 교육의 질은 여전히 교사에게 달려 있다.

효과적인 온라인 교육의 5가지 기준

온라인 교육은 정답이 없다. 온라인 교육 또한 교육 효과성에 대한 의문은 가져야 한다. 지금의 학교교육에서 우리가 말하는 성공적인 수업은 교사의 일방적인 강의 위주의 수업이 아니라, 학생들이 협업을 통해서 고민하고 문제를 해결하는 수업이다. 이러한 관점에서 효과적인 온라인 교육의 5가지 기준을 설명하고자 한다.

첫째, 적절한 디지털 매체의 활용이다.

매체의 특성에 맞게 온라인 교육을 기획하고 실행하는 것이다. 예를 들면, 모든 교과나 주제에 쌍방향 화상 수업을 하는 것은 바람직하지 않다는 것이다. 단순한 매뉴얼 전달이나 실험 절차에 대한 소개는 단방향 콘텐츠로도 충분한 교육 효과를 가져온다. 적재적소에 적합한 디지털 매체나 스마트 도구를 활용하는 것이 중요하다.

둘째, 학습자의 개별 학습을 지원하기 위한 맞춤형 요소를 제공해야 한다.

예를 들면, 시각 장애가 있는 학습자에게는 음성 지원이 가능한 온라인 수업을 해야 하고, 청각 장애가 있는 학습자에게는 수화와 같은 시각적 언어 지원이 있어야 한다. 보편적 학습설계(UDL, Universal Design for Learning)[13] 개념을 온라인 교육에서도 도입해야 한다.

셋째, 학습자의 위치, 상황 등을 고려해야 한다.

학습자가 처한 환경을 고려해서 적절한 온라인 수업을 설계해야 한다. 예를 들면, 인터넷이 제한된 환경에 있는 학습자에게는 관련 도서나 학습지 등이 포함된 학습 지원 자료를 제공하고, 화면이 작은 스마트폰을 주로 활용하는 학습자에게는 영상 위주의 온라인 콘텐츠를 제공하는 것이 더욱 효과적이다.

넷째, 학습자와 교수자 간 상호작용 및 협력 학습을 제공해야 한다.

오프라인 수업과 마찬가지로 일방적인 지식 전달 수업으로는 학생들의 창의력을 신장시키기는 어렵다. 온라인 수업에서도 학습자 간 혹은 학습자와 교수자 간의 협업을 의도적으로 설계하여 운영하는 것이 바람직하다.

다섯째, 문제해결력 신장을 위한 전략이 필수적으로 수업에 포함되어야 한다.

예를 들면, 지구 환경 문제에 대해 온라인 수업을 했다면, 학생들이 가정에서 '환경 지킴이' 역할을 실천하는 과제를 제시하여 스스로 실천

---

13 모든 건축물이나 시설, 생산물을 장애 유무나 연령 등과 상관없이 모든 사람들이 편리하게 사용할 수 있도록 건축 전에 모든 장애 요소를 고려하고, 그것을 설계에 반영하려는 노력인데, 보편적 학습설계는 이를 교수·학습 상황에 적용하여 모든 학습자에게 접근성을 부여하고, 적절한 도전감을 주며, 학습에 몰입케 하는 유연한 자료와 방법을 제공하는 노력이라 할 수 있다. (네이버 지식백과)

하고 문제를 해결하는 기회를 제공해야 한다. 이러한 실행 과정을 통해서 학습자는 문제를 해결하고 스스로를 성찰하는 경험을 갖게 된다.

이처럼 온라인 교육도 오프라인 교육과 유사하게 교수·학습을 기획하는 교사의 역량이 무엇보다 중요하다. 앞에서 언급한 '교육의 질=교사의 질'의 주장과 같은 관점이다.

가깝지만 새롭지 않은 미래교육

다양한 온라인 교육 플랫폼과 쌍방향 화상 도구 등 에듀테크의 활성화는 미래교육의 한 모습이다. 학교에 가지 않고 가정에서 온라인 학습을 하면서 교사와 학생들은 기존과는 완전히 다른 방식으로 소통하고 수업을 진행하고 있다. 필자와 함께 교육공학을 공부한 동료가 농담 삼아 "교육공학을 전공한 사람들이 포스트 코로나 시대의 교육에서 중요한 역할을 해야 한다."고 말했다. 이렇게 말한 이면은 교육공학자의 주된 관심사가 미래교육에 있기 때문이다. 필자는 이 말을 "우리 모두는 포스트 코로나 시대의 교육을 준비해야 한다."라고 표현하고 싶다. 교육공학을 전공한 사람뿐만 아니라 교사·학부모·지역사회 등 모두가 미래사회를 살아갈 우리 아이들을 바르게 성장시킬 의무가 있기 때문이다.

포스트 코로나 시대의 교육을 담보하기 위해서는 에듀테크라는 미래교육의 한 부분에 대해서만 인지하는 소극적 차원의 사유에 그치지 않고, 미래교육 전반에 대해서 넓은 시각을 가지고 미래사회를 대비하는 적극적 차원의 사유까지 나아가야 한다. 이런 의미에서 학교 현장 경험이 있는 교육 실천가의 시각과 교육공학을 전공한 이론가의 시각 모두를 포괄하는 관점에서 미래교육의 큰 흐름에 대해서 개인적인 사유를 담아 감히 논하고자 한다.

세계적인 미래학자인 유발 하라리(Yuval Noah Harari)는 저서 『21세기를 위한 21가지 제언』에서 교육의 미래 모습에 대해서 언급하면서, "변화만이 유일한 상수다."라고 말했다. 미래사회는 예측이 불가능한 불확실성을 특징으로 한다는 뜻이다. 우리 삶의 기본적인 모습까지도 변화될 가능성이 있다. 우리가 코로나19라는 새로운 전염병으로 인해서 전과는 완연히 다른 삶을 살게 될 줄은 아무도 예측할 수 없었다. 이처럼 미래에는 낯선 것이 '뉴노멀'이 될 수 있다. 사회·경제·교육·정치 등 모든 분야에서 예측이 불가능할 정도로 변화하는 속도가 빨라진다는 말이다.

18세기 중반 영국에서는 미래사회를 예측할 수 있었다. 18세기 중반 영국에서 시작된 산업혁명으로 공업화가 가속화되었으며, 이에 따라 공장에서 일하는 노동자를 빠른 시일 내에 양성해야 했다. 산업의 기계화 및 대량생산 체제에 부응하기 위해 학교교육도 많은 학생들을 동일한 방법과 내용으로 공장에서 물건을 찍어 내듯이 교육하였다. 하지만 앞으로의 사회는 앞에서 전술한 것처럼 예측 불가능한 것들이 훨씬 더 많이 존재하며, 복잡성을 나타낸다. 더 이상 산업혁명 시대와 같은 방식으로 학교교육이 실행 되서는 안 된다.

세계적인 석학인 켄 로빈슨(Ken Robinson)도 저서 『학교혁명』에서 '표준화'에서 '개인 맞춤형'으로, '획일성'에서 '창의성'으로 미래 학교교육의 패러다임 변화를 언급하였다. 그리고 교육과학 분야의 선구자인 로베르타 골린코프(Roberta M. Golinkoff)와 캐시 허시-파섹(Kathy Hirsh-Pasek)도 저서 『최고의 교육』에서 미래사회에 필요한 역량으로 의사소통 능력(Communication), 비판적 사고력(Critical thinking), 창의력(Creativity), 협업 능력(Collaboration), 콘텐츠(Content)와 자신감(Confidence) 등을 포함하는 6C를 이야기하였다. 여기서 분명한 것은 미래사회에는 과거 산업화 시대에서 요구된 능력과는 확연하게 다른 능력이 필요하다는 것이다. 포스트 코로나 시대에는 지금과는 다른 방식으로 학교교육이 이루어져야 한다.

학생 주도성 교육으로의 전환

OECD는 「미래교육과 기술 2030 프로젝트」라는 보고서를 통해 미래사회에 발생할 예측할 수 없는 문제를 해결하고, 새롭게 생겨날 미래 직업과 새로운 기술에 대비하도록 학교교육이 전환되어야 한다고 주장했다. 개인뿐만 아니라 사회적으로 모두가 행복한 미래사회를 지향하면서 불확실한 미래사회에서 학습자들이 부딪치는 문제를 스스로 해결할 수 있는 역량을 개발할 것을 제안하였다. 여기서 가장 중요한 것은 '스스로'라는 개념이다. 학생 스스로 주도하는 '학생 주도성'이라는 미래 학교교육의 큰 지향성을 선정할 수 있다. 물론 학생 주도성 교육에서도 미래사회에 필요한 디지털 소양, 국어·수학 같은 인지적인 능력과 윤리적이고 도덕적인 올바른 가치 판단과 관련된 사회적인 능력, 건강한 육체 및 정신과 관련된 신체적인 능력 등은 기본적으로 발달시켜야 할 교육 내용이다.

미래 학교교육에서 실행할 중요한 전략은 학생 주도성을 키우고, 이를 학교교육에 적용하는 것이다. 학생 스스로 자신의 삶과 사회에 긍정적인 영향을 미치고자 하는 신념을 가지고 프로젝트를 기획·실행·성찰함으로써 미래사회에 필요한 역량을 키우는 것이다. 학생 주도성 교육은 지금의 학교 환경인 한 명의 교사가 많은 수의 학생을 교육하는 체제에서 학생의 역량을 효과적으로 신장시킬 수 있는 방법이다.

이러한 학생 주도성 교육을 실현하기 위해서 학교 현장에서는 학생 주도 프로젝트, 학생 주도 체험학습, 학생 주도 학교 공간 재구조화 등의 정책이 실천되고 있다. 하지만 미래사회를 철저히 대비하기 위해서는 앞으로 이러한 정책이 교육 현장에서 더욱 심화·확대되고 정착되어야 한다. 또한 에듀테크 기반 온라인 수업에서도 학생 주도성 교육의 관점이 반영되어야 한다. 일방적인 교사 중심의 온라인 강의가 아니라, 교사와 학생의 소통을 기반으로 한 학생 주도 프로젝트 형태의 온라인 수업이 되어야 한다. 단순한 개념이나 지식 전달은 잘 만들어진 교육 콘텐츠를 활용하면 된다. 더 나아가 학생 주도 학교 교육과정 운영, 학생 주도 평가 시스템 도입 등 교육의 본질과 관련된 영역에서도 이러한 패러다임을 가지고 접근해야 할 것이다.

보다 체계화 · 정교화된 블렌디드 러닝의 활성화

미래교육의 트렌드에 대해 세계적 석학들이 공동으로 연구하는 「2019 Horizon Report」에서는 미래 학교교육의 모습으로 온라인과 오프라인이 혼합된 블렌디드 러닝을 제안하고 있다. 첨단 ICT 기술이 결합된 우수한 학습 관리 시스템, 학생 개별화 교육이 가능한 맞춤형 코스웨어, 실시간 쌍방향 화상 회의가 가능한 웹 회의 도구 등의 디지털 기술이 실현됨으로써 블렌디드 러닝이 향후 교육의 트렌드가 될 것이라고 제안하였다. 놀랍게도 이러한 제안은 코로나19로 인해 우리나라뿐만 아니라 전 세계적으로 생각보다 빨리 진행되었다. 블렌디드 러닝을 조금 더 구체적으로 살펴보자.

교육 형태를 온라인과 오프라인으로 구분하여 단순하게 혼합하는 교육을 블렌디드 러닝이라고 생각한다면 그것은 1차원적인 접근이다. 미래교육 시각에서 'blended(혼합된)'라는 의미를 다양한 관점에서 바라봐야 한다. 우리가 일반적으로 알고 있는 '시공간의 제약을 벗어난 온라인 수업과 면대면의 오프라인 수업을 혼합하여 실행하는 블렌디드 러닝'의 의미를 좀 더 확장시켜야 한다. 동료가 교사가 되기도 하고, 교사가 학생이 되기도 하는 교육 주체의 혼합, 때로는 학생이 모든 것을 주도하고 교사는 안내자의 역할만 하는 교수·학습 전략의 혼합, 한 가지 매체만을 활용하지 않고 다양한 매체를 적절히 섞어 적재적소에 활용하는 교육 매체의 혼합, EBS 온라인클래스와 같은 학습 관리 시스템 플랫폼과 실시간 화상 강의 도구인 ZOOM 등의 디지털 기술의 혼합 등 다양한 측면의 혼합이 있을 수 있다.

OECD가 제안한 미래 학교교육의 가장 큰 특징인 학생 주도성 교육을 실현하기 위해서 우리는 다양한 혼합을 시도해야 한다. 물론 간과해서는 안 되는 것이 있다. 바로 지역사회 및 학교 현장의 특성에 맞는 혼합이다. 학생 주도성 교육이라는 측면에서 또 하나의 큰 축은 단위학교 중심의 학교자치의 실현과 밀접한 관련이 있다. 학교자치를 통한 단위학교 경영의 독립이 이루어져야 학생 주도성 교육을 좀 더 원활하게 실천할 수 있기 때문이다. 현재 학교 현장에서 온라인 교육을 위해 활용하고 있는 온라인 학습 플랫폼을 학교자치 측면에서 개별 학교의 특성과 교육공동체(교사·학생·학부모·지역사회 등)의 요구에 맞게 기획하고 운영하도록 하는 것이 하나의 예가 될 수 있다.

또한 블렌디드 러닝이 강력한 효과를 내기 위해서는 온라인 교육 플랫폼이나 교수·학습 전략에 HCI(Human-Computer Interaction)[14] 기반 학습자 중심 학습 디자인을 포함해야 한다. 사용자(교사나 학생)가 원하는 기능을 포함해야 하며, 직관적으로 사용하기가 효율적이고 편리해야 한다. 이는 학습자 간 협업과 소통을 원활히 하는 데 도움을 줄 수 있다. 새로운 기술과 기능을 단순히 빠르게 적용하는 것이 아니라, 교사와 학생의 시각에서 바라보고 천천히 접근하는 것이 필요하다.

정리하자면, 우리에게 가까운 미래교육 플랫폼은 하이브리드 성격을 가진 보다 더 정교화되고 체계화된 블렌디드 러닝이다. 한 가지 주의할 점은 온라인 교육은 오프라인 교육의 보조적인 성격으로 접근해야 한다는 것이다. 현재 학교 현장에서 실천되고 있는 플립러닝이 이러한 관점의 수업 전략이라고 할 수 있다. 코로나19 상황이기 때문에 온라인 교육으로만 백퍼센트 진행하는 것이 어느 정도 납득은 되지만, 결코 바람직하지는 않다. 앞으로의 미래교육에서도 대면 수업이 주가 되어야 할 것이다.

우리는 상식적으로 지식 전달만이 교육의 본질이 아니라는 것을 알고 있다. 오프라인 교육에서 학생들은 배려와 소통 등 인간다움을 배운다. 서로의 눈과 눈을 마주 보고, 피부를 통해 느끼는 공감과 소통이 학생들의 정신적 성장에 무엇보다 중요하다. 대면 교육이 갖는 장점을 온라인

---

14 인간과 컴퓨터 간의 상호작용을 연구해서 인간이 사용하기 편리한 시스템을 만드는 학문이다. (위키백과)

교육이 온전하게 대체할 수는 없다. 학교는 학생들을 인공지능으로 만드는 곳이 아니다. 한 명의 인격체로서 성숙한 민주시민을 길러 내는 곳이다. 이를 통해 우리는 개인의 행복뿐만 아니라 사회의 행복도 함께 가져올 수 있다.

생태교육과 교육의 공공성 확보

OECD 산하 기관인 교육연구혁신센터(CERI, Center for Educational Reserch&Innovation)의 교육 트렌드 보고서에서는 미래사회에 더욱 강조될 기후변화와 교육 불평등에 대해서 언급하고 있다. 우리에게 기후변화는 지금도 심각한 문제이다. 전 세계적인 산업화로 인해서 지구의 자원은 줄어들고 있으며, 다양한 환경오염 문제가 생겨나고 있다. 지구온난화로 남극과 북극의 빙하가 빠르게 녹고 있으며, 황사와 토네이도 등 다양한 자연재해가 발생하고 있다.

행복한 미래사회를 준비하기 위해서 학교교육에 기후변화와 관련된 생태교육을 반드시 포함시켜야 한다. 기후변화의 악순환을 끊어야 한다. 지속가능하지 않는 성장을 지속가능한 성장으로 변화시키는 것만큼 중요한 것이 생태교육이다. 지구온난화, 자원 고갈 등 지구 생태와 관련된 여러 문제는 학생들에게는 생존과 관련된 문제가 될 것이다.

또한 교육의 불평등 문제도 학교교육에서 꼭 다뤄야 하는 주제이다.

세계의 많은 석학들이 교육 불평등에 관련된 이슈를 강조하고 있다. 소득 격차에 의한 교육 격차와 도시와 농촌의 정보 격차, 인터넷 정보의 옳고 그름을 판단하는(가짜뉴스, 거짓 정보 등의 판단) 디지털 문해력의 격차 등은 지금의 학교교육이 해결해야 할 문제이다. 특히 에듀테크 기반 온라인 수업에서 우리가 흔히 사용하는 다양한 미디어 속에는 수많은 가짜뉴스와 거짓 정보가 혼재한다. 이를 올바르게 걸러 내는 능력은 미래사회를 살아갈 학생들에게 꼭 필요한 능력이다. 미래사회를 살아갈 학생들에게 필요한 역량을 학교교육에서 발달시키는 것은 당연하다.

앞으로 학교교육을 통해서 우리는 교육의 공공성을 학생들에게 보장해야 한다. 단순히 교육을 통한 계층 이동의 문제로 바라볼 것이 아니라, 교육의 본질에서 접근해야 한다. 나만 행복한 사회가 아니라, 우리 모두가 행복한 사회가 필요하다.

인공지능 기반 학습의 적용

옥스퍼드대학교 닉 보스트롬(Nick Bostrom)은 인공지능을 능가하는 '초지능'에 대해서 언급하면서, 미래사회는 과학기술로 인해 혁신적으로 변화될 것이라고 예상하였다. 과학기술의 발달로 인해서 현재의 60세는 과거의 40세의 신체 나이를 갖게 될 것이다. 즉, 지금의 50대가 한창 일할 청춘이다. 그리고 인공지능을 가진 로봇 때문에 인간이 가질 수 있는 직업의 종류와 역할이 바뀔 것이다. 우리는 인공지능을 하나의 수단으로 잘 활용하면서 인간 본연의 인간성을 바탕으로 한 미래사회를 차근차근히 준비해야 한다. 연산문제 풀이나 빠른 길 찾기 등 명확한 목표를 달성하는 데는 인공지능이 인간보다 훨씬 빠르고 정확하다. 그럼 미래교육 측면에서 인공지능의 발달로 인한 영향을 살펴보자.

　앞으로의 학교교육에서는 학습자의 학습 이력을 데이터로 저장하여 학생에 맞는 개별 맞춤형 학습을 제공하는 학습 분석학이 활용될 것이다. 학습자 개인의 학습 이력을 인공지능이 분석하여 가장 적합한 학습 과정을 안내하는 방식으로 학교교육에서 활용될 수 있다. 학습자의 학습 정보가 계속적으로 축적되면 학생의 온라인 포트폴리오가 자동적으로 완성된다. 이를 통해 학생에게 가장 최적화된 교육 내용 및 방법을 제공할 수 있다. 하지만 이러한 인공지능 기반 학습 안내를 무조건적으로 신뢰해서는 안 된다. 교사나 학부모에게 참고 사항 정도로 안내가 되어야 한다. 최종 선택은 학생과 교사의 협의와 소통을 통해 이루어져야 한다. 앞에서 언급한 학생 주도성 교육은 미래교육의 가장 중요한 방향성이기 때문에 인공지능과 빅데이터를 기반한 학습 분석 자료도 학생 주도성 교육을 위한 보조 자료로 활용되어야 할 것이다.

　최근 코로나19로 인한 온라인 교육의 활성화로 많은 에듀테크 기업이 인공지능 기반 학습 플랫폼과 수업 지원 도구를 개발·운영하고 있다. 우리는 이러한 인공지능 기반 학습 기능을 취사선택하여 적재적소

에 유용하게 활용하여 학생의 개별 맞춤형 학습을 지원하면 된다. 인공
지능 기술에 대해서 잘 모른다고 두려워하거나 어려워할 필요가 전혀
없다. 에디슨이 개발한 전구를 활용하여 어두운 도시를 밝혔듯이 인공
지능 기술을 잘 활용하여 학생의 앞날을 밝게 밝히면 된다. 우리 인간이
만든 편리한 하나의 기술에 불과하다.

디지털 시민성 교육의 요구 증가

지금 그리고 가까운 미래인 디지털 시대에 반드시 갖추어야 할 역량을
「2019 DQ Golbal Standards Report」[15]에서는 3개 역량군과 24개 역량
으로 제시하였다.

　3개 역량군에는 디지털 기술과 미디어를 안전하고, 책임감 있게, 그리
고 윤리적으로 올바르게 사용할 수 있는 능력을 모아 놓은 '디지털 시
민성(Digital Citizenship) 역량군'과 디지털 생태계의 일부가 되어 새로운
지식과 기술 콘텐츠를 만들어 내는 능력을 모아 놓은 '디지털 창의력
(Digital Creativity) 역량군', 전 지구적 과제를 해결하고, 혁신하며, 디지
털 생태계에서 기업가 정신·직업·성장 등을 이끌어 새로운 기회를 만

15　DQ Institute에서 2019년도에 발간한 Digital Intelligence Quotient(DQ)와 관련된 보
고서이다. 보고서에서 제시된 3개의 역량군과 24개의 역량의 의미를 한글로 번역하여 인용하
였다.

들어 내는 능력을 모아 놓은 '디지털 경쟁력(Digital Competitiveness) 역량군' 등이 있다. 이중에서 미래 학교교육에서 가장 중요하다고 생각되는 디지털 시민성 역량군과 관련된 내용을 살펴보고자 한다.

먼저 정확한 추론과 판단을 통해서 나에게 필요한 정보를 찾고, 분석 및 평가하는 능력인 '미디어 활용 능력'이 우선적으로 길러져야 한다. 그리고 디지털 기술을 사용해서 나뿐만이 아니라 우리, 그리고 지역·국가·세계 공동체의 성장과 복지에 이바지하는 '디지털 기술의 공공성 보장 능력'도 학교교육에서 반드시 신장시켜야 한다. 첨단 디지털 기술을 활용해서 자신의 건강과 행복만을 추구하는 것이 아니라, 우리라는 공동체의 복지까지도 함께 생각하는 민주시민을 길러 내는 것이다.

앞으로 디지털 시민성 교육은 학교교육에서 매우 중요한 미래교육의 한 분야가 될 것이다. 디지털 세상에서 자신과 유사한 생각을 가진 사람들 하고만 소통하면서 점차 편향된 사고를 갖게 되는 'Echo Chamber'[16] 효과가 발생하지 않도록 디지털 시민 교육을 학교교육에서 중요하게 다루어야 한다. 많은 사람들이 자신이 취하고 싶은 정보만 받아들이고, 원하지 않고 자신과 생각이 다른 정보는 무시해 버리는 순간 우리 사회는 심각한 혼란과 사회문제를 겪게 될 것이다. '일베', 'N번방 사건' 등은 이러한 디지털 시민 교육의 중요성을 우리에게 다시 한 번 일깨워 준다.

---

16 방송이나 녹음 시 잔향감을 주기 위해 인공적으로 메아리를 만들어 내는 방을 의미한다.

미래교육을 위해 준비해야 할 과제들

코로나19로 인해 몇 차례 개학이 연기되고, 결국 학교 현장에서는 온라인 개학과 동시에 촉박하게 온라인 교육이 실시되었다. 처음에는 여러 시행착오가 있었지만, 우리나라의 발달된 ICT 인프라와 교사들의 우수한 역량과 헌신이 합쳐져 온라인 교육은 예상보다 성공적으로 실행되었다. 그 과정 속에서 온라인 교육 플랫폼의 접속 지연이나 일부 콘텐츠의 끊김 현상, 저학년 학생들의 온라인 학습 역량, 지역별·계층별 디지털 격차로 인한 교육의 불평등, 정보 보안, 초상권과 저작권 등 여러 문제가 이슈가 되기도 하였다. 여기서 우리 모두가 동의한 것이 있다. 바로 포스트 코로나 시대의 학교교육을 준비해야 한다는 것이다. 단편적으로 코로나19와 같은 새로운 종류의 전염병이나 천재지변 같은 생태계 문제 등을 대비해서 미래교육을 시작하자는 말은 아니다. 보다 큰 그림에서, 나무보다는 숲을 보는 시각에서, 앞에서 얘기한 우리에게 가깝지만 전혀 새롭지 않은 미래교육의 원활한 실행을 위한 토대를 준비하자는 말이다.

첫째, 학교교육의 디지털 인프라를 완성해야 한다.

온라인 교육은 오프라인 교육과 함께 미래교육의 한 축이 될 것이다. 원활한 온라인 교육을 진행하기 위한 디지털 인프라 구축은 반드시 선행되어야 한다. 에듀테크에 기반한 학교교육을 효과적으로 실시하기에는 지금의 학교 인프라는 많이 미흡하다. 지금까지 우리가 행정 편의상 해 왔던 방식으로 접근하지 말아야 한다. 미래학교를 주제로 한 연구학교, 시범학교 등을 공모·선정해서 일부 선정된 학교에만 예산을 지원해서 인프라를 구축하는 방법으로는 이를 해결할 수 없다. 전국에 있는 모든 학교에 공공 와이파이와 학생 수에 맞는 디지털 기기를 보급하고, 코로나19로 인해 한시적으로 사용하게끔 한 상용 이메일이나 메신저, 민간 기업의 소통 채널 등을 계속적으로 활용할 수 있도록 규정을 변경해야 한다. 그동안 정보 보안을 이유로 학교 현장에서는 흔히 쓰는 카카오톡도 활용할 수 없었던 현실이 안타까울 뿐이다.

또한 학교나 지역사회의 특성을 살린 온라인 학습 관리 시스템을 구축하도록 예산을 지원해야 한다. 학교자치 관점에서 학교를 구성하는 교육공동체의 특성과 요구에 맞는 기능이 있는 학습 관리 시스템을 구축하는 것이다. EBS 온라인클래스, e학습터, 클래스팅, 구글 클래스룸 등의 플랫폼을 단순하게 선택해서 활용하는 것이 아니라, 우리 학교만의 전용 플랫폼을 구축하여 활용하는 것이다. 이를 위한 기술적인 지원과 행정적인 지원을 교육지원청에서 해 준다면 어려운 일은 아닐 것이다. 학교자치 측면에서 시·도 교육청은 정책 연구 및 기획의 역할을 하고, 교육지원청은 해당 지역의 학교를 종합적으로 지원하는 교수·학습 지원센터의 역할을 하는 것이다. 앞으로 교육지원청의 역할은 더욱 촘촘해지며 지능화되어야 한다.

둘째, 학교의 물리적 공간을 재구조화해야 한다.

미래교육의 중요한 변화로 학생 주도성 교육을 언급하였다. 앞에서 전술한 학생 주도성 교육을 실천하기 위해서는 지금의 교실, 복도, 도서관, 운동장, 급식실 등의 학교 공간은 변화되어야 한다. 그리고 무엇보다 교사, 학부모, 학생, 건축가, IT전문가, 행정실장, 관리자 등이 함께하는 학교 공간 재구조화가 되어야 한다. 물론 여기서 주도권은 학생에게 주어야 한다. 학생들이 스스로 자신의 꿈과 진로를 찾고, 소통과 협업을 위한 다양한 활동을 원활히 할 수 있도록 지금의 학교 공간은 혁신적인 변화가 필요하다. 윈스턴 처칠은 "사람은 공간을 만들고, 공간은 사람을 만든다."고 하였다. 학생들이 살아갈 앞으로의 시대에 필요한 미래 역량을 키우기 위해서는 공간에 대한 시각이 달라져야 한다. 그리고 이러한 관점을 가지고 공간 혁신 사업을 빠르게 추진해야 할 것이다.

셋째, 디지털 시민성의 토대가 되는 민주시민교육이 강화되어야 한다.

이를 위해서는 미래교육을 위한 공감대가 먼저 형성되어야 할 것이다. 미래교육을 바라보는 저마다의 상을 공유해야 한다. 앞에서 주장한 학생 주도성 교육, 블렌디드 러닝의 활성화, 생태교육과 교육의 공공성 보장, 인공지능 기반 학습, 디지털 시민성 교육 등 미래 학교교육의 모습에 대해서 편안하게 이야기 나눌 수 있는 소통의 장을 마련해야 한다.

교육을 받은 학습자가 개인의 이익만을 쫓는다면 우리 미래는 어두울 수밖에 없다. 단편적으로 기후변화 문제와 빈부 격차 문제만 보더라도 개인의 행복과 사회적 행복이 연결되어 있을 수밖에 없다. 사회가 안정되어야 개인도 행복할 수 있는 것이다. 또한 민주시민교육을 통해 학생들은 올바른 가치관과 도덕적 잣대를 가진 성숙한 민주시민으로 성장해야 한다. 논쟁거리에 대해서 자유롭게 비판하고, 결과에 대해서는 책임지는 민주시민으로 성장해야 우리 미래사회는 지금보다 더욱 살맛나는 세상이 될 것이다. 미래교육을 이끌어 가는 교육공동체도 모두 성숙한 민주시민이어야 미래교육을 잘 실천하고 미래사회를 체계적으로 대비할 수 있을 것이다.

결국 에듀테크 기술의 원활한 활용을 위한 디지털 인프라 구축, 창의적인 학교 공간의 재구조화, 나뿐만 아니라 우리를 생각하는 민주시민교육의 강화 등의 다양한 도전이 모여 '모두가 행복한 미래사회 구현'이라는 산출물을 만들어 낼 수 있을 것이다. 이는 미래교육을 위해 우리가 준비해야 할 과제이다.

그래도 희망은 교원에게 있다

코로나19가 만들어 낸 답답한 교육행정과 뉴스로 먼저 접하게 되는 교육정책의 혼선 속에서도 학교는 더욱 강화된 공동 연구, 공동 실천, 동반 성장의 모습을 드러냈다. 학교의 자율 역량 강화 측면을 보면 교원의 개별적 전문성에 의존하던 방식에서 벗어나 공동체의 책임감을 바탕으로 운영하게 된 사례가 전국 곳곳에서 매우 다양하게 등장하게 된 것이다. "학교가 멈추니 기존의 행사 중심의 교육활동에서 벗어나게 됐다." 라는 어느 젊은 교사의 말을 통해서 학교는 학교다워야 하며, 교사는 교사다워야 함을 깨달았다. 학교는 온전히 교육에 집중해야 한다. 온전히 학생에 집중해야 한다. 이제 학교 내 공간을 벗어나 사이버상에서의 공간, 원격 학습을 학점으로 인정하자는 움직임이 일고, 학교 안과 학교 밖 운영에 대한 뜨거운 사례[17]가 공유되는 문화가 확산하고 있다.

코로나19 대응 긴급 복지 지원 차원에서는 교사가 학생들을 직접 돌보면서 일일이 챙기기 어려워지자 수업의 사각지대가 우려된 상황이었다. 특히 특수학급 학생이나 저학년에 대한 우려가 많았다. 방문 수업이나 보조교재 활용 등으로 원격 수업의 한계를 극복하려는 교사들의 자발적 동력에 의한 시도는 다양하게 이어졌다. 초등 교사의 보조교재 개발 사례, 특수교육 대상 장애 특성이나 보호자 의견을 고려해 일주일 한두 번 방문 수업을 병행하는 사례, 기업과 지자체의 스마트 기기 지원, 지역 아동돌봄센터 지원 등 지역과 지역이, 학교와 학교가, 학교와 지역이 서로 관계를 긴밀하게 하고 아이들을 위한 교육을 어른이 책임진다는 마음가짐으로 하나가 된 선례이다. 포스트 코로나 시대 지역 거버넌스 구축을 통한 생태계 확장이라는 이상이 아닌 현실로 성큼 다가서게 한다. 그러나 아직 목마르다. 그동안 협의와 소통의 부재, 지역 이기주의, 내 아이가 아니라는 무관심 등 메마른 대지에 대한 갈증의 골은 너무 깊다. 이제 우리가 간절히 바라던 지역 거버넌스를 통한 지역생태계 구축은 다각적이고 다차원적인 모습을 시도해야만 한다. 그리고 충분히 뿌리를 내리고 가지를 뻗을 수 있는 동력과 시간의 확보가 필요하다.

국가와 문화를 넘어 거대한 팬덤을 보유한 방탄소년단의 2018년 UN 연설 내용을 빌어 교원들에게 얘기하고 싶다.

17　유튜브 부산 ○○초 온라인 개학 〈겨울왕국〉 패러디 영상 사례. 교사와 학생들이 영상 릴레이로 노래를 주고받는 영상이다.

당신은 교육하면서 실수를 했을지도 모른다. 하지만 실수하던 어제의 당신도 여전히 지금의 교원이다. 오늘의 교원은 과거의 실수가 모여서 만들어진다. 내일에 있을 교원은 지금보다 조금 더 현명할지도 모르겠다. 이 또한 교원이다. 그 실수들은 교원이 무엇인지, 무엇을 해야 하는지를 말해 준다. 교원 스스로 나는 누구인지, 내가 누구였는지, 내가 누구이고 싶은지를 생각하며 과거, 현재, 미래의 모두를 포함해서 교육을 사랑해야 한다. 그리고 그 사랑을 고스란히 학생에게 투영해야 한다. 사랑은 자신의 목소리를 내는 것에서부터 시작한다. 누구였든, 누구이든, 어느 학교에서 근무하든, 어디 출신이든 자신의 이야기와 신념을 말해야 한다. 혹여나 실수할까 두려움이 있을 것이다. 그렇지만 이제 온 힘을 다해 천천히 조금씩 교육에 대해 이야기해야 한다. 그리고 노력하는 삶의 모습을 모델링해서 학생이 학습하면서 실수하고 좌절하더라도 자신을 사랑하고 성장해 나갈 수 있게 길을 만들어야 한다. 살아가면서 코로나19와 같이 예기치 않은 어려움에 부딪혀도 두렵긴 하지만 헤쳐 나갈 수 있는 힘, 그리고 사회적 협력의 징검다리를 경험케 하면서 함께 살아가는 힘을 키우고, 자신이 받은 따뜻한 사회적 동행을 다시 사회에 환원하는 시민으로 길러 내야 할 것이다.

참고문헌

들어가며 · 미래교육을 위한 걸림돌, 과감하게 해소해야

김성천 외(2019a). 학교자치, 테크빌교육.

송기상 · 김성천(2019). 미래교육, 어떻게 만들어갈 것인가, 살림터.

1부 코로나19를 통해 바라본 학교

코로나19를 통해 교육계 민낯 들여다보기

카이스트 김대식 교수 "진정한 21세기는 3달 전 시작됐다" https://www.youtube. com/watch?v=DwJc40JXQZg 에서 참고.

코로나19 보도에 억울한 선생님들 왜? http://www.mediatoday.co.kr/news/ articleView.html?idxno=205801에서 인출.

유은혜 화상회의도 끊겼다… 550만명 '온라인 등교' 어쩌나 https://news.joins. com/article/23753837에서 인출.

교사 재택근무로 스마트 기기 보유 조사 늘어졌다? 교육부 국장 사과 https:// www.eduinnews.co.kr/news/articleView.html?idxno=27960 에서 인출.

학부모도 교사도 '부글부글'… 위험수준 치닫는 '교육 갈등' http://www. munhwa.com/news/view.html?no=20200420010702093l5001 에서 인출.

유엔아동권리위원회 "온라인 학습, 불평등 가속화해선 안 돼" https://news. v.daum.net/v/20200421172307621?f=p 에서 인출.

한심한 경기도교육청… "이랬다 저랬다 왔다 갔다" http://www.eduinnews.

co.kr/news/articleView.html?idxno=27197에서 인출.

"선생님, 행정 공문 안 내려갑니다" 6일부터 한 달 '온라인 수업 집중의 달' 운영 http://www.eduinnews.co.kr/news/articleView.html?idxno=28107에서 인출.

교사는 카톡, 페이스북, 밴드 하지 마! 보안 사고 예방이야! http://www.tnews.kr/news/articleView.html?idxno=40435에서 인출.

교육부가 정말 해야 하는 이야기를 해 주세요 https://www1.president.go.kr/petitions/588160에서 인출.

"교실 에어컨 창문 1/3 열고 허용… 마스크는 상시 착용" https://www.ytn.co.kr/_ln/0103_202005072203489267에서 인출.

사실상 '등교 선택제' 체험학습 폭넓게 인정 https://www.mk.co.kr/news/society/view/2020/05/467840/에서 인출.

"코로나19 이후 행복의 척도, 이렇게 바뀐다" https://youtu.be/ktL0zNkArbM에서 인용.

코로나19로 인해 부각된 학교 내 비정규직 문제와 교원의 자화상

교육청, 기간제 교사 채용시 방문접수만 "이메일로도 받아라" https://news.v.daum.net/v/20200422085912964에서 인출.

보따리장수처럼 떠도는 방과후 강사들 http://todayboda.net/article/6795에서 인출.

2부 코로나19가 불러온 온라인 교육

코로나19 이후 초등교육

교육부(2018b). 2015 개정 교육과정 해설: 총론.

임홍택(2018). 90년생이 온다, 웨일북.

최재붕(2019). 포노사피엔스 : 스마트폰이 낳은 신인류, 쌤앤파커스.

Eric Liu, Nick Hanauer(2017). 김문주 역. 민주주의의 정원, 웅진지식하우스.

빅데이터로 본 주간 교육 동향, 한국교육학술정보원, 2020-6호.

이상철 외(2018). 학생 온라인 만족에 영향을 주는 요인.

김상은(2018). 플립러닝 환경에서 온라인 수업의 질이 지각된 유용성, 학습몰입, 학습만족도에 미치는 영향.

조윤정 외(2019). 보편적 학습설계(UDL) 수업실천 프레임워크와 전략 개발 연구, 경기도교육연구원.

백병부 외(2019). 초등학생 생활과 문화 연구, 경기도교육연구원.

코로나19 이후 중등교육

부산광역시교육청 미래인재교육과(2020). 콕! 찝어서 살펴보는 온라인 수업 백서, 부산광역시교육청.

경기도교육청 개학준비지원단(2020). 원격 수업 및 학교 학생활동지원 안내, 경기도교육청.

울산광역시교육청 미래교육과(2020). 쉽게 이해하는 원격 수업 저작권 카드뉴스 활용 안내, 울산광역시교육청.

교육부·문체부(2020). 원격 수업 및 온라인 학습을 위한 저작권 FAQ, 교육부.

경기도교육청(2019). 정보보안 기본지침.

양정호(2017). 하청사회 : 지속가능한 갑질의 조건, 생각비행.

백기복(2002). 조직행동연구, p.77, 법문사.

고3 4월 학력평가 '사실상 취소' "등교 시기 신중하게 접근" http://www.hani.co.kr/arti/society/schooling/941308.html#csidxd0b5482a10bceec96a77ee5b3e1c234에서 인출.

갑작스런 학평 취소에 전북교육감 "교육부가 교육청 기만했다" https://www.sedaily.com/NewsVIew/1Z1K8UIDUH에서 인출.

코로나19 이후 대학 교육

문 대통령, 코로나 이후 21개국과 정상 외교⋯ 한국 향한 세계 '러브콜' https://

www.hankookilbo.com/News/Read/202004021569365036에서 인출.

대학 온라인 개강 첫날 "영상 끊기고 버버벅… 무슨 말인지 몰라요" https://www.hankyung.com/society/article/202003164375i에서 인출.

교수가 온라인 강의 중 담배 피워 '물의' http://mn.kbs.co.kr/news/view.do?ncd=4418512에서 인출.

한국교육학술정보원(2018). 2018 교육 정보화 백서.

https://www.facebook.com/univnet/

전대넷 "대학생 99%, 등록금 반환 요구" https://news.joins.com/article/23759898에서 인출.

https://www.ibric.org/myboard/read.php?Board=report&id=3496

교육부(2020). 신종 코로나바이러스 감염증 대응을 위한 학사운영 가이드라인.

교육부(2020). 코로나19 대응을 위한 교육 분야 학사운영 및 지원방안 발표.

교육부. 2019년 국내 고등교육기관 외국인 유학생 통계.

정부, 미 입국 중국인 유학생 '휴학' 권고… 3단계 관리 강화 https://www.dhnews.co.kr/news/articleView.html?idxno=118796에서 인출.

한국교육개발원(2020). 교육 분야 COVID-19 대응 동향 리포트 : 국외 교육 분야 전반 대응 현황.

"로봇이 대신 졸업장 받아준다?" 일본 대학서 열린 아바타 졸업식 https://www.hankookilbo.com/News/Read/202004021595016604에서 인출.

영국 대학들, 중국인 유학생 급감에 재정난 https://imnews.imbc.com/replay/2020/nwtoday/article/5746175_32531.html에서 인출.

Bloom, B. S.(1956). Taxonomy of educational objectives, Volume 1: Cognitive Domain. New York: McKay.

통계청 국가통계포털(2019). 장래인구추계.

한국교육개발원(2018). 교육통계 자료집, 고등교육통계편.

김영석(2017). 국립대 네트워크의 의의와 쟁점, 교육비평(39), pp.77-94.

정진상(2004). 국립대 통합네트워크 : 입시 지옥과 학벌 사회를 넘어, 책세상.

코로나19를 통해서 본 학교자치

장은주(2017). 시민교육이 희망이다, 피어나.

강호수(2019). 교사의 소진, 어떻게 줄일 것인가? : 사회적 지지와 자아존중감의 역할을 중심으로, 경기도교육연구원.

김경희(2019). 교사, 자치로 깨어나다, 에듀니티.

김미숙(2020). 혁신자치학교 성과분석연구, 서울교육정책연구소.

김성천 외(2018). 학교자치 : 학교자치를 둘러싼 다양한 시선, 테크빌교육.

김성천 외(2019). 학교자치2 : 교육공동체가 함께 만들어 가는 학교 민주주의, 테크빌교육.

김혁동 외(2018). 지방분권화시대의 단위학교자치 구현 방안, 경기도교육연구원.

백병부(2014). 경기도 혁신학교 성과분석 : 교육격차 감소를 중심으로, 경기도교육연구원.

백병부(2019). 학교민주주의 개념과 실행조건 연구, 경기도교육연구원.

원용아(2011). 단위학교의 자율권 분석 : 지침과 공문 분석을 중심으로, 서울대학교 석사학위논문.

윤정(2018). 학교는 어떻게 성공하는가? : A초등학교 교사들의 공유리더십에 관한 질적 사례연구, 경희대학교 대학원 교육학과 박사학위논문.

윤정·김병찬(2016). 학교 혁신에 참여하게 된 교사들의 갈등 경험에 관한 연구, 교육행정학 연구.

이대성 외(2020). 민주학교란 무엇인가?, 교육과실천.

"아직 2주일 버텨야 하는데…" 콩나물 돌봄교실 '한계' https://www.yna.co.kr/view/AKR20200506143200065?input=1195m에서 인출.

교육과정 자율화를 향한 희망의 응시

경기도교육연구원. 재난의 일상화와 교육의 과제, 경기교육 포럼(2020. 4. 9.).

백병부(2020). 코로나19와 교육 : 온라인 교육을 중심으로, 경기도교육연구원.

이찬승(2020). 초중고 원격 수업 분석과 학생들의 생생한 목소리, 교육을 바꾸는 사람들.

황현정(2018). 학교자치 실현을 위한 지역 교육과정 구성 방안, 경기도교육연구원.

신명희(2018). 학습자의 학습 스타일에 따른 온-오프라인 융합 학습활동을 통한 학습효과 분석, 한남대학교.

코로나 시대, 학교의 재발견(상) : 가르치는 곳? 사회적 돌봄도 분담하는 곳 http://news.khan.co.kr/kh_news/khan_art_view.html?artid=202007020600045&code=940401에서 인출.

코로나 시대, 학교의 재발견(하) : 갑자기 닥친 원격수업… 교육양극화 '위기'와 교육개혁 '기회' http://news.khan.co.kr/kh_news/khan_art_view.html?art_id=202007022113005에서 인출.

서울시 특별기획 : 원격수업의 현장에서 느끼는 의미와 가치.

코로나19의 등장과 혁신 포용적 평생학습체제

국정기획자문위원회(2017). 문재인 정부 국정운영 5개년 계획 및 100대 국정과제.

김명희(2019). 포용복지와 건강정책의 방향, 보건복지포럼, 12(278), 30-43, 한국보건사회연구원.

김미곤·여유진·정해식·변재관·김성아·조한나(2017). 포용적 복지국가 비전과 정책방향, 보건복지부·한국보건사회연구원.

김인엽·김종욱·송기민(2017). 중장년의 일과 학습에 관한 연구, 한국직업능력개발원.

김인엽·류지은·송기민·홍섭근·권하늬(2020). 평생학습체제 수립을 위한 국가교육 및 훈련 관련 법령 개선 방안, 한국직업능력개발원.

김종서 · 김신일 · 한승희 · 강대중(2015). 평생교육개론(개정판), 교육과학사.

김종서 · 황종건 · 김신일 · 한승희(2008). 평생교육학개론, 교육과학사.

대통령직속 국가교육회의(2018). 국가교육회의 1주기 백서.

류방란 · 김경애 · 이상은 · 한효정 · 이윤미 · 이종태 · 최항섭(2018). 제4차 산업혁명 시대의 교육 : 학교의 미래, 한국교육개발원.

박세일 · 김승보 · 박정수(2007). 평생학습사회 만들기: 교육에서 학습으로, 한국직업능력개발원 · 교육개혁포럼.

이상윤(2010). 교육 격차 해소를 위한 법제 개선 방안 연구, 한국법제연구원.

이상호(2018). 한국의 지방소멸 2018 : 2013~2018년까지의 추이와 비수도권 인구 이동을 중심으로, 고용동향브리프 2018년 7월호, 한국고용정보원.

이희수(2005). 평생교육 추진체제 개선 방안, 2005년 제3차 평생교육포럼 : 학습국가 실현을 위한 평생교육법의 합리적 개선방안, pp.27-49, 한국교육개발원.

이희수 · 강대중 · 김진화 · 권인탁 · 김현수 · 양병찬 · 임경수(2017). 제4차 평생교육진흥기본계획 수립을 위한 연구, 교육부.

임언(2018). 직업계 고등학교 기초학력 미달 학생 비율 국제 비교, KRIVET Issue Brief, p.149, 한국직업능력개발원.

장진호(1985). 평생교육과 사회교육, 과학교육사.

최항석(2004). 한국 평생교육의 재개념화에 관한 연구, 학생생활연구, 19, pp.81-109, 경기대학교 학생생활연구소.

통계청(2019). 2019년 출생 · 사망통계 잠정 결과.

하원규 · 최남희(2015). 제4차 산업혁명, 콘텐츠하다.

한승희(2010). 평생학습사회연구, 교육과학사.

황종건(1992). 한국교육의 새로운 선택 : 사회교육체계의 재정립, 21세기정책연구원.

KAIST 문술미래전략대학원(2017). 대한민국 국가미래전략, 이콘.

Dave, R. H.(1973). Lifelong Education and School Curriculum.

Griffin. C.(1987). 평생교육과정, 대한교과서.

Elfert, M.(2008). UNESCO Institute for Lifelong Learning(UIL), Promoting literacy, non-formal education, and adult and lifelong education Learning. In J. Reischmann & M. B. jr(Eds.). Comparative adult education 2008: experiences and examples, Frankfurt am Main, Germany: Peter Lang, pp.251-254.

European Council(2000). Lisbon strategy, European Union.

Helliwell, J., Layard, R. & Sachs. J.(2017). World Happiness Report 2017. Newyork: Sustainable Development Solutions Network.

Hermann, M., Pentek, T. & Otto, B.(2016). Design Principles for Industrie 4.0 Scenarios. Proceedings of 49th Hawaii International Conference on System Sciences HICSS, Koloa, 5-8 January 2016, pp.3928-3937.

OECD(2001). Schooling for Tomorrow: What Schools for the Future?.

UNESCO(1972). Learning to be: the world of education today and tomorrow.

온라인 학습 시대의 학교교육 평가

김경희 · 김완수 · 최인봉 · 김미경 · 김희경 · 조성민 · 김광규 · 박준홍 · 박종효 · 김성식 · 김지영 · 류성창 · 박윤수(2019). 새로운 학력 지표 구성 및 측정 방안 연구, 한국교육과정평가원, 연구보고 CRE 2019-5.

김석우 · 박상욱 · 김윤용 · 장재혁(2015). 중등교사의 평가 전문성 제고방안 : 서술형 평가 및 수행평가를 중심으로, 한국교육개발원, 연구보고 CR2015-24.

남기원 · 이수연(2017). 메이커스페이스 탐색을 통한 유아 메이커 교육 고찰, 유아교육학논집, 21(6), pp.205-228.

노은희 · 송미영 · 박종임 · 김유향 · 이도길(2016). 한국어 문장 수준 서답형 문항 자동채점 프로그램 고도화 개발 및 적용, 한국교육과정평가원 연구보고 RRE 2016-11.

박선화 · 전효선 · 이문복 · 장근주 · 김영은 · 이재진 · 임철일 · 문무경 · 장은희 · 김선경(2017). 미래사회 대비 교육과정, 교수 · 학습, 교육평가 비전연구(Ⅱ) : 유치원 및 초 · 중등학교의 교수 · 학습 방향을 중심으로, 한국교육과정평가원, 연구보고 RRI 2017-3.

박세진·하민수(2020). 순환신경망을 적용한 초등학교 5학년 과학 서술형 평가 자동채점시스템 개발 및 활용 방안 모색, 교육평가연구, 33(2), pp.271-295.

서민(2018). 서민 교수의 의학세계사, 생각정원.

성태제(2014). 현대교육평가, 학지사.

안미리·최윤영·배윤희·고윤미·김민하(2016). 학습분석학 국내 문헌 고찰 : 로그 데이터를 이용한 실증연구를 중심으로, 교육공학연구, 32(2), pp.253-291.

이봉규·김현진(2019). 학교 안 메이커스페이스(Makerspace)기반 메이커 교육의 학습과정 탐색, 교육공학연구, 35(2), pp.159-192.

전경희(2016). 과정중심 수행평가의 방향과 과제, 한국교육개발원, 이슈페이퍼 CP 2016-02-4.

주형미·최정순·유창완·김종윤·임희준·주미경(2016). 미래사회 대비 교육과정, 교수·학습, 교육평가 비전연구(Ⅰ) : 초·중등학교 교과 교육의 방향, 한국교육과정평가원, 연구보고 RRI 2016-10.

하민수·이경건·신세인·이준기·최성철·주재걸·김남형·이현주·이종호·이주립·조용장·강경필·박지선(2019). 학습 지원 도구로서의 서술형 평가 그리고 인공지능의 활용: WA3I 프로젝트 사례, 현장과학교육, 13(3), pp.271-282.

Bienkowski, M., Feng, M. & Means, B.(2012). Enhancing teaching and learning through educational data mining and learning analytics: An issue brief. US Department of Education, Office of Educational Technology, pp.1-57.

Chollet, F.(2018). Deep Learning mit Python und Keras: Das Praxis-Handbuch vom Entwickler der Keras-Bibliothek. MITP-Verlags GmbH & Co. KG.

Cole, P. G. & Chan, L. K.(1987). Teaching principles and practices. New York: Prentice Hall.

Géron, A.(2019). Hands-On Machine Learning with Scikit-Learn, Keras, and TensorFlow: Concepts, Tools, and Techniques to Build Intelligent Systems. O'Reilly Media.

McMillan, J. H.(2013). Classroom assessment: Principles and practice for effective standards-based instruction. 6th Edition. Boston: Pearson/Allyn and Bacon.

Hambleton, R. K., Zaal, J. N. & Pieteres, J. P. M.(1993). Computerized adaptive testing: Theory, Applications, and Standards. In R. K. Hambleton & J. N. Zaal(Ed.), Advances in educational psychological testing, pp.341-366. Boston:Kluwer Academic Pub.

Leacock, C. & Chodorow, M.(2003). C-rater: Automated scoring of short-answer questions. Computers and the Humanities, 37(4), pp.389-405.

Mikolov, T., Karafiát, M., Burget, L., Černocký, J. & Khudanpur, S.(2010). Recurrent neural network based language model. In Eleventh annual conference of the international speech communication association.

Nehm, R. H., Ha, M. & Mayfield, E.(2012). Transforming biology assessment with machine learning: automated scoring of written evolutionary explanations. Journal of Science Education and Technology, 21(1), pp.183-196.

OECD(2018). The future of education and skills: Education 2030. Position Paper. Retrieved from https://www.oecd.org/education/2030/E2030%20 Position%20Paper%20(05.04.2018).pdf

Opfer, J. E., Nehm, R. H. & Ha, M.(2012). Cognitive foundations for science assessment design: Knowing what students know about evolution. Journal of Research in Science Teaching, 49(6), pp.744-777.

Rychen, D. S. & Salganik, L. H.(2002). Definition and Selection of Competencies (DESECO): Theoretical and Conceptual Foundations. Strategy Paper. Neuchâtel: Organisation for Economic Co-operation and Development (OECD).

Siemens, G.(2012). Learning analytics: Envisioning a research discipline and a domain of practice. Proceedings of the Second International Conference on Learning Analytics and Knowledge.

Weiss, D. J.(1982). Improving measurement quality and efficiency with adaptive testing. Applied Psychological Measurement, 6(4), pp.473-492.

Future Ready Schools. https://dashboard.futurereadyschools.org에서 인출.

정총리 "코로나19 이전 일상으로 영원히 못 돌아갈 수도 있다" http://m.kmib. co.kr/view.asp?arcid=0014471649에서 인출.

"와이파이 없는 집은 어떡하나"… '온라인 개학' 향한 불신 목소리 https://news. mt.co.kr/mtview.php?no=2020032610233765812에서 인출.

교육부, '한국형 원격교육' 설계 착수… 정책자문단 첫 회의 https://news.nate. com/view/20200423n10322?mid=n0412에서 인출.

온라인 개학에 어쩌다 '죄인'된 교사들 "e학습터 터져도 내 잘못" https:// m.news.nate.com/view/20200418n04569?issue_sq=10515에서 인출.

코로나19로 인해 변화된, 그리고 변화될 미래교육

류광모(2017). 스마트교육 기반 플립러닝 실천을 위한 초등 교사 역량모델 개발, 인천대학교 대학원 박사학위 논문.

Clark, N. Q.(2011). 서영석·권숙진·방선희·정효정 역. 모바일 러닝 설계 : 모바일 혁명을 통한 조직역량 개발, 시그마프레스.

Clark, R. E.(1994). Media will never influence learning. ETR&D, 42(2). pp.21-29.

DQInstitute(2019). DQ(Digital intelligence) Global Standard Report 2019: Common Framework for Digital Literacy, Skills and Readiness. Retrieved May 5, 2020 from https://www.dqinstitute.org/dq-framework.

EDUCAUSE(2019). Horizon Report 2019. Retrieved May 1, 2020 from https:// library.educause.edu/resources/2019/4/2019-horizon-report.

eLearning Guild(2007), Mobile Learning 360 Research Report. Santa Rosa, CA: eLearning Guild.

Golinkoff, R. M, Hirsh-pasek, K.(2018). 김선아 역. 최고의 교육, 예문아카이브.

Ken, L.(2015). 정미나 역. 아이의 미래를 바꾸는 학교혁명, 21세기북스.

Kozma, R.(1994). Will media influence learning? Reframing the debate. ETR&D, 42(2). pp.7-19.

Yuval, N. H.(2018). 전병근 역. 21세기를 위한 21가지 제언 : 더 나은 오늘은 어떻게 가능한가, 김영사.

Yuval, N. H., Jared. D., Nick, B., Lynda, G., Daniel. C., Joan. C. W., Nell. L. P. & William. J. P.(2018). 오노 가즈모토 역. 초예측, 웅진지식하우스.

https://www.oecd.org/pisa/

https://read.oecd-ilibrary.org/education/trends-shaping-education-2019_trends_edu-2019-en#page2

http://www.oecd.org/education/2030-project/teaching-and-learning/learning/all-concept-notes/

https://ko.wikipedia.org/wiki/%EC%A0%84%EC%9E%90_%ED%95%99%EC%8A%B5

https://ko.wikipedia.org/wiki/%EB%A7%A4%EC%B2%B4_%EB%85%BC%EC%9F%81